新　潮　文　庫

大いなる遺産

上　巻

ディケンズ

山西英一訳

新　潮　社　版

253

カバー　水野信策

大いなる遺産　上巻

第一章

わたしの父の姓はピリップ、わたしの名はフィリップといったが、幼いわたしの舌では、両方ともただピップというだけで、それより長くも、明瞭《めいりょう》にもいうことができなかった。そんなわけで、わたしは自分をピップとよび、ひとからもそうよばれるようになった。

父の姓はピリップだといったが、それは父の墓石と、それからわたしの姉――鍛冶屋《かじや》に嫁《とつ》いだミセス・ジョー・ガージャリのいうことをもとにして、そういうのである。わたしは父も母も見たことはないし、ふたりの似顔というものも見たことはないので（ふたりが生きていたのは、まだ写真などというものができない、ずっと昔のことだったから）、ふたりの様子についてのわたしの幼いころの空想は、妙な話だが、ふたりの墓石から生まれた。父の墓石の文字の格好は、わたしに、父は黒い縮れ毛をした、角ばった、がっしりした体《からだ》つきの、色の浅黒い男だという、奇妙な考えをいだかせた。「ならびに上記のものの妻ジョージアナ」という碑銘のぐあいや格好から、母はそばかすのある、病身なひとだったろうと、子供らしく思いこんでいた。両親のお墓のそばには、長さ一フィート半くらいの、小さな菱形《ひしがた》の石が五つ、きれいに一列にならんでいて、それは幼い五人の兄弟の思い出にとって神聖なものであった――彼らは生活という万人の戦いを、非常に早いうちに切りあげてしまったのである。これらの石からわたしは、彼らはみんなズボンのポケットに手をつっこみ、あおむけになって生まれ、そのまま いちどもポケットから手をだしたことがないんだという、宗教的な信念をいだくようになった。

この地方は、テームズ川の下流にある沼沢地帯で、川がまがりくねっているので、海へは二十マイルたらずあった。いろんなものについて、わたしが最初にうけた、いちばん鮮《あざ》やかな、はっきりした印象は、ある忘れえぬ日の夕暮れちかい、うすら寒い午後の印象だったように思える。そんなとき、わたしは、こういうことをはっきりと知ったのである。それは、このいらくさの生《お》い茂っているわびしい場所は、教会の墓地であって、この教区の故人フィリップ・ピリップと、ならびに上記のものの妻ジョージアナとは、死んで埋葬されたということ、上記両名の幼児アレグザンダー、バーソロミュー、エイブラハム、トパイアス、ならびにロージアもまた、死んで埋葬されたということ、堤や土手や水門があって、牛がちらほら草を食べている、教会のむこうの、暗い、まっ平らな荒れ地は、沼地だということ、そのむこうに見える、低い鉛色の一条の線は、川だということ、風が吹きまくってくる、遠くの荒涼《こうりょう》とした、野獣の巣窟《そうくつ》みたいなところは、海だということ、そして、なにもかも恐ろしくなって、むしょうにがたがた震えながら、泣きだしている小さな子供は、ピップだということだった。

「やかましい!」だしぬけに、教会の玄関のわきの墓のあいだから、ひとりの男がむっくり立ちあがって、恐ろしい声でどなった。「静かにしろ、餓鬼《がき》め! でないと、きさまののどっ首を掻《か》っ切ってやるぞ!」

それは、粗《あら》い灰色の服を着、一方の足に大きな足枷《かせ》をはめられた、恐ろしい男だった。帽子はかむらず、破れ靴《ぐつ》をはき、頭には古いぼろをまきつけていた。びっしょり水にぬれ、泥まみれになり、石ころで足をいため、かたい石で傷をうけ、いらくさに突き刺され、いばらに引っ掻かれていた。彼は、びっこをひき、ぶるぶる身震いし、眼をぎょろぎょろ光らせながら、うなっていた。そして、歯をがたがた鳴らせながら、わたしの頤《あご》をつかんだ。

「おおう！　ぼくののどを切らないでください！」と、わたしは仰天して嘆願した。「おねがいです、そんなことしないでください」

「きさまの名まえをいってみろ！」と、その男はいった。「早くだ！」

「ピップです」

「もういちどいってみろ」と、その男はわたしをにらみつけながらいった。「はっきりいうんだ！」

「ピップ、ピップです」

「きさま、どこに住んでるんだ、いえ！」と、その男はいった。「指でさしてみろ！」

わたしは、教会から一マイルほどはなれた、赤楊《はんのき》や刈りこみ木のあいだに見える、川岸に近い平地のわたしたちの村を指さして見せた。

その男は、ちょっとわたしを見ていたが、やがてわたしの体を逆《さか》さまにつるして、ポケットの底をはたいた。しかし、ポケットにはパンがひとかけらあっただけだった。教会がもとのところにかえったとき——というのは、彼が恐ろしい勢いでいきなりそうしたので、教会はわたしの眼のまえでまっ逆さまにでんぐりがえり、尖塔《せんとう》がわたしの足のあいだに見えたからである——わたしは高い墓石の上にのせられて、ぶるぶる震えており、彼はパンにむしゃむしゃかぶりついていた。

「この小犬め！」と、その男は唇《くちびる》をなめずりながらいった。「なんて太った頬《ほ》っぺたしてやがるんだ」

頬は太っていただろうと思う。もっとも、あのころのわたしは、年のわりには小さくて、強くはなかったが。

「ちくしょう、まるでとって食《く》えそうだ」と、その男は威嚇《いかく》するように、頭をふりながらいった。「ほんとに食ってやりたいくらいだ！」

わたしは、そんなことしないでくださいと、一生けんめいに嘆願し、彼がわたしをのっけた墓石に、いよいよ強くしがみついた。それは、落っこちないようにするためでもあったが、また泣きだしそうなのをこらえるためでもあった。

「おい！」と、男はいった。「きさまのおっかあはどこにいるんだ？」

「あそこです！」と、わたしはいった。

彼ははっとして、ちょっと逃げだしたが、やがて立ちどまって、肩ごしにこちらをふりかえった。

「あそこです！」わたしは、おずおず教えた。「ならびにジョージアナ。あれがぼくのお母さんです」

「そうか！」と、彼はいいながら、もどってきた。「で、てめえのおっかあとならんでるのが、てめえのおっ父《とう》か？」

「そうです。お父さんもそうなんです。この教区の故人――なんです」

「ほう！」それから、彼は考えながら、つぶやいた。「じゃ、てめえはだれといっしょに住むんだ――てめえが生かしといて貰えるとしてだ、おりゃまだどっちとも腹あきめちゃいないんだからな」

「おねえさんとこです――鍛冶屋のジョー・ガージャリのおかみさんになってるミセス・ジョー・ガージャリのとこです」

「なに、鍛冶屋だ？」と、彼はいった。そして自分の足を見おろした。

彼は自分の足とわたしを、険しい眼つきでなんども見くらべてから、わたしの墓石に近づいてきた。そして、わたしの両腕をつかんで、危うく落ちそうになるまで、後ろに衝《つ》いた。そのため、彼の眼はわたしの眼を、この上もなく恐ろしい力でぐっと見おろし、わたしの眼は彼の眼を、まことに心もとないふうに見あげていた。

「おい、いいか。きさま」と、彼はいった、「こりゃきさまが生かしといてもらえるかどうかって問題だぞ。きさま、やすりってなんだか知ってるだろう？」

「はい、知ってます」

「それから、食いものってなんだか知ってるだろう？」

「はい、知ってます」

彼はわたしに、無力なことと危険なことを、いっそう強く感じさせようとして、ひとつ聞くごとに、わたしをさらに後ろへついた。

「きさま、おれにやすりをひとつもってくるんだ」またひとつき。「それから、食いものをもってくるんだ」またひとつき。「きさま、おれに両方とももってくるんだぞ」またひとつき。「でないと、きさまの心臓と肝臓《きも》をつかみだしてしまうぞ」またひとつき。

わたしはすっかり仰天してしまって、眼がくらくらしたので、両手で彼にしがみついて、いった。

「もしあなたがぼくをまっすぐにおこしといてくださるなら、ぼくはきっと気持ちが悪くならないで、あなたのおっしゃることを、もっとよく聞くことができましょう」

彼がわたしを前後左右にものすごくゆすぶったので、教会は風見を下にしてとびあがったほどだった。それから、彼はわたしの両腕をつかんで、わたしを墓石の上にまっすぐにすわらせて、つぎのような恐ろしいことをいった。

「きさま、明日《あす》朝早く、そのやすりと食いものをおれのところへもってくるんだぞ。あそこの古い砲台のところへもってくるんだ。そうして、おれのような人間を、いやどんな人間だってだ、見たなんてひとことでもぬかしたり、ちょっとでも、そんなそぶりを見せるんじゃないぞ。そうしたら、きさまを生かしといてやる。もしもきさまがもってこなかったり、わしのいったことを、こっからさきでもたがえたりしゃあがると、きさまの心臓と肝臓《きも》を掻きだして、焼いて食べっちゃうから、そう思え。きさま、おれがひとりだと思うかもしれんが、おりゃひとりぼっちじゃないんだぞ。おれといっしょに、若いのがひとりかくれているが、そいつにくらべたら、このおれなんか天使さまだ。その若い男は、おれのいうことを聞いてるんだ。そいつは、小僧をとっつかめえて、その心臓をとったり、肝臓《きも》をとったりするとくべつの法をちゃあんと知っているんだ。小僧がその若い男から逃げかくれしようったって、だめだ。たとえ小僧が入口に錠をおろして、ふとんのなかにぬくぬくもぐりこんで、頭からすっぽりかむり、これで大丈夫安心だと考えたって、その若い男はこっそり、小僧のとこへ忍びこんでいって、やつを切り裂いてしまうんだ。こうしているいまも、おれはその若い男がきさまをやっつけたがってるのを、やっとのことで止めてるんだぞ。その若い男をおさえて、きさまの内臓に手をかけさせないようにしておくのは、よういなこっちゃないんだ。さあ、きさま、どうするつもりだ？」

わたしは、彼にやすりをもってきてやり、食いもののこま切れをできるだけたくさんもってきてやりましょう、明日朝早く、砲台のところへきましょう、といった。

「もしそうしなかったら、神さま、わたしをぶち殺してくださいって、いってみろ！」と、その男はいった。

わたしがそのとおりにいうと、彼はわたしをおろしてくれた。

「さあ」と、彼はつづけていった、「きさま、自分の引きうけたことを忘れないで、あの若い男のことをおぼえてるんだぞ、さあ、家《うち》へけえれ！」

「お――お休みなさい」と、わたしはどもりながらいった。

「ふん、さぞ休めるこったろうて！」と、彼はいって、寒い、じめじめした原っぱのほうを、ちらっと見まわした。「いっそ蛙《かえる》にでもなったらなあ。それとも、うなぎにでも！」

それといっしょに、彼はがたがた震える自分の体《からだ》を両腕でだきしめた――まるで自分の体がばらばらにくずれないように、しっかりつかんでいるかのように！　そして、教会の低い塀《へい》のほうへ、びっこをひきひき歩いていった。彼がいらくさや、青草の塚《つか》にいっぱい生《は》えているいばらのあいだなどを、ひょこひょこ歩いてゆく姿を見ていると、彼はわたしの幼い眼を見かえした。それは、死人たちが彼の足首をねじって、彼をひきずりこもうと思って、墓場のなかからそーっとさしのばす手を、のがれようとしているみたいな眼つきだった。

彼は低い教会の塀のところまでいくと、足がしびれてこわばってるみたいにして、それをのりこえてから、ふりかえって、わたしのほうを見た。彼がふりむくのを見ると、わたしは顔を家のほうへむけて、大急ぎで歩きだした。しかし、わたしはすぐまた肩ごしにふりかえって見た。すると、彼がやっぱり両腕で体をかかえるようにして、痛む足で、沼地にあっちこっちおいてある、大きな石のあいだを、ひろい歩きしながら、川のほうへいく姿が見えた。その石は、雨がひどかったり、潮が満ちてきたりするときの足場においてあるのだった。

立ちどまって、彼を見おくったとき、沼地はただ水平にひかれた一条の、長い、暗い線にしか見えなかった。川は、それほど広くもなく、まだそれほど暗くもない、もう一条の水平な線をなしていた。そして、空にはただ、怒ったような、長い赤い線と、暗黒な線とがいりまじって見えるだけだった。見わたすかぎり、まっすぐに上をむいて立っているものといっては、たった二つ、黒いものが川ぶちにかすかに見えるだけだった。そのひとつは、水夫たちが舵《かじ》をとるための水路標であった――まるでたがをはずした樽《たる》を、竿《さお》の先にしばりつけたようなもので、近づいて見ると、いやにうす気味の悪いものだった。もうひとつは、絞首台で、それには、昔、海賊の首をくくった鎖がくっつけてあった。男は、この絞首台のほうへ、びっこをひきひき歩いていった。まるで、その海賊がよみがえって、絞首台からおりはしたが、またもういちどぶらさがるために、そこへもどっていくかのように。そう思うと、わたしは恐ろしくなって、ぞっとした。牛たちは首をあげて、彼のほうをじっと見おくっていたので、彼らもそう思ってるのかしら、と思った。例の恐ろしい若者がいるかしらと、あたりをぐるっと見まわしたが、それらしい様子はちっとも見えなかった。しかし、わたしはまたぎょっとして、一目散に家へ走ってかえった。

第二章

わたしの姉のミセス・ジョー・ガージャリは、わたしより二十以上も年上だった。そして、「自分で手塩にかけて」わたしを育てあげたというので、自分にたいしても、近所のひとたちにたいしても、えらい評判をとっていた。この「手塩にかけて」というのは、いったいどういう意味なのか、当時だれも教えてくれるものはなかったし、それに彼女は固くて、がっしりした手をしていて、それでわたしや彼女の夫を癖《くせ》のようにぶったので、わたしは、ジョー・ガージャリも自分も、ともに手にかけて育てあげられたんだろうと想像していた。

わたしの姉はきれいな女ではなかった。で、わたしは彼女はきっとジョー・ガージャリを手にかけて自分と結婚させたにちがいないというふうに、ぼんやり思っていた。ジョーは色の白い男で、なめらかな顔の両側には亜麻《あま》色の巻毛があり、眼は非常に淡い色をしているので、どうかした拍子に白眼とまじってしまったんじゃないかと思われるほどだった。彼はおとなしくて、ひとがよくって、気がやさしく、のんきで、愚直な、愛すべき男だった——力持ちの点からいっても、気がよわいことからいっても、まさに一個のハーキュリーズだった。

黒い髪と黒い眼をした姉のミセス・ジョーは、肌《はだ》がいったいに非常に赤い色をしていたので、わたしは姉は石鹸《せっけん》のかわりに、肉豆蔲《にくずく》のおろし金で体を洗ってるんじゃないだろうかと、ときどきあやしんだ。彼女は背が高くて、骨ばっていて、ほとんどいつも、粗《あら》い布のエプロンをつけっぱなしだった。そのエプロンは、二つの耳によって背中でくくられていて、前には四角な、金城鉄壁ともいうべき胸あてがあり、ピンや針がいっぱい刺してあった。彼女はそんなにしょっちゅうエプロンをつけていることを、自分にとっては非常な美徳であり、ジョーにとっては非常な不面目なことだと考えていた。しかし、いったい彼女はなぜそれをつけていなくてはならなかったのかという理由、いや、むしろ、よしんばそれをつけるとしても、なぜ毎日とりはずしてはいけなかったのかという理由は、わたしには、ついにわからないのである。

ジョーの鍛冶場は、わたしたちの家にくっついていた。わたしたちの家は、あの地方の多くの住宅とおんなじで、木造だった。――いや、当時はたいていみなそうだった。わたしが墓地から走ってかえってくると、鍛冶場はしまっていて、ジョーは台所にひとりぽつねんとすわっていた。ジョーとわたしは共通の受難者であり、そうしたものとしてたがいに信じあっていたので、わたしがドアのかけがねをはずして、入口の反対の炉辺《ろばた》にすわっている彼をのぞきこむと、ジョーはさっそくわたしに知らせてくれた。

「ピップ、ミセス・ジョーはおまえを捜しに、もう十ぺんも外へいったぞ。いまも出かけてるが、これで十三べんめだ」

「そうかい」

「そうなんだよ、ピップ」と、ジョーはいった。「まずいことに、くすぐり棒をもっていってるぞ」

この暗い知らせを聞いて、わたしはチョッキのたったひとつのこったボタンを、ぐるぐる、ぐるぐる、まわしながら、すっかりめいりこんで、暖炉の火を見つめていた。くすぐり棒というのは、さきにローをつけた棒で、わたしをくすぐるとき、わたしの体とこすれて、なめらかになっていた。

「あいつは腰をおろしたと思うと、また立ち上がって、くすぐり棒をひっつかんで、気ちがいのようにとびだしていったんだ。ほんとうだよ」ジョーは火搔きで下の格子《こうし》のあいだの火を、ゆっくりはらいおとして、それを見つめながらいった。「あいつは気ちがいのようになって、とびだしていったんだ。ピップ」

「ねえさんは、ずっとまえにでかけたのかい、ジョー？」わたしはいつでも彼を、子供の大きいので、わたしとおんなじものだと考えていた。

「そうさなあ」ジョーは鳩《はと》時計を見あげながら、いった。「こんどはもう五分も狂いまわってるよ、ピップ。あっ、きたぞ！　おい、ドアの後ろにはいれ、長タオルのかげにかくれるんだ」

わたしは、この忠告どおりにした。姉のミセス・ジョーは、ドアをぱっと押しあけて、かげにじゃまものがあるのを見つけ、たちまちその原因を見破って、くすぐり棒をつかって、さらにそれをたしかめた。そして、最後に彼女はわたしをつかんで、ジョーを目がけてつきとばした――わたしはたびたび夫婦間の飛び道具につかわれていたのである。どんな場合でも、よろこんでわたしをつかまえてくれるジョーは、わたしを暖炉のほうへやり、しずかに大きな一方の足でわたしをかばってくれた。

「どこへうせていたんだ、この小猿《こざる》め」ミセス・ジョーは地だんだふんでいった。「このわたしゃ怒ったり、おどろいたり、心配だったりで、へとへとになってるのに、いったいなにをしてたんです？　早くいってみなさい。でないと、たとえおまえが五十人で、ガージャリが五百人だって、わたしゃおまえをそのすみっこからひきずりだしてやる」

「墓地へいってきただけなんです」わたしは自分の腰かけに腰かけて、泣いたり、体をこすったりしながら、いった。

「墓地だって！」と、姉はくりかえした。「わたしがいなかったら、おまえなんか、とっくの昔に墓地へいって、そこにいっきりになったんですよ。いったいだれがおまえを、手塩にかけて育ててやったんです？」

「あなたです」と、わたしはいった。

「ところで、いったいわたしゃなぜそんなことしたのか、知りたいもんです」と、姉は叫んだ。

「ぼく、わかりません」と、わたしは泣き声でいった。

「わたしだって、わかりゃしない！」と、姉はいった。「わたしゃ、二どとこんなこたあしないよ。するもんか。おまえが生まれてからというもの、わたしゃこのエプロンをいちどだってはずしたことがないんですよ。鍛冶屋のおかみさんになるだけで、もうこりごりだ（それもガージャリのようなひとのさ）。その上、おまえの母親がわりになってるんですよ」

浮かぬ顔をして火に見いっているわたしの考えは、そういう問題からはなれていった。というのは、足に足枷《かせ》をはめられて沼地にいる逃亡者、ふしぎな若者、やすり、食いもの、あの避難所になっている仕事場でぬすっとをやろうという恐ろしい誓約、こうしたことが、まるで復讐《ふくしゅう》でもするように、眼のまえの炭火のなかに、彷彿《ほうふつ》とうかびあがったからである。

「ほう！」と、ミセス・ジョーはくすぐり棒をもとの場所へもどしながら、いった。「なるほどね、墓地のようなことでしょうよ！　おまえさんたちふたり、そろいもそろって、墓地のことを口にするのももっともですよ」ところで、わたしたちのひとりは、墓地のことなぞ、ちっとも口にはしなかったのである。「あんたたちは、ふたりしてこのわたしを、近いうちに墓地へ追いやってしまうだろう。わたしがいなくなったら、ふたりとも、さだめしけっこうなこってしょうよ！」

彼女がお茶の支度《したく》をしはじめると、ジョーは足ごしにわたしを見おろした。まるで自分とわたしを頭のなかで加算してみて、さてこんなふうに予言された悲しむべき境遇になったら、わたしたちふたりは、じっさいどうなるだろうかと、胸算用しているみたいに。それから、腰をおろして、雲ゆきの険悪なときにいつもやるくせで、右鬢《びん》の亜麻色の巻毛と頬髯《ほおひげ》をまさぐりながら、青い眼でミセス・ジョーのあとを追っていた。

姉は、わたしたちにバタつきのパンを切ってくれるのに、いつもちゃんときまった切りかたをした。まず最初に左手でパンのかたまりを彼女の胸あてにしっかりと押しつける——ときどきパンにピンがたったり、針がささったりして、それがあとでわたしたちの口のなかへはいるのである。それから、バタを（たくさんすぎないように）ナイフにつけて、まるで、薬剤師が膏薬《こうやく》でもつくるみたいに、ナイフの両側をとても器用につかいながら、そのバタをパンのかたまりにぬりつけ、皮のところからこねるようにしてけずりとる。つぎに、この膏薬の端でナイフを手ぎわよくさっとふいて、パンのかたまりから厚い切れを丸く切りとるのである。最後に彼女は、パンのかたまりから切れを切りはなすまえに、さっくと二つに切って、ひとつをジョーに、もうひとつをわたしにくれるのであった。

いまの場合、わたしは腹がすいていたが、自分の切れを思いきってたべる気にはなれなかった。わたしは、わたしの恐ろしい知人と、彼とぐるになっている、彼よりもっと恐ろしい若者のために、すこしとっておかなくてはならない、と思った。ミセス・ジョーは大へんなしまり屋で、なにか盗みだそうと思ってねずみいらずのなかなんかさがしてみたって、なにひとつ見つかりっこないことは、わかりきっていた。そこで、わたしは、自分の厚切れのバタつきパンをズボンのなかへかくそうと決心した。

この目的をやりとげるために必要な決心をかためることは、まったく恐ろしいことだった。それは、まるで高い屋根のてっぺんから、ひと思いにとびおりるとか、底知れぬ水のなかへとびこむ決心をするのと、おんなじだった。なにも知らないジョーは、この仕事をいよいよ困難にしてしまった。まえにもいったような、共通の受難者としてのふたりの、いわずかたらずの間の理解と、それからわたしにたいする彼のやさしい友情から、だまって自分たちのパン切れをほんのちょっともちあげ、たがいに見せびらかしては、たがいの食べぶりを感嘆しあうのが、わたしたちの毎晩の習慣になっていた――それに勢いづいて、わたしたちはさらにむしゃむしゃ頰ばるのである。

今晩も、ジョーは、彼の見る見る小さくなってゆくパン切れを見せながら、いつものように仲のいい食べくらべをやろうと、なんどもわたしに誘いをかけた。ところが、いつ見てもわたしは、一方の膝《ひざ》の上には黄色な紅茶のコップを、もう一方の膝の上には、まだ手をふれないバタつきのパンを、おいているのだった。ついにわたしは、例の計画をいよいよ実行にうつさなくてはならない、しかもそれは、その場の事情にあうように、ごく自然なやりかたでやるのがいちばんいいと、せっぱつまって考えた。わたしは、ジョーがこちらをちらっと見たばかりの瞬間をとらえて、パンをズボンにおしこんだ。

ジョーは、わたしが食欲をなくしたものと思って、心配になったらしく、考えこみながら、パンをひと口嚙《か》んだが、べつに美味《おい》しそうにも見えなかった。彼はそれを口のなかで、いつもよりずっと長いこともぐりもぐりさせて、しきりに思案していたが、けっきょくまるで丸薬かなんぞのようにごっくりのみこんだ。そして、もうひと口嚙もうとして、大きく嚙めるように、首を曲げたとたん、わたしのパンが姿を掻きけしてしまったのに気づいた。

まさにひと嚙みしようとして、ふいにやめ、まじまじとわたしを見つめているジョーのおどきあきれた様子が、あまりにきわだっていたので、姉の眼をのがれるわけにはいかなかった。

「おや、どうしたのよ？」と、姉はコップを下におきながら、きびしい調子でいった。

「おい、おい、ピップ！」と、ジョーは非常に真剣にとがめるように、わたしにむかって首をふりながらいった。「体に悪いぞ。どこかに引っかかるじゃないか。おまえ、嚙みゃしないんだろう、ピップ」

「まあ、どうしたってのよ？」と、姉はこんどはもっと鋭くくりかえした。

「おまえ、ちょっとでもいいから、咳《せき》といっしょに吐きだせるもんなら、吐きだしたほうがいいぞ」と、ジョーはすっかり胆《きも》をつぶしていった。「行儀も行儀だが、しかし、なんといっても健康が大事だからな」

もうそれまでにすっかりごうをにやしてしまった姉は、ジョーにとびかかって、両方の頰鬚をひっつかんで、彼の頭を後ろの壁に、しばらくのあいだごつんごつん、打ちつけていた。そのあいだ、わたしはすみっこにすわって、いかにも面目なさそうにそれをながめていた。

「さあ、こんどはなにがどうしたかいうだろう」姉は息を切らしながらいった。「だまって眼ばかりぎょろぎょろさせてる、死にそこないの大豚野郎！」

ジョーは心もとない眼つきで彼女を見た。それから、心もとないふうにひと口嚙んで、またわたしのほうを見た。

「なあ、ピップ」と、ジョーは最後のひと口を片頰にふくらませながら、まるでわたしたちふたりっきりで内証話《ないしょばなし》でもしてるみたいな声で、しかつめらしくいった。「わしとおまえはいつも仲よしだ。だから、いつだっておまえの告げ口なんかけっしてしやあしない。だが、そんな」――彼は椅子《いす》を動かして、わたしたちのあいだの床を見まわし、そうしてまたわたしを見た――「そんな途方もない丸のみを！」

「こいつが丸のみしたっていうんですか、ええ？」と、姉は叫んだ。

「なあ、おまえ」ジョーはまだパンで頰をふくらましたまま、ミセス・ジョーのほうは見ずに、わたしを見ながらいった。「わしもおまえの年ごろにゃ――しょっちゅう丸のみをやったもんだ。子供のときにゃ、わしのほかにも大ぜい丸のみやるやつがいたよ。だがな、ピップ、わしゃまだおまえみたいな丸のみを見たことはないぞ。のどへひっかかって死ななかったのは、神さまのおかげだぞ」

姉はわたしにつかみかかって、頭髪《かみ》をもってつるしあげ、こう恐ろしいことをいった、「おいで、薬を飲ませてやるから」

そのころ、ある医者のちくしょうが、タール水（昔の防腐剤―訳者）を立派な薬だと称してふたたび流行させ、ミセス・ジョーもそれを戸棚のなかにしまっておいた。まずいから利《き》くんだと信じこんでいたのである。ときどき、わたしは、この霊薬を特別上等の気つけ薬として、うんと飲まされた。動きまわると、まるで塗りたての塀みたいな臭気を発するのが、自分にもわかるほどだった。その晩も、わたしの急病にはこの調合剤が一パイント必要だったのである。ミセス・ジョーは、まるで靴脱器で長靴をしめるように、わたしの首を小脇《こわき》にかかえこんで、いとも気持ちよくこの薬をわたしののどに流しこんだのである。ジョーは半パイントでゆるされた。だが、それを（火のまえにすわって、口をもぐもぐさせながら考えこんでいるジョーが、すっかり面くらったことには）ぐっと飲みほさなくてはならなかった。なぜって、「このひとは吐きけがしてたんだからね」自分の経験から判断すると、ジョーは、たとえそれまでは吐きけなんか覚えなかったにしても、飲まされたあとでは、きっとむかむかしたことと思う。

良心というものは、大人《おとな》なり、子供なりを苛責《かしゃく》するとなると、まことにもって恐ろしいものである。だが、少年の場合に、その秘密の重荷が彼のズボンのなかにひそませたもうひとつの秘密と合体するとき、（わたしはあえて証言するが）それはまさに重大な懲罰である。自分はミセス・ジョーのものを盗もうとしているんだという罪の自覚やら――ジョーのものを盗もうとしてるんだとは少しも思わなかった。なぜなら、この家のものはなにひとつジョーのものだと思ったことはなかったから――すわっているときでも、ちょっとした用事をいいつかって、台所を歩きまわるときでも、しょっちゅう一方の手でバタつきのパンをおさえていなくてはならんということやらで、わたしはまるで気が狂いそうだった。それからまた、沼地の風《かぜ》が吹いてきて、炉の火がぱっと燃えあがったりすると、わたしは、自分に秘密を誓わせた例の足枷をつけた男が、明日の朝まで空《すき》っ腹《ぱら》を我慢することができない、するのもいやだ、いますぐ食わせろ、と外でいっている声が聞こえるような気がした。そうかと思うとまた、こんな恐怖にも襲われた。わたしに手をかけることをやっとのことでおさえられているあの若者が、肉体的な焦燥に負けるとか、時間をとっちがえるとかして、明日といわず今夜にも、わたしの心臓と肝臓《きも》をとってもかまわんという考えをおこしたらどうしよう！　恐怖のために人間の髪の毛が逆立つものとしたら、わたしの髪の毛こそ、あのとき逆立ったにちがいない。だが、しかし、たぶんだれの髪も逆立つことなんかないだろう。

それはクリスマス前夜だったので、わたしは明日のために、鳩時計で七時から八時まで、銅の棒でプディングを掻きまぜなければならなかった。わたしは（足に例の重荷をつけたまま掻きまぜていたが、それがまたわたしにやっぱり足に重荷をつけている例の男を、まざまざと思いださせた）。そのため、バタつきパンがくるぶしのところへでようでようとして、どうにも始末が悪かった。幸いと、わたしはこっそり抜けでて、この自分の良心のひとかけらを、屋根裏部屋《べや》の自分の寝室においてくることができた。

「おや！　あれは大砲の音かね、ジョー？」掻きまぜる仕事もおわり、寝床に追い立てられるまえに、最後にもういちど炉辺であったまりながら、わたしはいった。

「ああ！」と、ジョーはいった。「また囚人の脱獄だよ」

「え、どうしたんだって、ジョー？」と、わたしはいった。

説明となると、いつでも自分でやらないと承知しないミセス・ジョーは、かみつくようにいった。

「逃げだしたのさ。逃げだしたんですよ」まるでタール水でも浴びせるように、そう浴びせた。

ミセス・ジョーがうつむいて針仕事をやっているあいだに、わたしはジョーにむかって、「囚人ってなんなの？」という口の格好をして見せた。ジョーは、やっぱり口の格好で、恐ろしく手のこんだ返事をしたので、わたしにはたったひとつ、「ピップ」ということがわかっただけだった。「ゆうべ、暮れの時砲が鳴ったあとで」と、こんどはジョーは声をだしていった、「囚人がひとり、脱獄したんだ。そして、その警報に大砲をうったが、こんどはまた別の囚人の警報に大砲をうってるらしいんだよ」

「だれがうってるんだい？」と、わたしはいった。

「うるさいっ」姉は仕事をやりながら、わたしのほうへいやな顔をむけて口をはさんだ。「なんてしちくどく聞きたがるのよ。ひとにものなんか聞くんじゃない。そうすりゃ嘘《うそ》もいわれなくてすむ」

わたしにものをたずねられたら、嘘を教えるというんだったら、彼女としてあまり礼儀正しいことじゃないな、と思った。もっとも、彼女はだれもひとがいないときには、けっして礼儀正しくなんかなかったが。

このときジョーは、一生けんめい骨折って、大きく口を開き、ものをいう格好をして、わたしの好奇心をいやというほどそそった。それがわたしには、「サルクス」（「ふくれっ面《つら》」）といってるように思われた。そこで、当然わたしはミセス・ジョーを指さして、「ハー？」（「このひと？」）という口の格好をして見せた。しかし、ジョーは、どうしてもうんといわないで、また大きく口を開いて、恐ろしく力をこめて、ものをいう格好をした。だが、わたしにはその言葉がどうしても見当がつかなかった。

「ミセス・ジョー」わたしは最後の頼みに、口をきった、「――もしさしつかえなかったら――あの大砲の音はどこからしてくるのか、教えていただきたいんですが？」

「おお、神さま、この子をお恵みください！」と、姉は口と腹とはまるでうらはらのことを考えてるみたいに、叫んだ、『ハルクス』（「老朽艦」）からですよ！」

「ああ！」と、わたしはジョーのほうを見ながらいった。『ハルクス』！」

ジョーは、「わしがそういったじゃないか」といわんばかりに、とがめるような咳ばらいをした。

「で、『ハルクス』ってなんですか？」と、わたしはいった。

「この小僧ったら、いつだってこうだ！」と、姉は糸をとおした針でわたしのほうをさし、首をふりたてながら叫んだ。「この子にいちどこたえてやると、すぐまた十も聞きかえされる。『ハルクス』って、ぬめ地の向こう側にある監獄船のことですよ」この土地では、沼地のことをぬめ地といっていたのである。

「監獄船なんかにだれがいれられるんだろうかなあ？　それから、なぜいれられるんだろうかなあ？」と、わたしはだれにいうともなく、静かに絶望しながらいった。

ミセス・ジョーは、もう我慢できなくなって、いきなり立ち上がった。「よくお聞き、このはなったらし」と、彼女はいった、「いいかい、このわたしゃ、ひとを死ぬほどうるさがらせようと思って、おまえさんを手塩にかけて育てあげたんじゃないんですよ。そんなことしたら、それこそわたしの手柄《てがら》にはならないで、わたしのとがになったろう。人間はね、人殺しをしたり、ぬすっとをしたり、贋物《にせもの》をつくったり、いろんな悪いことをするから、監獄船へぶちこまれるんですよ。そういう人間は、いつでもものを聞きたがることがもとになるんです。さあ、さあ、寝た、寝た！」

わたしは、ローソクをつけて寝床へいくことをゆるされなかった。じんじんいう頭をかかえながら――ミセス・ジョーが最後の言葉にあわせて、まるでタンバリンみたいに指貫《ゆびぬき》でわたしの頭をこづいたからである――暗闇《くらやみ》のなかを二階へ上がっていくとき、わたしは監獄船がすぐ手近にあることは、わたしにとって非常に便利だということを、恐ろしいほど強く感じた。わたしはすでに、そこへむかって出かけているのだ。すでに、ものをたずねることからはじめて、こんどはミセス・ジョーのものを盗もうとしているからである。

あのとき以来――それは、もう遠い昔となってしまったが――わたしは恐怖におびえた幼いもののうちに、どんな秘密がかくされているかを知ってくれるひとは、ほとんどないのだと、なんども思った。それが恐怖でありさえすれば、どんな理由のない恐怖でもそうなのだ。わたしは、自分の心臓と肝臓《きも》をとりたがっているあの若者が、死ぬほど恐ろしかったのだ。足枷《かせ》をはめられたわたしの話相手が、死ぬほど恐ろしかったのだ。そして、恐ろしい約束を無理やりさせられた自分自身が、死ぬほど恐ろしかったのだ。姉は全能ではあったが、自分を救ってくれるだろうという希望は、わたしにはみじんもなかった。彼女は、ことごとにわたしをはねかえしていたからである。恐怖のどん底にあるわたしが、必要にせまられたらどんなことをしたろうかと思うと、まったく恐ろしい気がする。

その晩、わたしは、ほんのちょっと、うとうとしたかと思うと、はげしい春の潮の流れにのって、川を監獄船のほうへおし流されていく夢を見た。わたしが絞首台のところを流れすぎるとき、幽霊のような海賊は、首をしめられるのをあとまでのばしておくよりも、いっそのこといますぐ陸へ上がって、そこでひと思いにしめ殺されたほうがいいぞと、メガホンでわたしに叫びかけていた。たとえ眠りかけたにしても、眠るのがこわかった。なぜなら夜がしらみそめると同時に、食料室で盗みをしなくてはならないということがわかっていたからである。それは、夜のうちにやってしまうわけにはいかなかった。ちょっとやそっとこすったくらいで、燈火《あかり》をつけることはできなかったからである。燈火をつけるには、鋼《はがね》と燧石《ひうちいし》をこすってつけねばならず、そうすると鎖をがらがら鳴らしている海賊そっくりの音をたてるにきまっていたからである。

わたしの小さな窓の外の、大きな黒いビロードの帳《とばり》にほのぼのと灰色の光が射すやいなや、わたしは起き上がって、階下《した》へおりていった。途中にある板の一枚一枚、その一枚一枚の板がきしる音のひとつひとつが、あとからこう呼びかけた。「泥坊をつかまえろ！」、「ミセス・ジョー、起きなさい！」食料室には、時節がら食料がいつもよりかずっとたくさんたくわえてあったが、そこへはいると、わたしは後足でつるされている野兎《のうさぎ》にどきっとさせられた。わたしが背を向けかけたとたん、そいつが瞬《また》きしたような気がしたからである。しかし、わたしにはそれをたしかめるひまもなければ、えりごのみしているひまも、なにをするひまもなかった。もう一刻のよゆうもなかったのである。わたしはパンとチーズの皮をすこし、ミンス・ミートを半瓶《びん》くらい（これはゆうべのバタつきパンといっしょにハンケチにくるんだ）、石の壺《つぼ》からブランデーをすこしばかり（これはガラス瓶にうつした。このガラス瓶は、わたしが二階の自分の部屋で、あの飲むと酔《よ》うスペイン甘草水をこっそりつくるときに、つかったものである。そのあとで、台所の食料棚《だな》にある水差しの水を、石の壺にいれてうすめておいた）、肉はほとんどついていない骨、それからきれいな、丸い、ぎっしりつまったポーク・パイを盗みだした。もすこしでパイはなしに出てゆくところだったが、瀬戸物の皿《さら》におおいをかぶせて、すみっこのところに大事そうにしまってあるのはなんだろうか、知りたくなって、棚に上がって見たら、パイだったのである。すぐ食べるつもりじゃないんだろうから、しばらくのあいだは気づかれはすまいと思って、わたしはそれを盗んだのである。

台所には、鍛冶場に通ずるドアがあった。わたしは、そのドアの錠と閂《かんぬき》をはずして、ジョーの道具のなかから、やすりをひとつとりだした。それから、もとどおりに戸締まりをし、ゆうべ駆けってかえったときはいったあのドアをあけて、閉じ、そうして霧のかかっている沼地のほうへ走っていった。

第三章

それは白い霜のおりた朝で、おそろしくじめじめしていた。わたしの小さな窓の外側には、まるでなにかいたずら好きの小鬼《ゴブリン》でも一晩中そこで泣きあかして、その窓をハンケチがわりにつかっていたみたいに、湿気がかかっているのが見られたのだった。いまはその湿気が、裸の生垣《いけがき》やまばらの草の上に、ちょうど目の粗いくもの巣のようにおりていて、それが小枝から小枝へ、草の葉から葉へかかっていた。どこの柵《さく》にも門にも、水気がじっとりおりていた。沼の霧は非常に濃くて、わたしたちの村へくる道を教える道標《みちじるし》の木の矢印――もっとも、だれもその矢印にしたがうものはなかったが、なぜって、第一、そんなところへいくものはひとりもなかったからである――は、わたしがその下のすぐ近くへいくまで、ちっとも見えなかった。そこへいって、ぽとりぽとり、滴《しずく》のたれているその矢印を見あげると、それは、おさえつけられたわたしの良心に、まるでわたしをあの監獄船にひきわたそうとしている幽霊みたいに思われた。

沼地へ出ると、霧はいっそう濃くなっていた。そのためわたしがいろんなものにぶつかっていくのではなくて、いろんなものがわたしにぶっつかってくるような気がした。これは、やましい心にとって、とても気持ちの悪いことだった。水門も、堤も、土手も、霧のなかから、わたしにむかって、ふいに、ぬーっとあらわれた。そして、みんなこうはっきりと叫んでいるようだった。「ほかのひとのポーク・パイを盗んだ小僧だ！　あいつをひっつかまえろ！」牛もおなじように、とつぜん、わたしのまえにぬーっとあらわれた。そして、その見すえるような眼や白い鼻息で、こういっていた。「よおう！　泥坊小僧」白い三角巾をつけた一頭の黒い牡牛《おうし》——それは、眼ざまされたわたしの良心には、なにかしら坊さんみたいに思えた——は、おそろしく強情に、わたしをじーっと見すえ、わたしがまわってゆこうとすると、いかにもとがめるような風に、その鈍重な頭をぐるっとむけたので、わたしはその牡牛にむかって、泣きじゃくりながらいった、「ぼく、ほかにどうすることもできなかったんです！　ぼくは自分で食べようと思って盗《と》ったんじゃないんです！」すると、その牡牛は、首をたれて、鼻から息をもうもうと、煙のように吐きだし、しっぽを振り、後足でけって、見えなくなってしまった。

こうした間も、わたしはずっと川のほうにむかって、歩いていた。しかし、どんなにわたしが早く歩いても、足はすこしも暖かくならなかった。ちょうどわたしがいま急いであおうとしているあの男の足に、足枷《かせ》が釘でしっかりとめられているように、じめじめした底冷えが、わたしの足に打ちつけてあるように思えた。わたしは、砲台へまっすぐにゆく道を知っていた。いつか日曜日にジョーとそこへいったことがあったからである。そのとき、ジョーは古い大砲の上に腰をおろしていたが、わたしにむかって、おまえが正式に契約をしてわしのお弟子《でし》となったら、ひとつここで大いに「愉快」に遊ぼうな、といった。ところが、霧に迷ってしまって、気がついて見ると、ずっと右のほうにきすぎていた。で、わたしは河畔ぞいに、ぬかるみのなかのぐらぐらする石の堤と、潮をせきとめている杭《くい》の上を歩いて、もどってゆかねばならなかった。大急ぎでここをとおって、砲台にすぐ近いことがわかっている溝《みぞ》をこえて、ちょうど溝の向こう側の土手をかけ上がると、すぐ眼のまえに例の男がすわっているのが見えた。彼は背をこっちにむけて、腕を組み、まえのめりにこくりこくりやりながら、ぐっすり眠っていた。

彼があんなに思いがけないでいるところへ、朝食をもっていってやったら、いっそうよろこぶだろうと、わたしは思った。で、そっと近づいていって、彼の肩にさわった。とたんに、彼はぱっととびおきた。すると、それは例の男ではなくて、まったくの別人だったのである！

だが、この男もまた、粗い灰色の服を着、片方の足に大きな足枷《かせ》をはめられていて、びっこで、しゃがれ声で、寒そうで、なにもかもあのほかの男そっくりだった。ただ、ちがうところは、おなじ顔でなく、また縁《ふち》がひろく、山のひくい、平たいフェルト帽をかむっていることだった。わたしはそれを一瞬のうちに見てとった。というのは、一瞬しか見るひまがなかったからである。彼はわたしに呪詛《のろい》の言葉をあびせながら、うってかかった――しかし、円をえがいて弱い力でうちおろしたが、うちそこなって、もうすこしでばったり倒れるところだった。そうする拍子に、よろめいたからである――それから、二どほどよろめきながら、霧のなかへ駆けこんで、見えなくなってしまった。

「あの若者だ！」と、わたしは思った。そうわかると、心臓がとび上がるほどおどろいた。もしわたしに肝臓《きも》のありかがわかっていたら、そこもきっと痛んだことだろうと思う。

それから、すぐわたしは砲台のところへ出た。そこには、まごうかたない本人が、わたしを待っていた――まるで一晩中そうしていたみたいに、体をかかえるようにして、びっこをひきひき、あっちこっち歩きながら。彼は、おそろしく寒そうだった。いまにもわたしの眼のまえでばったり倒れて、死ぬほどの寒さのために凍え死しはしないかと思われた。眼つきも、恐ろしいほどひもじそうだった。で、わたしは自分のやったやすりを彼が草の上においたとき、もしわたしのもっている包みが眼にとまらなかったら、そのやすりを食べようとしたかもしれないと思った。彼は、こんどはわたしのもっているものをとろうとして、わたしを逆さまにしはしなかった。そして、わたしが包みを開き、ポケットのものをすっかりとりだしているあいだも、わたしの頭はちゃんと上をむいていた。

「その瓶のなかにゃなにがあるんだ、小僧？」と、彼はいった。

「ブランデーです」と、わたしはいった。

そのときには、彼はもうミンス・ミートを、とても奇妙なふうに食べているというよりか、あわてふためいてどこかへしまいこんでいるみたいに――のどにとおしていた。が、ブランデーをのむため、食べるのをやめた。そのあいだも、恐ろしくがたがた身震いしていて、瓶の口を嚙みきらないで、歯のあいだにくわえているのがやっとだった。

「瘧《おこり》にかかってるんじゃないですか？」

「うん、おれもそう思うんだ」

「ここはよくないですよ」と、わたしはいってやった。「あなたはこのぬめ地で寝ていたんでしょう。ここじゃ、瘧にすぐかかるんですよ。リョーマチにだってです」

「この沼地がおれの命とりになるまえに、おれは朝飯《あさめし》を食ってやるんだ。たとえすぐあとであそこにある絞首台につるされたってかまやしない、わしは食ってやるんだ。震えなんか、せめてそのくらいはかっとばしてやる、ほんとだぞ」

彼は、ミンス・ミートも、肉つき骨も、パンも、チーズも、ポーク・パイも、みんないっしょくたにがつがつむさぼり食っていた。そして、むさぼり食いながらも、わたしたちをとりまく霧を、うさん臭そうににらみつけ、たびたび食うのをやめて――顎をうごかすのすらやめて――耳をすました。なにか物音がしたり、またはそんな気がしたり、川でちょっとちりんという音がしたり、沼地で牛の息の音がしたりすると、彼ははっとおどろいた。とつぜん、彼はいった。

「おめえ、人をだましゃすまいな？　だれもつれてきやあしなかったろうな？」

「いいえ！　そんなことするもんですか！」

「だれにもおめえのあとをつけさしゃしなかったろうな？」

「いいえ、そんなことしやしません！」

「そうか」と、彼はいった。「おめえを信用するよ。もしおめえがそんな年ごろで、こんなにかわいそうにくたばってしまうまで追いかけられてる、みじめな虫けらを、狩りだす手つだいなんかするとしたら、それこそ恐ろしい人殺し犬だぞ！」

彼のなかに時計のような仕掛けがあって、それが鳴りだそうとしているかのように、彼ののどのなかで、なにかごくりっといった。彼は、ぼろぼろの粗《あら》い袖で、眼をこすった。

こんなにめいりこむのを見ると、かわいそうになって、彼がやがてパンに手をつけるのを見まもりながら、わたしは思いきってこういった。「ぼく、あなたがおいしそうに食べてくださるんで、うれしいですよ」

「え、なにかいったのか？」

「あなたがおいしそうに食べてくださるので、うれしいっていったんです」

「うん、ありがとうよ、坊や。うまいよ」

いままで、わたしは、家の大きな犬が食物を食べてるところを、たびたび見たことがある。わたしは、あの犬の食べかたとこの男の食べかたとが、とてもよく似ていることに気がついた。彼はちょうどあの犬のように、ふいに、鋭く、がぶっと嚙みついた。一口一口を大急ぎで、とても早くのみこんだ。いや、むしろぱくっ、ぱくっ、とひろいこんだ。そして、食べてる間も、あらゆる方向からだれかやってきて、パイをとってしまいそうだと思ってるように、横目で八方をにらんでいた。彼があんまりそわそわしながら食べていたので、おいしい味なんかとてもわからんだろうし、またほかのものがきて、いっしょに食べようとでもしようものなら、それこそ顎でそのひとにぱくっと食いつくだろうと、わたしは思った。そんなところが、とてもよく犬に似ていた。

「あなたはあのひとに少しもとっておかないんですか？」と、わたしは、そんなことをいったら失礼になりはしないだろうかとためらったすえ、おずおずたずねた。「おなじところからまたとってくるなんて、もうできませんよ」このことははっきりしていたので、わたしはそうほのめかさずにはおれなかった。

「あのひとにとっておくんだって？　あのひとって、だれだ？」わたしの友だちは、パイの皮をぱりぱり噛むのをやめて、いった。

「若いひとですよ。そら、あなたがおっしゃった。あなたといっしょにかくれておった――」

「おう！ そうか！」と、彼はちょっとぞんざいな笑いかたをしながら、いった。「あのひと？ うん、そうだ、そうだ！ なあに、あいつあ食い物なんかほしかあないんだ」

「でも、ほしがりそうな様子をしてたと思いますが」と、わたしはいった。

男は食べるのをやめ、非常にびっくりして、鋭く、じろじろとわたしを見た。

「様子をしていた――？ いつ？」

「たったいまです」

「どこでだ？」

「むこうです」わたしは指さしながらいった、「あそこですよ。あそこでそのひとが、くらくら眠ってるのを見つけて、あなたかとまちがえたんですよ」

彼はわたしの襟首《えりくび》をつかまえて、じっとにらみつけたので、わたしはのど首を掻っ切るという、最初の考えがよみがえってきたんだ、と思った。

「あなたのような着物を着てたんですよ。ただ、帽子をかむっていましたが」と、わたしは震えながら、説明した、「それから――それから」――わたしは婉曲《えんきょく》にいおうとして、一生けんめいだった――「それから、あの、やっぱりやすりをかりたそうでしたよ。あなたはゆうべ、大砲の音を聞かなかったんですか？」

「じゃ、ほんとに打ったんだな！」と、彼はひとりごとをいった。

「あなたがはっきり聞かなかったなんて、変ですね」と、わたしはこたえた。「だって、ぼくたちはうちで聞いたんですよ。家はずっとあっちのほうにあって、それに戸をしめきっておったんですよ」

「そりゃな！」と、彼はいった、「こんな原っぱに、ふらふらする頭と空《す》っ腹《ぱら》をかかえて、寒さと飢えでくたばりそうになりながら、ひとりぼっちでいると、夜っぴて、大砲の音や人間の叫び声ばかり聞こえてくるんだ。聞こえるかって？　それどころか、兵隊どもがまえのほうへさしだした松明《たいまつ》で赤い服をぱっと照らしながら、おれをじりじり取りかこんでくるのが眼に見えるんだ。おれの番号をよぶ声が聞こえ、おれを誰何《すいか》する声が聞こえ、鉄砲のがちゃがちゃいう音が聞こえ、号令が聞こえてくるんだ、『用意！　構え！　狙《ねら》え！』それから、ひっつかまえられる――すると、万事おわりだ！　もしおれがゆうべ捜索隊《そうさくたい》をひとつ見たとしたら――ちくしょうめ！どしん、どしん、足音をさせやがって、堂々とやってくるのをだ――おれにゃ百にもなって見えるんだ。それから、大砲の音ときたら、まっ昼間になってからだって、大砲の音で霜が震えるのが見えるんだ。――だが、その男だ」と、彼はまるでわたしがそこにいるのを忘れてしまったかのように、いいそえた、「おめえ、やつになにか気づいたことはなかったか？」

「顔にひどい傷をしてましたよ」と、わたしは、あやふやにしかおぼえてないことを、思いだしながら、いった。

「ここんとこじゃないか？」と、彼は自分の左の頰を、平手でらんぼうにぶちながら、叫んだ。

「ええ、そこですよ！」

「で、やつはどこにいるんだ？」彼はわずかばかりの食べ残しを、灰色のジャケツの胸におしこんだ。「やつがいった道を教えろ。探偵犬のように野郎をぶったおしてやる。足が痛いのに、いまいましい足枷《かせ》だ！ おい、やすりをよこしてくれ」

わたしは、あの他の男を霧が押しつつんでしまった方角を教えてやった。彼は、ちょっと顔をあげて、そちらを見た。しかし、すぐぬれている茂った草の上に腰をおろして、わたしのことも自分の足のこともかまわずに、まるで気ちがいのようになって、足枷にやすりをかけはじめた。その足には古い擦傷《すりきず》があって、血が流れていたが、彼はそれを、まるでやすりとおんなじように感じがないみたいにらんぼうにあつかった。彼がこんなにはげしくあせりだしたのを見て、わたしはまた彼がとても恐ろしくなった。それから、これ以上長く家をぬけだしていることも恐ろしくなった。わたしは彼に、ぼくもうかえらなくちゃなりません、といったが、彼はちっとも気がつかなかった。で、こっそり抜けだすのがいちばんの上策だと思った。最後に彼を見たとき、彼は首を膝の上にたれこんで、いらだたしげな呪詛《のろい》を足枷《かせ》や足にぶつぶつあびせながら、夢中になってやすりをかけていた。最後にわたしが霧のなかに立ちどまって耳をすましたときにも、やすりの音はまだしきりにしていた。

第四章

わたしは警官が自分を捕縛しようとして、台所で待ちかまえているものと、すっかり覚悟をきめていた。ところが、そんなものはいないばかりか、盗みをしたことさえ、まだ見つかっていなかった。ミセス・ジョーは、きょうのお祝いに家を飾りたてるので、大忙しだった。ジョーは、ごみ取りのなかへとびこまないようにと、台所の戸口の上がり段に追っぱらわれていた——姉が自分で床の上にまきちらしたものを、猛烈な勢いで刈りとっているときには、ジョーはおそかれ早かれそのなかへとびこまなければならんようにきまっていたからである。

「で、おまえはいったいどこをほっつきまわっていたんです？」良心にとがめられながら、わたしが姿をあらわしたとたんに、ミセス・ジョーはこうクリスマスの挨拶をいった。

わたしはクリスマスの唄《キャロル》を聞きにいってたんです、とこたえた。「へえ！　なるほどねえ！」と、ミセス・ジョーはいった。「もっと悪いことだって、しかねなかったろうよ」たしかにそうだ、とわたしは思った。

「わたしだって、鍛冶屋なんかのおかみさんになったり、（おんなじことだが）エプロンもはずしたことのない奴隷《どれい》になったりしてなかったら、唄《キャロル》のひとつも聞きにいったことだろうが」と、ミセス・ジョーはいった。「わたしゃね、これでも唄《キャロル》がとっても好きなんですよ。だからこそ、いまだにひとつも聞いてないんです。好きなことといったら、なにひとつできやしないんだから」

ごみ取りが片づけられると、ジョーは思いきってわたしのあとから台所にはいってきた。そして、ミセス・ジョーがじろっと眼をむけると、なだめるようなぐあいに手の甲で鼻柱をこすったが、彼女が眼をそむけると、こんどはこっそり二本の人さし指を十文字に組んで、わたしに見せた。それはミセス・ジョーがお冠を曲げてるぞ、という印しだった。ところが、彼女がお冠を曲げるのはほとんどしょっちゅうのことだったので、ジョーとわたしの指は、ちょうど十字軍騎士の記念碑の足みたいに、何週間も十文字に組まれたままのことがたびたびあった。

わたしたちは塩づけの豚肉の足と野菜、詰めものの焼き鳥二つという、豪勢なご馳走《ちそう》をいただくことになっていた。すてきもないミンス・パイはすでにきのうの朝のうちにできあがっているし（そのおかげで、ミンス・ミートがなくなってることは、いまだに気づかれないのである）、プディングはいま盛んに煮えてる最中だ。この大仕掛けな準備のため、わたしたちは、はからずも朝食を情け容赦もなくけずられることになった。「だって、わたしゃね」と、ミセス・ジョーはいった、「わたしゃ、やることが山ほどあるんだから、本式にお腹《なか》の皮のはち切れるまでつめこんで、洗いあげすることなんか、まっぴらです！」

そういうわけで、わたしたちは家にいる大供と子供ではなく、強行軍中の二千の軍隊かなんぞのように、パン切れをおしつけられた。で、わたしたちは申しわけないような顔つきをしながら、戸棚の水差しの牛乳と水をがぶがぶ飲んだ。そのあいだに、ミセス・ジョーはこぎれいな白いカーテンをかけ、幅のひろい煙突《えんとつ》の古い裾飾《すそかざ》りをはずして、かわりに新しい花模様の裾飾りをとりつけ、廊下《ろうか》の向こう側の小さな客間にかけてあるおおい紙をとった。この部屋《へや》は、ほかのときにはいちどもおおいをとられることがなくて、冷たい靄《もや》のような銀紙におおわれて一年中をすごしていたのである。それは暖炉の飾りだなの上においてある、二つずつ対《つい》になった、四つの小さな焼き物のむく犬までもつつんでいた。むく犬はみんな黒い鼻をし、めいめい花籠を口にくわえていた。ミセス・ジョーは非常にきれい好きな主婦だったが、そのきれいさをよごれ目よりもっと気持ちの落ち着かない、もっとありがた迷惑なものにしてしまう、すばらしい腕まえをもっていた。きれい好きなんて、いわば信心とおんなじようなもので、大ぜいのうちには、自分たちの信心を、これとおんなじようなものにしてしまうものがよくある。

姉は仕事がいっぱいあったので、教会へは代理ですますことにした。つまり、ジョーとわたしがいくことになったのである。ジョーは仕事着さえ着ていれば、筋骨たくましく、いかにも鍛冶屋らしく見えたが、いったん晴れ着を着ると、まるで金持の案山子《かかし》そっくりだった。晴れ着のとき、彼の身についたものでしっくり似合っているものといっては、ひとつもなく、なにもかも借り物みたいに見え、それがみんな彼の体を擦《す》りむくのである。きょうの祭日にも、教会の鐘が楽しげに鳴ると、彼は日曜日の悔罪者の晴れ着をひとそろえ着こんで、さながら不幸のかたまりみたいな様子をして、自分の部屋からでてきた。じゃ、わたしはどうかというと、姉はわたしを、産科医警官に（それも誕生日に）ひっとらえられて、犯した法の威厳にてらして処罰するために、彼女にひきわたされた少年犯とでも思いこんでいたにちがいない。わたしはまるで理性や宗教や道徳の命令にそむき、最善の友人たちの説得に反対して、強引に生まれでたかのように、しょっちゅう取り扱われていた。新しい服を注文しにつれていかれるときだって、姉はこれを一種の感化院みたいなものに仕立てて、手足を自由に動かしたりなどけっしてできないようにしてくれと注文するのだった。

だから、教会へでかけるジョーとわたしの様子といったら、同情あるひとたちの眼には、それこそ世にも哀れむべき光景として映じたにちがいない。それでも、人目にうつる苦しみなどは、わたしが心のうちでなめさせられた苦しみとくらべたら、もののかずでもなかった。ミセス・ジョーが食料室へ近づいたり、部屋から出ていったりするごとに、わたしを襲った恐怖感とくらべられるものといったら、ただ自分の手が犯したことを自分の心で思いつめる、あの悔恨の情があるだけだった。罪の秘密の重荷のもとにおしつぶされながら、わたしは、もし自分が教会にたいして自分の秘密を打ち明けたら、教会はあの恐ろしい若者の復讐から自分をかばってくれるだけの力をもっているだろうか、と考えた。結婚予告がよまれて、牧師が「いまそれを申し立てよ！」といったら、そのときこそ、自分は立ちあがって、礼拝室のなかで内密にお話したいことがありますと、申しでるべきだ、と考えた。もしこれがクリスマスでなく、ふつうの日曜日だったら、あるいは自分はこんな思いきった手段にでて、わたしたちのささやかな会衆をびっくりさせたかもしれない。

教会の執事のウォプスルさん、車大工のハッブルさん、ミセス・ハッブル、それからパンブルチュック叔父《おじ》さん(ジョーの叔父さんだったが、ミセス・ジョーがひとり占めしてしまっていた)が、わたしたちといっしょに食事をすることになっていた。パンブルチュック叔父さんというのは、すぐ近所の町の裕福な穀物商で、自分の二人乗りの二輪馬車をのりまわしていた。食事は一時半の予定だった。ジョーとわたしが家へかえってみると、食卓は用意され、ミセス・ジョーは晴れ着で盛装し、ご馳走もならべたてられるところだった。表玄関もお客さんの一行がとおれるように、錠がはずされており（ほかのときにはけっしてはずされることはないのである)、なにもかもすばらしかった。それでもなお、盗みのことはひとこともいわれなかった。

わたしの気持ちをすこしも安心させてはくれないで、いよいよその時刻となり、お客さんたちはやってきた。ウォプスルさんは、鷲鼻《わしばな》と、てかてかに禿《は》げあがった大きな額と、それから、なみなみならずご自慢の太い声をもっていた。で、彼を知るひとたちは、もし彼に思いとおりにさせてやったら、聖書読みにかけては、きっと牧師さんに眼をまわさせるだろう、と考えていた。自分でもまた、もし教会が「開放」――つまり、競争にたいして――されたら、それに成功することも、あながち絶望ではないのだが、といっていた。しかし、教会は「開放」されなかったので、彼はいまもいったとおり、いぜんとして教会の執事なのである。だが、彼はものすごい声でアーメンをどなった。そして、讃美歌をうたうときには――いつもその歌全部をうたったが――「さあ、諸君は頭上にあるわれらの友の声を聞かれた。諸君はこの歌いぶりをなんと思われるか、ひとつご意見をうかがいたいものだ！」といわんばかりに、まず会衆をぐっとひとわたり見まわすのである。

わたしは一同を招じ入れるために、ドアをあけた――このドアはいつだってあけてるんですよといわんばかりに。まずわたしはウォプスルさんのためにあけ、つぎには、ハッブル夫妻のために、それから最後にパンブルチュック叔父さんのためにあけた。いや、待ったり。わたしは彼を叔父さんなんてよぶことはゆるされないのだった。そんなことでもしようものなら、それこそいちばんきつい厳罰に処せられるぞ、といわれていたのだった。

「ミセス・ジョー」と、パンブルチュック叔父さんはいった。彼は魚みたいな口もとと、どんよりして、じっと動かぬ眼をし、薄茶色の髪の毛が頭にまっすぐ立っている、息づかいの荒い中年の、のろ臭い大男で、まるでたったいま危うく窒息しそうになって、やっと正気にかえったところだ、というような様子をしていた。「わしはな、おかみさん、クリスマスのご挨拶に――あんたにシェリを一本もってきましたよ――それからな、おかみさん、わしゃあんたに、ポートワインを一本もってきましたよ」

毎年のクリスマスに、彼は非常な珍客として、二本の瓶を啞鈴《あれい》のようにさげながら現われて、判で押したように、おんなじあいさつをした。毎年のクリスマスに、ミセス・ジョーはちょうどいまみたいに、いつもこたえるのだった、「まあ、まあ、パーンブルーチュックのおーじさま！ほんとに、ごしんせつにねえ!」毎年のクリスマスに、彼はちょうどいまのようにいいかえした。「あんたのようなかたのお口にゃあうまいが。ところで、みんなごきげんかな? 一文銭君はどうかな?」これは、わたしのことをいっているのである。

こういう場合には、食事は台所でやり、それから客間へうつって、くるみやみかんやりんごを食べるのだった。それはちょうど、ジョーの仕事着から晴れ着にかわるようなものだった。姉はこの日も非常なはしゃぎかたで、ことにミセス・ハッブルと話してるときは、ほかのものと話してるよりかずっと愛想がよかった。ミセス・ハッブルは空色の服を着、小がらで、縮れ毛の、鼻もあごも狐《きつね》のようにとんがり型のひとだったと記憶している。ハッブルさんよりかずっと年下で結婚したというので――それがどのくらい遠い昔のことやら、わたしにはさっぱりわからなかったが――習慣的に年若という態度をとっていた。ハッブルさんは頑丈な、怒り肩をした猫背《ねこぜ》の老人で、まるでおがくずみたいなにおいがしていたことをおぼえている。両またをものすごくひろげて歩くので、わたしがまだ背がひくかったころ、小道をやってくる彼にあうと、いつでも両またのあいだに原っぱがなんマイルも見えたほどだった。

こんな立派なひとたちといっしょだと、たとえ食料室で盗人《ぬすっと》なんかしていなくとも、かならずや窮屈千万な思いをしたにちがいない。それはなにもわたしがテーブル掛けのとがった角《かど》のところでしめつけられ、テーブルは胸にあたり、パンブルチュックの肘《ひじ》は眼のところにつきつけられていたためではなく、話をゆるされなかったためでもなく(わたしは話をしたいなんて、ちっとも思わなかった)、また鶏の足のこけらのある節のさきや、豚が生きていたときちっとも自慢することのできなかったような、まことにつまらん端っこのほうの豚肉《にく》を食べさせられたからでもなかった。みんなが、わたしをそっとしておいてくれさえしたら、わたしは、そんなことはなんとも思わなかったろう。ところが、みんなはわたしを、どうしてもそっとしておいてはくれなかったのである。彼らはときどきわたしに話のほこ先きをむけ、それをわたしにぐっさりつき刺さないと、まるでせっかくの好機をのがしたとでも考えているようだった。わたしはスペインの闘牛場の不幸な小牛みたいなもので、こうした精神的なつき棒を、いやというほどくらわされたのである。

それは、わたしたちが食卓にむかって腰をおろしたとたんに、もうはじまった。ウォプスルさんは芝居げたっぷりな調子で、音吐朗々と、食前の祈禱をあげ——それはいま思うと、なにかこうハムレットのなかの幽霊と、リチャード三世とを、宗教的に組み合わせたようなものだった——そして、われわれは心からなる感謝をささげたいという、まことにもっとも千万な願望をもってむすんだ。すると、姉はさっそくわたしに眼をすえて、非難がましい低い声でいった。「おまえ、お聞きかね？　感謝するんですよ」

「ことに」と、パンブルチュックさんはいった、「おまえを手塩にかけて育てあげてくれたひとたちに、感謝しなくちゃな」

ミセス・ハッブルは首をふって、この子はろくなものにはならんだろうという、悲しむべき予感をもって、わたしをじっと見つめながらたずねた。「若い者というと、なぜちっともありがたいっていう気持ちがおこらないんでしょうねえ？」この道徳的な謎《なぞ》は、一同のものの手にはとうてい負えないように思われたが、ついにハッブルさんは、こうかんたん明瞭《めいりょう》に解いてしまった。

「なあに、生まれつき悪くできてるんでさあ」するとみんなは「そのとおりだ！」とささやいて、ことさら気持ち悪い、非難がましい眼つきでわたしのほうを見た。

ジョーの地位と力とは、みんながいるときには、だれもいないときより、もっともっと薄弱なものになってしまった（もしそんなことがありうるとしたらだが）。しかし、彼は、できるときにはいつでも彼らしいやりかたで、わたしを助け、慰めてくれた。食事のときだと、肉汁でもあれば、その肉汁をわたしについでくれては、いつも助けたり、慰めたりしてくれるのである。きょうは肉汁がどっさりあったので、このときジョーはわたしの皿へそれを、半パイントほどすくいこんでくれた。

食事がすこしすすんだとき、ウォプスルさんは説教をやや辛辣《しんらつ》にたたいてから――例によって、もしもかりに教会の門戸が「開放」されたと仮定して――自分ならみんなにどんな説教をやって聞かせるだろうか、ということをほのめかした。その講話の題目をいくつか話してきかせたのち、きょうの説教の題目は、平凡で、選択がまずかったと思うね、といった。そして、いろんな題目が「どこにだってころがっている」さい、こういうことはいっそうゆるすべからざることだ、とつけくわえた。「いや、おっしゃるとおりですて」と、パンブルチュック叔父《おじ》さんはいった。「まさに図星ですよ！　つかまえるこつを心得ていさえすりゃ、いろんな題目がどこにだって、ごろごろころがっておりますだ。このこつをつかんでいるということが肝腎《かんじん》ですて。このこつさえつかんでおりゃ、題目を見つけるのに、なにもわざわざ手間ひまかけることはいらんですだ」パンブルチュックさんは、ちょっと考えてから、こうつけくわえた。「豚肉ひとつとって見てもですよ。立派な題目じゃありませんか？　題目がいるなら、豚肉を見よ、ですよ！」

「まったくですな。若い者にとって、いろんな教訓がその題目から引きだされましょうて」と、ウォプスルさんはこたえた。彼がわたしを引き合いにだそうとしていることは、彼がまだそういわないさきから、わたしにはちゃあんとわかっていた。

（「おまえ、よく聞いてるんですよ」と、姉はちょっと口をはさみながら、きびしい調子でわたしにいった）

ジョーはわたしにまた肉汁をついでくれた。

「豚は」と、ウォプスルさんは、まるでわたしの名を呼んでいるかのように、あかくなったわたしの顔をフォークでさしながら、非常に太い声でいった。「豚は、道楽息子《むすこ》の友だちだったんですよ。豚の貪食は、若い者の見せしめになるように、われわれのまえにおかれているんですよ」（それまで、豚肉がむっちり太って、水々していることを、ほめちぎっていた彼が、こんなことをいうなんて、まことにけっこうなことだ、とわたしは思った。）「豚の場合にいやらしいことは、男の子の場合にはいっそういやらしいもんです」

「女の子の場合だって」と、ハッブルさんがいった。

「もちろん、女の子の場合だってそうですよ、ハッブルさん」と、ウォプスルさんは、ややいらだたしそうに同意した。「ですがね、ここにゃ女の子はおりませんよ」

「それに」と、パンブルチュックさんは、わたしのほうをきっとふりむきながらいった、「おまえはなにを感謝しなくちゃならんか、考えてごらん。もしおまえが泣き虫に生まれついていたとしたら――」

「この子はほんとにそうだったんですよ」と、姉は非常に力をこめていった。

ジョーはまたわたしに肉汁をついでくれた。

「そりゃそうですがね。しかし、わたしのいうのは、四つ足の泣き虫のことなんですよ」と、パンブルチュックさんはいった。「で、もしおまえがそんなものに生まれついていたとしたら、いまおまえはここにおれたろうかね？　いや、断じておまえは——」

「あんな格好でなかったらですな」と、ウォプスルさんは皿のほうへうなずいて見せながら、いった。

「だが、わたしゃあんな格好でといってるんじゃないですぞ」と、口をはさまれることのきらいなパンブルチュックさんは、やりかえした。「わたしゃね、この子が年上のものや目上のものといっしょにいて、みんなの話を聞いて、自分を修養したり、贅沢三昧《ぜいたくざんまい》にごろごろやったりしていられるかって、いってるんですよ。いったいこの子は、そんなことをしていられるんでしょうかな？　いや、断じて否でさ。ところで、おまえの落ちつく先はどこだったろうかな？」といいながら、またわたしのほうをふりむいた。「おまえは市場の値段におうじて、いくらいくらで売りとばされたろう。すると、肉屋のダンステーブルが、藁《わら》にくるまって寝ているおまえのところへやってきて、おまえを左の小脇《こわき》にひっかかえ、右腕で上着をたくしあげて、チョッキのポケットからナイフをとりだし、おまえの血を流し、おまえの生命をうばってしまったろうじゃないか。そうしたら、手塩にかけて育てあげられるなんてことはなかったんだ。断じてだ！」

ジョーはまたわたしに肉汁をくれたが、わたしは恐ろしくて、それを飲むどころではなかった。

「あなたにはさんざん世話をかけたんですね、おかみさん」と、ミセス・ハッブルはわたしの姉に同情しながらいった。

「世話をですって?」と、姉はおうむがえしにいった、「世話をですって?」それから、わたしがわずらったことのある、あらゆる病気や不眠の数々、高いところからころげおちたり、低いところへころげこんだりした数々、わたしが身にうけたありとあらゆる怪我、姉がおまえなんか墓場へいっちまったほうがいいといい、わたしがそこへいくのを頑固《がんこ》に拒んだときの数々、ものすごいほどのカタログを、いちいちならべはじめた。

ローマ人は彼らの鼻でもって、たがいに非常に腹をたてさせあったにちがいないと思う。恐らく彼らは、その結果あんなにせかせかした国民になったんだろう。いずれにせよ、わたしの罪障の数々がならべたてられてるあいだ、わたしはウォプスルさんの鷲鼻《わしばな》にすっかり腹がたってしまって、彼がほえだすまで、あの鼻をひっぱってやりたくなってしょうがなかった。しかし、姉のならべたてる種もやがてつき、話がとぎれ、みんなが黙って、嫌悪《けんお》と憎悪をこめて(わたしにはそれが痛いほどよくわかっていた)、わたしをじっと見つめていたその沈黙が破られたとき、わたしを襲った恐ろしい気持ちとくらべたら、わたしがそれまでたえしのんでいたいろんなことなど、ものの数でもなかった。

「といってもですね」と、パンブルチュックさんは、みんなが逸《そ》れてしまった話題へまたそっとつれもどしながらいった。「豚肉は——煮たものとして見るとですよ——また乙なものじゃありませんか?」

「叔父さん、ブランデーをすこしいかが?」と、わたしの姉がいった。

おお、神さま、さあ、いよいよきたぞ! 彼は、ブランデーのうすいことに気づくだろう。そしたら、万事休す、だ! わたしはテーブル掛けの下から、両手でテーブルの足をしっかり握りしめながら、自分の運命をまった。

姉は例の石の壺《つぼ》をとりにいった。そして、その石の壺をもってもどってきて、彼についでやった。ほかにはだれも飲むものはなかった。この不幸な男は、コップをいじくり——それをとりあげ、燈火《あかり》にすかして見、また下におろし——そして、わたしの不幸をひきのばした。その間に、ミセス・ジョーとジョーは、さっさとテーブルの上を片づけて、パイとプディングをだす用意をしていた。

わたしは、彼から眼をはなすことができなかった。両手と両足でテーブルの足をしっかりかかえたまま、みじめな男が自分のコップを指さきでいじくりまわし、それをとりあげ、にっこり笑って、首をうしろにそらし、それからブランデーをぐっと飲みほすのを見た。とたんに、一座のものは心臓がとびあがるほどびっくりさせられた。彼ががばっととびあがって、恐ろしい百日咳《ぜき》の発作にとりつかれたように踊りながら、なんどもくるくる回ったあげく、戸口から表へ駆けだしていったからである。それから、窓の向こうに姿をあらわし、世にものすごい顔つきをしながら、猛烈な勢いでとびまくったり、激しくげーっ、げーっと吐いたりして、それこそ気が狂ったようだった。

わたしはしっかりとしがみついていた。ミセス・ジョーとジョーは、彼のところへとんでいった。どうしてやったのかわからないが、とにかく自分が彼を殺したことは、いささかも疑うよちがない。こんな恐ろしい気持ちでいるところへ、彼がつれもどされてきて、まるでみんなが彼とけんかでもしたみたいに、一座をじろっと見まわし、あえぎながらひとこと、「タール！」と、意味深長な言葉をもらして、どっかり椅子《いす》に腰をおろしたときには、さすがにほっと安心した。

わたしはタール水の水差しの水をブランデーの壺にいれて、いっぱいにしておいたのだ。そのうちに、彼はもっと気持ち悪くなるだろうということはわかりきっていた。わたしは、人目につかぬようにしっかりつかんでいるその力で、さながら生けるメディアムみたいに、テーブルを動かしたのだった。

「タールですって！」と、姉はおどろいて叫んだ。「まあ、どうしてタールなんかがそのなかへはいったんでしょう？」

だが、あの台所では全能をふるっていたパンブルチュック叔父さんは、そんな言葉には耳も貸さず、そんな話は聞こうともしないで、それをいぜんと片手で断固とはらいのけて、水で割ったジン酒の熱いのを注文した。恐ろしくなるほどじっと考えこんでいた姉は、ジン酒やお湯や砂糖漬《づ》けのレモンの皮をとってきたり、それを混ぜあわせたりで、大忙しだった。おかげでわたしは、すくなくともまずさしあたり救われたのだ。わたしはなおもテーブルの足をつかんでいたが、しかし、いまはそれを熱烈な感謝をもって握っていたのである。

やがてだんだん気が落ちつき、握っている手をはなして、プディングのお相伴《しょうばん》をすることができるようになった。パンブルチュックさんもお相伴した。みんなもお相伴した。これで料理はいちおう出つくした。パンブルチュックさんは快い水割りジン酒の力で、満面に微笑をたたえはじめていた。わたしは、このぐあいだと、きょうを無事乗りきることができそうだぞ、と思うようになった。するとそのとき、姉はジョーにむかってこういった。「きれいなお皿を出すんです——冷たいのですよ」

わたしはまたもやテーブルの足をとっさにつかんで、まるで幼い自分の伴侶《つれ》であり、魂の友であるかのように、自分の胸にしっかりおしつけた。わたしは、まさに起こらんとすることを予想し、こんどこそはいよいよだめだと観念した。

「みなさん、ぜひひとつ召し上がってみてちょうだいな」と、姉はこの上もなくにこにこしながら、お客さんたちにいった。「みなさん、おしまいにひとつ、パンブルチュックさんの、大へんけっこうな、とてもおいしい贈物を召し上がってみてくださいな！」

ぜひともだって！　おお、それを食べてみたいなどいう考えを、みんなにおこさせないでください！

「それはねえ」と、姉は立ちあがりながらいった「パイなんですよ。おいしいポーク・パイなんですよ」

みんなは、ひそひそとお世辞をいった。みんなからほめられるだけの値打ちはあると、ちゃんと思っているパンブルチュック叔父さんは──タールを飲んだわりには、非常に元気に──こういった。「じゃ、ジョーのおかみさんや、せいぜいしっかりやりましょうよ。ひとつそいつを切ってやりますかな」

姉はパイをとりに出ていった。姉が食料室のほうへいく足音が聞こえた。パンブルチュックさんがナイフを構えるのが見えた。ウォプスルさんの鷲鼻《わしばな》の鼻孔に食欲がよみがえるのが見えた。ハッブルさんが、「おいしいポーク・パイなら、なにを食べたあとだって、ちっとも障りゃしませんや」というのが聞こえ、ジョーが「ピップ、おまえにもあげるよ」というのが聞こえた。自分が恐怖の金切り声をあげて絶叫したのは、ただ心のなかだけだったろうか、それとも、みんなの耳に聞こえるようにだったろうか？　それをはっきりたしかめることは、ついにいまもってできないでいる。わたしはもうこれ以上我慢できない、逃げださなくちゃならん、と思った。そして、テーブルの足をつかんでいた手をはなして、死に物狂いで逃げだした。

しかし、玄関の入口のところまで走っていっただけだった。というのは、そこでわたしは、銃をもった兵士の一隊にどんとぶつかったからである。そのひとりはわたしに一対の手錠をつきつけて、いった。「おい、こら、気をつけろ、さあ、さあ!」

第五章

弾ごめした銃の台尻を入口の上り段の上にどしんどしんつきながら、兵士の一隊が出現したので、午餐の客たちは、ごたごたテーブルから総立ちし、空手《からて》で台所へもどってきたミセス・ジョーは、「まあ、おどろいた、ほんとにおどろいた、どうしたんだろう――あの――パイは?」と、怪しみながら出かかった嘆声を、とつぜんひっこめて、眼を皿のようにみはった。

ミセス・ジョーが立ったまま、眼を丸くしているところへ、軍曹《ぐんそう》とわたしははいっていった。このどさくさで、わたしは頭脳《あたま》の働きをすこしとりもどした。わたしに口をきいたのは軍曹だった。そして、いま彼は左手をわたしの肩にかけ、ひとの気をひくように、手錠をもった右手を客人たちのほうへ差しだしながら、彼らを見まわした。

「失礼ですが、みなさん」と、軍曹はいった。「わたしは玄関で、この小りこうな小僧君にいったように」(じつはなんにもいいはしなかったんだが)、「国王陛下の名において、いま捜索をしているところで、鍛冶屋に用があるんだが」

「で、あのひとになんのご用がおありなんですの?」と、姉は彼なんかに用があるといわれたので、たちまちむっとなって、こう聞きかえした。

「や、これは奥さん」と、如才ない軍曹はこたえた。「わたし一個のおこたえとしては、鍛冶屋の立派な奥さんにお近づきになれることは、まことに光栄ともよろこびとも感ずるしだいであります。国王陛下にかわってのお返事としては、ちょっとした仕事をひとつしてもらわなければならんのです」

みんなはこの軍曹の返事を、すこぶる気のきいたあいさつだと感心した。パンブルチュックさんは、みんなに聞こえるような声で叫んだほどだった。「いや、これはまたうまいもんだ!」

「あのな、鍛冶屋」と、早くもジョーを見つけだした軍曹はいった。「これがいたんでしまってね。一方の錠がぐあい悪くて、どうしてもうまく連結しないんだ。すぐ入り用なんで、ちょっと見てもらいたいんだがね?」

ジョーはそれをちょっと見て、この仕事には鍛冶屋の炉に火をおこさなくちゃならんから、一時間というよりも、二時間近くはかかりましょう、といった。「そうか。じゃ、すぐとりかかってもらおうか」と、軍曹は無造作にいった。「なにしろ、陛下のご用なんだからな。で、なんだよ、もしわしの部下のものでなにか手をかすことがあったら、手伝わせるよ」そういって、彼は部下の兵士たちを呼んだ。彼らはひとりずつぞろぞろ台所へはいってきて、銃を組んで部屋《へや》のすみっこにおいた。そうして、いかにも兵士らしく、その辺につっ立って、両手をまえでゆるく握りあわせたり、膝や肩を一方ずつ休めたり、皮帯や弾薬盒《ごう》をゆるめたり、戸をあけて、高い頸《けい》布《ふ》で窮屈そうに、ぱっと庭に唾《つば》を吐いたりした。

あのときわたしは、自分がこうしたことを見ているとは気づかずに、見ていたのである。なにしろ、わたしは、死ぬほど不安な思いがしていたからである。しかし、手錠は自分にはめるためではないということや、いままでのところ、兵隊がみんなの注意をうばって、パイのことを背景におしやってしまったことがわかると、ばらばらになった頭脳《あたま》をもうすこしまとめることができた。

「もう何時ごろでしょうかな?」と、軍曹はあなたくらい見識がおありなら、時間だっておわかりだろうといわんばかりに、パンブルチュックさんにむかってきいた。

「二時半ちょっとまわったところですよ」

「それなら大丈夫だ」と、軍曹は考えながらいった。「ここで二時間近く待つとしても、なあに、かまわん。ところで、ここから沼地まではどのくらいありましょうかね? 一マイルは出まいが?」

「ちょうど一マイルでございますよ」と、ミセス・ジョーがいった。

「じゃ、大丈夫だ。夕方ごろ、やつらの包囲にとりかかるんでね。わしの命令にゃ、暮れすこしまえ、となってるんです。大丈夫だ」

「囚人ですね、軍曹さん?」と、ウォプスルさんは、もちろんそうだというような調子でたずねた。

「そうです!」と、軍曹はこたえた。「二名ですよ。やつらがまだ沼地にいることはちゃんとわかってるんです。暗くならなきゃ、沼地から逃げだしゃしません。ここにおられるかたで、そんなふうな獲物を見かけたかたはありませんかな?」

わたし以外のものは、みんな確信をもって、ありません、とこたえた。わたしのことなんか、だれも思いつきもしなかった。

「やつらはきっと、思ったより早く包囲されたことに気づくでしょうて。じゃ、鍛冶屋！　おまえさえよけりゃ、国王陛下のほうはいつでもいいよ」

ジョーは、上着やチョッキや首巻をとって、鞣皮《なめしがわ》のエプロンをかけ、鍛冶場のほうへいった。ひとりの兵士は木窓をあけ、ひとりは火をおこし、もうひとりは鞴《ふいご》にむかい、ほかの連中は、たちまちごうごういいだした炎のまわりに立った。ジョーはとんかん、とんかん、やりはじめた。わたしたちはみんなそれを見物していた。

まさにおこなわれようとしている囚人狩りにたいする興味は、みんなの注意をすっかりさらってしまったばかりでなく、わたしの姉をも気まえよくさせた。彼女は兵士たちのために樽《たる》のビールをジョッキにいっぱいあけ、軍曹にはブランデーをすすめた。ところが、パンブルチュックさんは、きびしい調子でいった。「おかみさん、ぶどう酒をさしあげなさい。わしが保証するが、あのなかにゃタールははいってないからね」そこで、軍曹は彼に礼をいって、自分は酒にはタールがはいらんほうが好きだから、もしよろしかったらぶどう酒をいただきましょう、といった。ぶどう酒がついでだされると、彼は国王陛下の健康とクリスマスを祝って、ひと口にぐっと飲みほし、それから舌鼓《したつづみ》をうった。

「いい酒でしょう、軍曹さん？」と、パンブルチュックさんはいった。

「あのですなあ」と、軍曹はこたえた。「こりゃどうも、あなたがもってこられたものじゃないですかな？」

パンブルチュックさんは、ほっほっほっ、とあぶらっこい笑い声をあげながらいった。「さよう――いかにも、さようで！　しかし、よくわかりましたな」

「そりゃ、もう」と、軍曹は彼の肩をポンとたたいて、こたえた。「あなたがもののわかったご仁だからですよ」

「そう見えますかな？」パンブルチュックさんは、またまえのような笑い声をたてながらいった。「さあ、もういっぱいどうぞ！」

「お相手しましょう。ひとつごいっしょに」と、軍曹はこたえた。「わたしのコップのてっぺんを、あなたのコップの足のところに――あなたのコップの足のところを、わたしのコップのてっぺんに――ちりんと一回、ちりんと二回――玻璃《はり》製楽器の天来の妙音！　では、あなたのご健康を。あなたが千年の長寿を重ねられますように、そして、本物の鑑識家として、今日ただいまおもちになっていらっしゃるそのお力を、いついつまでもうしないませんように！」

　軍曹は、彼のコップを一気に飲みほして、さらにもういっぱいよろこんでうけようとしていた。歓待に熱中したパンブルチュックさんは、そのぶどう酒は自分が贈物にしたものだということもうち忘れて、ミセス・ジョーからびんをとりあげ、すっかり上きげんになって、みんなについでまわる名誉を完全に独り占めしていた。わたしでさえ、少々おこぼれをもらって飲んだ。おそろしく腹よくなった彼は、もう一本のびんもとってこさせて、はじめのびんがからになると、そのびんも同様大いに気まえよくみんなにまわしたのだった。

　彼らが炉のまわりにかたまって、すっかりおもしろがっているのをながめながら、わたしは、あの沼地にいるわたしの友だちの脱獄者は、ご馳走《ちそう》のなんてすばらしい味付けソースになってることだろう、と思った。まだみながちょっとの間しかたのしまないうちに、饗宴は、彼があたえた興奮のため非常に陽気なものとなった。「一名の悪党」が逮捕されるという期待で、みんながむずむずしていたとき、彼らを捕えるために鞴《ふいご》は咆哮《ほうこう》し、火はめらめらと炎をあげ、煙は彼らを追いかけて駆けさり、ジョーは彼らをつかまえようとして、とんかんと鎚《つち》をふり、火炎がどおっと燃えあがってはおとろえ、灼熱の火花が散っては消えるにつれて、壁に映る陰気な物影が、彼らを威嚇《いかく》して揺れ動いているように思えたとき、戸外の薄暗い午後の日ざしは、哀れに思うわたしの幼な心には、あの気の毒な人間たちのため、いっそう薄暗くなったように思えた。

ついにジョーの仕事はおわった。そして、鎚の音も、ごうごういう火炎の咆哮《ほうこう》もやんだ。ジョーは上着をきると、勇を鼓《こ》して、わたしたちのうち、だれか兵隊さんたちといっしょに出かけて、囚人狩りの模様を見物したらどうだろう、といった。パンブルチュックさんとハッブルさんは、一服やりたいし、それにご婦人たちの仲間もおることだから、といってことわったが、ウォプスルさんは、もしジョーがいくならいってもいい、といった。ジョーはまいりましょう、それからミセス・ジョーがいいといったら、ピップもつれていきましょう、といった。もしミセス・ジョーがくわしい様子や最後の結末を知りたいという好奇心をおこさなかったら、わたしたちはおそらく出かける許しをあたえられなかったろう。ところが、彼女はこう条件をつけただけだった。「たといあんたが鉄砲で頭をぶっつぶされたこの子をつれてかえったって、わたしゃそれをもとどおりに縫いあわしてなんかやりゃしませんからね。そんなこと、あてにされちゃ困りますよ」

軍曹は、婦人たちにはいともいんぎんな別れのあいさつをし、パンブルチュックさんにはまるで同志みたいな別れを告げた。とはいえ、軍曹は、酒の気がすっかり切れてかわいてしまっているときでも、なにか湿り気のものがあるときとまったく同様に、はたしてこの紳士の長所美点を感じたろうか、怪しいものだとわたしは思った。部下の兵士たちは、銃をとって整列した。ウォプスルさんとジョーとわたしは、いつも後方にいるように、それから沼地へいったら、ひとこともロをきかぬようにという、きびしい訓示をうけた。わたしたちが戸外の寒い空気のなかへ出て、目的にむかってすすむ途中、わたしは悪いことだが、ジョーにこう耳打ちした。「見つからんといいがねえ、ジョー」すると、ジョーもわたしに耳うちした。「もしあのひとたちが逃げおおせたら、一シリングやるよ、ピップ」

村のもので、ぶらついていてわたしたちに同行するようなものはひとりもなかった。寒くて、いまにも降りだしそうな空模様だったし、道は寂しくて、足もとは悪く、夕闇は迫っており、ひとびとは家のなかで暖かい火にあたりながら、クリスマスを祝っていたからである。ひとりふたりの顔が赤々とした窓ぎわへ駆けよって、わたしたちを見おくったが、だれも出てきはしなかった。わたしたちは道標《みちしるべ》のところをとおりすぎて、まっすぐに墓地のほうへむかってすすんだ。そこで、軍曹が手で合図したので、わたしたちはちょっと立ちどまった。そのあいだに、二、三人の部下が墓のあいだにちらばって、車寄せのあたりまでも捜した。しかし、なにも見つけないでもどってきた。そこで、わたしたちは墓地のわきにある門をぬけて、広々とした沼地へ出ていった。すると、みぞれが東風といっしょになって、はげしい音をたてて吹きつけてきた。ジョーはわたしを背負ってくれた。

八、九時間たらずまえに、このわたしがここにいて、あの男たちがふたりとも身をかくすのを見たなどとは、だれひとり夢にも思うものはなかった。でも、いよいよこの陰気な荒れ地へきてみると、わたしたちが万一あのふたりにぶっつかった場合、あのわたしの囚人は、自分がこの兵士たちをつれてきたんだと思いはしないだろうかという不安が、はじめて頭にうかんで、とても恐ろしくなった。彼はわたしに、ひとをだましたりなんかしないだろうな、とただしたのだった。もし、おまえが自分を狩りたてる仲間にくわわるとしたら、それこそおまえはおそろしい人狩り犬だぞ、ともいった。彼はわたしを裏切りに夢中になっている餓鬼か人狩り犬で、彼をだましたんだと考えるだろうか？

いまになって、こんなことを自分にきいてみたってはじまらない。わたしはジョーの背に負われており、ジョーはわたしを背負い、ウォプスルさんに、つまずいてその鷲鼻を打ったり、おくれたりしないで、ついてくるようにいいながら、さながら狩人のように溝《みぞ》をめがけて突進しているのである。兵隊たちはひとりひとり間隔をおいて、かなり広い線にひろがりながら、わたしたちのまえをすすんでいた。わたしたちは、わたしがそれからそれて霧のなかへ迷いこんでしまった、あの道とおなじ道をすすんでいた。霧はまだ出ないのか、それとも風に吹きはらわれてしまっていた。低く赤く光っている夕焼けのために、水路標や、絞首台や、砲台の小山や、川の向こう岸が、みんなあせた鉛色の一色にぬりつぶされてはいたが、でもはっきりと見えていた。

まるで鍛冶屋のように、心臓にジョーの広い肩をどきどき打たせながら、わたしはあの囚人たちの気配でもないかしらと、あたりを見まわした。しかし、それらしいものはなにひとつ見えもしなければ、聞こえもしなかった。ウォプスルさんは、はあはあああえいだり、激しい息づかいをしたりして、いちどならずわたしをおどろかした。しかし、この時分にはもうその音もわかったので、追跡の獲物と区別することができた。まだやすりをごしごしかけてる音が聞こえたような気がして、とびあがるほどぎょっとしたが、しかしそれは羊につけた鈴の音だった。羊は、草をたべるのをやめて、おずおずと、わたしたちのほうを見た。牛は、風やみぞれから顔をそむけながら、まるでそれが二つともわたしたちのせいだとでも考えているみたいに、怒ったような眼つきでわたくしたちをにらんでいた。しかし、それと、それから草の葉一枚一枚が、暮れゆく日かげにふるえているのをのぞいては、荒涼たる沼地の静寂のうちには、こそとの音も聞こえなかった。

兵士たちは、古い砲台の方角へすすんでいった。わたしたちは、彼らの後からすこしおくれてついていった。すると、とつぜんわたしたちはみんな立ちどまった。風と雨にまじって、長くひっぱる叫び声が聞こえてきたからである。叫び声はもういちど聞こえた。それは、東の方角で、遠いところから起こったのだが、しかし、長く、大きく聞こえた。いや、――その声がこんがらがっているところから察すると――二つか三つの叫び声がいっしょになって、ひびいたように思えた。

ジョーとわたしが追いついたとき、軍曹と軍曹のすぐそばにいた部下たちが、息を殺しながら、おなじようなことをいっていた。もういちど耳をすましてみてから、ジョーが（耳ざとい男なので）、そうだ、といった。すると、ウォプスルさんも（耳の鈍い男だが）、そうだ、といった。果断な男の軍曹は、叫び声に返事をしてはならぬ、叫び声の方角にむきをかえて、全員「駆け足！」と命令をくだした。で、わたしたちは右のほう（つまり東のほう）にむかって駆けだした。ジョーは、とっとっ、とっとっと、ものすごい勢いで走ったので、わたしは落っこちないように、一生懸命しがみついていなければならなかった。

もうまるで競走だった。ジョーがずっといいつづけた短い言葉をかりると、「息がきれそう」だった。堤を駆けおりたり、駆けのぼったり、水門をとびこえたり、堀のなかへばちゃばちゃはいったり、藺《い》のなかへとびこんだりして、だれもかれも、ところえらばず、めちゃくちゃに駆けった。叫び声に近づくにつれて、それがひとりの声でないということが、いよいよはっきりしてきた。ときどき、叫び声はぱったりやんだ。すると、兵士たちも立ちどまった。ふたたび起こると、兵士たちはまえよりもいっそう勢いよくかけだした。わたしたちは、彼らのあとを追った。まもなく、わたしたちはすっかり追いつめて、とうとう「人殺し!」と叫んでいる声と、「懲役人だ! 逃亡者だ! おうい、監視! 逃亡した懲役人はこっちだぞ!」と叫んでいるもうひとつの声を聞くことができた。それから、二つの声は格闘のため圧しつぶされたように思われ、かと思うと、また新しく起こったりした。ここまでくると、兵士たちはまるで鹿みたいに、いっさんに走った。ジョーも走った。

わたしたちが騒ぎの主をすっかり追いつめてしまったとき、まず軍曹がまっさきにとびこみ、すぐあとから二人の部下がとびこんでいった。わたしたちがみんなとびこんでいくと、彼らは銃の打金をおこし、ねらいを定めていた。

「ふたりともいたぞ!」と、濠の底でもみあっていた軍曹は、はあはあ、あえぎながらいった。「きさまたち、ふたりとも降参しろ! この野獣の畜生どもめ! わかれろ!」

水ははねかえし、泥はとび、呪詛《のろい》は叫ばれ、こぶしはとんだ。そのとき、また何人かの兵士が軍曹を助けに濠のなかへとびこんでいって、わたしの囚人ともうひとりの囚人を、別々に引っぱりだしてきた。ふたりとも血を流していて、あえぎながら呪詛《のろ》ったり、暴れたりした。しかし、わたしにはふたりがすぐわかった。

「いいかね！」と、わたしの囚人は、ぼろぼろになった両の袖で顔の血を拭き、ひきちぎった髪の毛を指からふりおとしながらいった。「わしがあいつをつかまえたんですぞ！　いいかね！　わしがあいつをあんたがたに引きわたしたんですぞ」

「そんなこたあどっちだっていい」と、軍曹はいった。「きさまだって、おんなじざまじゃないか、そんなこたあ、なんにもならんぞ。さあ、手錠だ！」

「わしゃなにも、自分のためになるたあ思ってやしない。いまよりもっと自分のためになってほしいなんて思っちゃいない」と、わたしの囚人は、意地ぎたなく笑いながらいった。「わしが野郎をつかまえたんだ。野郎にゃそのことがわかってるんだ。それだけで、わしゃ十分だ」

もう一方の囚人は、土気色をしていて、顔の左側の古い擦傷《すりきず》のほかに、顔中一面に擦傷がついたり、引っかかれたりしていた。ふたりとも別々に手錠をはめられるまでは、彼は息がきれて口もきけないほどで、倒れないように、ひとりの兵士によりかかっていた。

「いいですか、監視さん——あいつはわしを殺そうとしたんですよ」彼ははじめて口をきいた。

「野郎を殺そうとしたって？」と、わたしの囚人はさげすむようにいった。「殺そうとして、そして殺さなかったってのか？　わしゃ野郎を引っ捕えて、引きわたしてくらしたんだ。ほんとにそうしたんですぜ。わしゃ野郎がこの沼地からずらかるのを、じゃましてくらしたばかりじゃない、ここまで野郎を引きずってきたんだ——こんなところまで引きずって、つれもどしてきたんでさあ。野郎は紳士ですよ、この悪党はですよ。さあ、わしのおかげで監獄船は、またこの紳士を手にいれたんだ。野郎を殺すんだって？　野郎を殺してしまったら、さだめし骨折りがいがあろうってもんだ！　人殺しよりもっと骨の折れる仕事をやって、引きずりもどしてくらせることさえできたんだ！」

　相手の囚人は、まだ息をきらしていた。「ああ、あいつは―あいつは―わ、わしを―殺―殺そうとしたんです。証―証言します」

「いいですかね！」と、わたしの囚人は、軍曹にむかっていった。「わしゃ自分ひとりの力で、監獄船からきれいに逃げだしたんですぜ。わしゃ一気にぶつかって、やっちまったんでさあ。野郎がここにいるってことを見つけなかったら、この凍え死ぬほど寒い原っぱからだって、きれいに逃げてしまったんですよ――この足をごらんなさい。足枷《かせ》なんか見つかりますめえ。野郎を逃がす？　わしの見つけた方法で、野郎に得をさせる？　また野郎に道具につかわれる？　もういちどだって？　畜生、そんなことさしてたまるか！　たとえわしゃあの濠の底で死んだって」と、彼は手錠をはめられた両手を、濠のほうへ力をこめてふりながらいった。「野郎をしっかり引っつかんでいて、放しゃしませんでしたろう。あんたがたがこられてみても、わしゃちゃんと野郎を引つかまえていましたろう」

　相手の囚人を極度に恐れているらしい、もうひとりの脱獄囚は、くりかえしていった。「あいつはわしを殺そうとしたんです。もしあんたがたがこなかったら、わしゃ殺されてたんです」

「野郎、嘘《うそ》を吐かせ！」と、わたしの囚人はものすごい勢いでいった。「野郎、生まれつき嘘つきで、くたばるときだって嘘をつくだろう。野郎の面をごらんなせえ、ちゃあんとそう書いてあるじゃありませんか？　野郎め、その眼をおれのほうへむけて見るがいい。むけれるもんなら、むけてみろ！」

相手はせせら笑ってやろうとつとめながら——しかし口もとは神経質にふるえるだけで、はっきりした表情にはどうしてもなれなかった——兵士たちを見たり、沼地や空をながめたりしたが、なるほどそういった相手のほうを見はしなかった。

「野郎を見ましたかね？」と、わたしの囚人はいった。「野郎がどんな悪党だかわかりますかね？　あのはいつくばって、うろうろしてるような眼つきを見ましたかね？　わしらがいっしょに裁判されたときだって、野郎はあれとおんなじ眼つきをしてけつかったんですぜ。野郎いちどだってこのわしを見やしなかった」

相手はかわいた唇《くちびる》をしきりと動かしながら、落ち着きのない眼をおどおどと、あっちこっちむけていたが、ついに話している相手をちらっと見て、こういった、「おまえなんか、見たかあないんだ」そして、半ばあざけるような一瞥《いちべつ》を、手錠をはめられた手にむけた。するとわたしの囚人は狂人のように激昂して、もし兵士たちがなかにはいってさえぎらなかったら、彼にとびかかったろうと思う。「そら、いったでしょう」と、相手の囚人はいった。「あいつあ、できたらわしを殺そうとしてるんだって」彼が恐怖のため震えていることや、まるで淡雪のような奇妙な白い火が彼の唇の上にきらめくのが、だれの目にも見えた。

「そんな口論はもうたくさんだ」と、軍曹はいった。「松明《たいまつ》に火をつけろ」

銃のかわりにバスケットをもっていたひとりの兵士が、膝をついて、それをあけにかかったとき、わたしの囚人は、はじめてあたりを見まわして、わたしを見た。わたしは濠のふちまでやってくると、ジョーの背からおりて、そのまま身動きもせずにいたのだった。彼がわたしを見たとき、わたしは一生けんめい彼を見て、ほんのかすかに両手を動かし、首をふって見せた。わたしは自分の身の潔白を彼に保証することができるように、彼がこっちを見るのをまっていたのである。しかし、彼はわたしの意中を察したような様子すら見せなかった。わたしにわけのわからぬ眼つきをして見せ、しかもそれは一瞬にして消えてしまったからである。だが、たとえ彼がわたしをまる一時間、いや、まる一日、見つづけたとしても、わたしは彼がこれ以上に注意深い顔つきをしていたというように、ずっとあとまで記憶していることはできなかったろう。

バスケットをもったその兵士は、まもなく火をおこして、三、四本の松明につけ、一本は自分がもち、他はほかのものにくばった。もうまえからだいぶ暗くなっていたが、いまはすっかり暗くなり、やがてまっ暗闇になった。みんながその場をはなれるまえに、輪をつくっていた四人の兵士は、空中にむけて二ど発砲した。すると、すこしはなれた後ろのほうで、別の松明がともされるのが見えた。川の対岸の沼地でも、松明がともされた。「よおし」と、軍曹はいった。「前進！」

まだ遠くへいかないうちに、まえのほうで大砲が三発、発射された。それは、まるでわたしの耳のなかでなにか炸裂《さくれつ》するような音をたてた。「船でおまえを待ってるんだ」と、軍曹はわたしの囚人にむかっていった。「みんなおまえがいくのを知ってるんだ。おい、はぐれちゃいかんぞ。ここをつめろ」

ふたりはたがいに引きはなされて、別の護衛にとりまかれながら歩いた。わたしは、こんどはジョーの一方の手をもっていた。ジョーはもう一方の手に松明をひとつもっていた。ウォプスルさんはもう帰ろうといったが、ジョーは最後まで見とどけることに腹をきめていたので、わたし

たちは兵士たちの一行にくっついていった。道はだいぶよくなって、たいてい川べりにそってい
た。しかし、ところどころ、堤があって、川べりからそれていた。そこには小型の風車が立って
おり、泥だらけの水門もあった。後ろをふりかえると、あとからも別の燈火がやってくるのが
見えた。わたしたちのもっている松明から、大きな火屑が道の上にぼとぼとおちて、それがまた
くすぶったり、炎をあげたりして、ころがっているのが見えた。そのほかは、まっ暗闇で、なに
ひとつ見えなかった。わたしたちの松明は、松やにのはげしい炎であたりの空気をあたためた。
銃にかこまれながら、びっこをひきひき歩いているふたりの囚人は、それをよろこんでいるらし
かった。彼らがびっこをひいているので、わたしたちは早くすすむわけにはいかなかった。彼ら
は疲れきっていたので、二、三ど立ちどまって、休ませなくてはならなかった。
　およそ一時間くらいこうして歩いてから、わたしたちは粗末な木造小屋と船着き場のあるとこ
ろへ出た。小屋には監視がいて、誰何《すいか》したので、軍曹がこれにこたえた。それから、わたしたち
は小屋のなかへはいっていった。そこは煙草《たばこ》や漆喰《しっくい》のにおいがしていて、炉の火とランプがあか
あかと燃え、銃架、太鼓、それから十何人の兵士がいっしょによこになれる、まるで機械をとり
はずした、図体の大きい皺《しわ》伸ばし機みたいな木製の寝台があった。外套《がいとう》をきたままその上にごろ
寝をしていた三、四人の兵士たちは、わたしたちにはべつに興味も感じないらしく、ちょっと頭
をおこして、眠そうな目でじろっと見たが、そのままた横になった。軍曹は報告をしたり、帳
簿に記入したりした。それから、わたしがもうひとりの囚人とよんでいる囚人が、最初に船にの
りこむように、監視といっしょにつれていかれた。
　わたしの囚人は、あのときわたしを見たまま、もはや二どと見なかった。わたしたちが小屋の

なかで立っているあいだ、彼はストーブの火のまえにたったまま、考えに沈んで火を見つめたり、ストーブの格子《こうし》の上にかわるがわる足をのせて、それがいましがたまでやった冒険をあわれんでいるかのように、しんみりながめていた。とつぜん、彼は軍曹のほうにふりむいて、こういった。

「この脱走に関係して、ひとつお話しときたいことがあるんですがね。そうすりゃ、わしのため、だれも嫌疑《けんぎ》をうけなくてすみましょうからね」

「なんでも好きなことをいうがいいが」と、軍曹は両腕を組み、冷やかに彼を見ながらいった。「しかし、なにもここでいう必要はない。この事件が片づくまでにゃ、それについていったり聞いたりする機会は、いやっていうほどあるからな」

「そりゃわかっとりますがね。しかし、それとこれとはちがった、別のことでさあ。人間は飢死にするわけにゃいきません。すくなくとも、このわしにゃできません。で、わしゃあの向こうの村で、食い物を盗《と》ったんですよ――沼地のすぐはずれに教会のたってるあの村でさあ」

「盗んだっていうのか？」と、軍曹はいった。

「それから、どっから盗ったってことも、いってあげましょう。鍛冶屋からですよ」

「おい！」と、軍曹はジョーをじろっと見ていった。

「おい、ピップ！」と、ジョーはわたしをじろっと見ながらいった。

「食べ残しでしたよ――ほんとうです――それから、酒がひと口ばかしと、パイがひとつ」

「おまえ、パイなんかがなくなったのに気づいたかね、鍛冶屋？」と、軍曹はそっときいた。

「ちょうどあなたがたがはいってこられたとき、家内のやつが気づいたところでした。そうだろう、ピップ?」

「じゃ」と、わたしの囚人は、わたしのほうはすこしも見ずに、むっつり沈みながら、ジョーのほうへ目をむけた。「じゃ、おまえさんが鍛冶屋なんだね? おまえさんのパイを食べっちゃって、すまんことをした」

「とんでもない、よく食べてくださいましたよ――もしそれが、わたしのだったらですがね」と、ジョーはミセス・ジョーのことを思いだして、そうことわりながらこたえた。「わたしたちゃ、あなたがなにをしなさったかぞんじませんが、そのためあなたが飢死にしたがいいなんて、思いはしませんでしたろう。まことにお気の毒な、かわいそうなかたです――なあ、ピップ」

すると、その男ののどもとで、まえにも気づいた、なにかごくりというような、あの音がして、彼はむこうをむいてしまった。舟がもどってきて、彼の監視人たちも立ちあがったので、わたしたちは彼について、粗末な杭《くい》と石でできた船着き場へいった。そして、彼が舟にのりこむのを見た。その舟は、彼のような囚人たちがこいでいた。彼を見ても、だれひとりびっくりもしなければ、興味ももたず、よろこびも悲しみもしなかった。また、ひとりとして口をきくものはなかった。ただ、だれか舟の中で、まるで犬どもにむかって嚙みつくように、「さあ、こいだ!」とほえただけだった。それを合図に、橈《かい》がいっせいに水におろされた。松明《たいまつ》の明りで、監獄船がまるで邪悪なノアの船みたいに、泥だらけの岸からすこしはなれた沖に、黒々とよこたわっているのが見えた。框《かまち》や柵《さく》を設けられ、さびた巨大な鎖でつながれている監獄船は、幼いわたしの目には、まるで囚人みたいに枷《かせ》をはめられているように見えた。舟が監獄船によこづけになり、彼が船側をひっぱられながら上がっていって、ついに姿を消すのが見えた。それから、松明の端がしゅうしゅうと音をたてながら、水中に投げこまれて、消えた。まるで、もはや彼はいっさいおわったかのように。

第六章

わたしはこそ泥の科《とが》からこんなに思いがけなく釈放されはしたが、しかしそのときの気持ちでは、そのことをあっさり打ち明けてしまう気にはなれなかった。でも、この気持ちの底には、良いところが滓《よど》みくらいはあったろうと思う。

発見されるという恐怖がさっても、ミセス・ジョーにたいしてすまなかったという気持ちを感じたような記憶はすこしもない。しかし、わたしはジョーを愛していた――たぶんあの幼いころとしては、あのなつかしい男がわたしに彼を愛させてくれたというのが、いちばん大きな理由だったろうが――で、わたしの内心は、彼にたいしてはそれほどよういに平静になることはできなかった。ジョーにほんとのことをなにもかもつつまず話してしまわなくてはならんと、ずいぶん心配したのだった(彼がやすりをさがしまわっているのを見たときには、ことにそうだった)。でも、わたしはけっきょく話さなかった。もし話したら、ジョーはわたしをじっさいよりかもっと悪く思うだろう、と疑ったからである。ジョーの信用をうしなうだろうという恐怖、そして、これからは毎晩、もはや永久にうしなわれたわたしの仲間であり、友であるこの男を、わびしい気持ちでじっと見つめながら、炉辺《ろばた》にすわっていなくてはならないという恐怖が、わたしの口にしっかり蓋をしてしまったのである。もしジョーがそのことを知ったら、わたしは彼が炉辺で、明るい色の頬髯《ほおひげ》をなでているのを見るごとに、きっとあのことを考えこんでいるのだと思わずにはいられないだろう。そうわたしは、病的な気持ちで想像した。もしもジョーがそれを知ったら、きのうの肉やプディングが、きょうの食卓にならべられ、ジョーがふとそちらに眼を——どんなに何気なく——むけるのを見ても、そのたびごとに、彼はきっとわたしが食料室にはいったろうか、はいらなかったろうかと、しきりに考えているのだ、と思わずにはいられないだろう。またもしジョーがそれを知り、こうしていっしょに家庭生活をおくりながらも、これからさき、わしのビールは気が抜けているとか、濁っているとかいうとしたら、彼はきっとビールの中にタールがはいっているんじゃないかと怪しんでいるにちがいないと考えて、わたしの顔はさっとあからむだろう、と思った。つまり、ひと口にいってしまえば、わたしは臆病《おくびょう》すぎて、悪いと知っていることも、ついさけることができなかったように、あんまり臆病すぎて、正しいと思うことを、なしえなかったのである。そのころのわたしは、世間とはまるで没交渉だった。だからこんなふうに振舞う世間のひとたちをまねたわけではなかったのである。教えられずして学ぶ神童として、わたしは自分でこんなやりかたを発見したのだ。

　まだ監獄船からあまり遠くへいかないうちに眠くなったので、ジョーはまたわたしを背負ってかえってくれた。彼はきっとうんざりしながら歩いたんだろうと思う。というのは、ウォプスルさんはすっかり疲れきって、恐ろしく不きげんになっていて、もしも教会の門戸が開放されたとしたら、彼はジョーやわたしをはじめとして、遠征隊の一行をひとりのこらず破門してしまったろう、と思われるくらいだったからである。牧師ならぬ身の彼は、正気の沙汰とは思えないほど長いあいだ、湿ったところへどっかり尻《しり》をおろして、立とうともしなかった。それゆえ、台所の火でかわかすため外套をぬいだとき、彼のズボンについていた動かぬ証拠は、もしも犯罪だとしたら、彼を絞首刑に処したことだろう。

そのときには、わたしは、いきなり自分で立たされたためやら、ぐっすり眠りこんでいたためやら、温気や、燈火《あかり》や、やかましい話声のうちに、ふいに目ざめたやらで、まるで小さな酔っぱらいみたいに、台所の床をぐらくらよろめいていた。われにかえると（姉に背中をごつんとひっぱたかれたり、「まあこんな餓鬼ってあったかしら！」と、気付け薬がわりにどなられたりしたおかげで）、ジョーはみんなにあの囚人が告白したことを話しており、みんなは囚人がどうして食料室へはいりこんだろうかと、さかんにああこう論じあっていた。パンブルチュックさんは、屋敷内を念入りに調べたあとで、囚人はまず最初に鍛冶場の屋根にのぼり、つぎに本屋《ほんおく》の屋根にあがり、それから自分の寝巻きを細く裂いてつくった綱で台所のえんとつからおりたんだ、といった。パンブルチュックさんは非常な確信をもって、自分の馬車ならぬ横車を――みんなの頭上に乗りまわすので、きっとそうにちがいないということになった。もっともウォプスルさんは、疲れた人間のよわよわしい悪意をこめて、激しく「ちがう！」と叫ぶには叫んだが、しかし、彼にはこうだという理屈がなにもなかったし、上着も着ていない始末だったので――湿気をとるため、背中を火に向けながら立っている氏のお尻が、もうもうと湯気をあげていたことは、しばらくおくとして（信望を生むものとはいかにも思えなかったから）――彼は満場一致で無視されてしまった。

その晩、わたしがここまで聞いたとき、姉はわたしがこくりこくりやって、お客さんたちの眼障りになるといって、わたしをぐいとわしづかみにして、おそろしく強い手で二階の寝床へつれていったので、わたしはまるで長靴《ながぐつ》を五十足もはいて、それをぶらぶらさせて、段々のかどというかどに、ごつんごつん、ぶっつけているみたいだった。すでにのべたように、わたしの心配は、朝起きるまえからはじまり、この問題が忘れられてしまって、とくべつの場合のほかは口にされないようになってからも、長いあいだつづいたのだった。

第七章

墓地に立って家族のものの墓石の文字をよんでいたころ、わたしはやっとそれをつづることができるだけになっていた。わたしは碑銘のごく簡単な意味すら、あまり正しく解釈することができなかった。なぜなら、わたしは、「上記のものの妻」というのを、わたしの父がよりよき世界に昇っていることをほめたたえた言葉だと思ったからである。だから、もし亡くなった身内のもののだれかが「下記の」と書かれていたとしたら、わたしはきっとその身内のものをこの上もなく悪く思ったにちがいない。それから教会問答によってつくられたわたしの神学的な観念も、けっして正確なものではなかった。なぜなら、わたしは、「一生を通じ、おなじ道を歩まん」といったん宣言した以上、自分の家からいつもおなじ方角にむかって村をとおってゆき、けっして車大工の家へおりていったり、丘をのぼったりして、その方角をかえてはならないのだと思っていたことを、いまでもはっきりと記憶しているからである。

わたしは、大きくなったらジョーの年季奉公人になることになっていたが、そうしたおごそかな地位につくまでは、ミセス・ジョーの言葉をかりれば、「じょうちょう」、つまり、増長させてはならなかったのである。だから、わたしは鍛冶場の臨時雇いだったばかりでなく、もしだれか近所のひとが、鳥追いをしたり、石ころをひろったり、あるいはそれに似た仕事をする臨時雇いの子供が入り用な場合には、わたしを雇ってくれるのだった。だが、そんなことをするためわたしたちの立派な身分に傷がついてはならないので、暖炉の棚の上に銭箱がおいてあって、わたしのもうけは全部そのなかへいれるんだと、いっぱんに吹聴《ふいちょう》されていた。この金はけっきょく国債の償却に献金されることになっていたというようにおぼえている。が、自分がこの宝物に直接関係するなどという望みは、全然もっていなかったことを記憶している。

ウォプスルさんの、大伯母《おば》さんは、村で夜学の塾《じゅく》を開いていた。つまり、彼女は限りある財産と限りない病癖をもった、こっけいな老婦人で、晩の六時から七時まで、彼女がこくりこくりやるところを見物するという、教育的な機会をあたえられるために、毎週二ペンスずつはらう子供たちといっしょにいて、いつも眠りこむのであった。彼女は小さな家を借りていて、ウォプスルさんが二階の部屋を占領していた。わたしたち生徒は、彼がその部屋で大きな声をだして、おそろしく威厳をつけたものすごい調子で本を読んだり、ときどき天井をどしんとやったりする音を聞いた。ウォプスルさんは、一学期にいっぺん、生徒の「試験」をやると、まことしやかにいわれていた。そんなときに彼がやることは、まず袖口をおりかえし、頭髪を逆立てて、わたしたちにシーザーの死骸に関するアントニーの演説を聞かせることだった。そのあとでは、いつでもコリンズの「情熱の賦」が誦《ず》せられた。そのうちで、わたしはことに血に染んだ剣を戛然《かつぜん》とふりおろし、縮みあがるような眼光をもって、宣戦布告のラッパをとりあげる「復讐」として、ウォプスルさんを崇拝していた。わたしは「情熱」たちの仲間にはいって、コリンズとウォプスルさんとを「情熱」たちと比較して見、これらの紳士がふたりとも見おとりするように思ったが、それはそのときではなく、もっと後になってからのことである。

ウォプスルさんの大伯母さんは、この塾を経営していたばかりでなく、おなじ部屋で――小さな雑貨店を開いていた。しかし、彼女は店になにをおいてあるのか、また品物のなにがいくらするのか、さっぱりわかっていなかった。でも、引き出しのなかにあぶらじみた手控え帳がいれてあって、それが値段表のかわりになっていた。その託宣《たくせん》によって、ビディは店の商《あきな》いを全部やってのけた。ビディというのは、ウォプスルさんの、大伯母さんの、孫娘だった。すると、いったい彼女とウォプスルさんとの間柄はどうなるのか、という問題は、わたしにはとても解ききれない難問題であることを、告白しなければならない。彼女は、わたしのように孤児《みなしご》だった。そして、やっぱり、わたしみたいに手塩にかけて育てられたのだった。彼女についていちばん目立っているのは、窮迫のどん底にいるということだ、とわたしは思った。彼女の髪毛はいつもブラシがかけられず、手はいつも洗ったことがなく、靴はいつでも破れていて、かかとがすりへっていた。もっとも、こういう様子は、週日だけのことである。日曜日ともなると、彼女は念入りにみがきあげて、教会へいった。

わたしは、まず第一にはだれの助けもうけない自分の力で、それからウォプスルさんの大伯母さんの助けというよりか、ビディの助けによって、苦心惨憺《さんたん》しながら、まるで荊棘《いばら》の木をとおりぬけるように、イロハをとおりぬけた――一字ごとに、恐ろしいほど悩まされ、引っかかれながら。それからわたしは、九つの数字という、あの泥棒の仲間にとびこんだ。彼らは、毎晩なにかしら新しいことをやっては、姿をかえて、それと見分けがつかなくなるのだった。それでも、とうとうわたしは、ほんのわずかばかりではあるが、半盲人のように手さぐりしながら、読んだり、書いたり、運算したりすることができるようになりだした。

ある晩、わたしは、石板をもって炉辺《ろばた》に腰をおろし、さんざん骨を折りながら、ジョーへの手紙をぽつりぽつり書いていた。あれから長いことたっていたし、冬で、ひどい霜がおりていたから、沼地の捜索があってから、まる一年たっていたと思う。足もとにイロハの表をおいて、それをときどき見ながら、一、二時間して、こんな文《ふみ》をなんとか塗りたくることができた。

「シンアイナルジョーコゲンキテスカハヤクアナタニモオシレルトヨイテスネセジタラホクタチトテモウレチイテシヨウネジョーソレカラジョーアンダガカケレタラナンテユカイテセウピップヨリ」

ジョーはわたしのそばに腰かけていたんだし、それに、わたしたちはふたりだけだったので、なにも手紙でジョーと通信しなければならんという、絶対的な必要はなかったのである。しかし、わたしは自分の手で書いたこの手紙を、(石板ごと)わたしした。ジョーはそれを、博学の奇跡としてうけとった。

「おい、ピップ、おまえはまあ!」と、ジョーは青い眼を皿のように見はっていった。「おまえはなんてすばらしい学者なんだ!　ほんとに!」

「そうなりたいんだがねえ」と、わたしはジョーがもっている石板を見、なんだかいやにだらだらしているようで、心もとない気がしながらいった。

「おや、ここにジがひとつあるぞ」と、ジョーはいった。「それから、ヨがある。立派なヨだぞ。あ、またジとヨがあるよ、ピップ、ジ・ヨ・ー、——ジョーだ!」

わたしはジョーがこんなに、一字一字よりもっと長く（つづけて）声を出して読むのを、聞いたことがいちどもなかった。このまえの日曜日に、教会で、わたしが偶然祈禱書をさかさまにもったときにも、ジョーにはそれがまっすぐになっているときとおんなじで、ちっともさしつかえないらしかった。わたしは、もしジョーに教えるとしたら、そもそもの手ほどきからはじめなくてはならないかどうか、この機会に知りたいと思って、こういった。「うん！　でも、あとを読んでごらんよ」

「あとをかい、ピップ？」と、ジョーはゆっくり捜すような目つきで、手紙を見ながら、いった。「一つ、二つ、三つと。おい、このなかにゃ、ジが三つ、ヨが三つ、棒が三つ、ジ・ヨ・ー――ジョーが三つあるぞ、ピップ」

わたしはジョーによりかかって、人差し指でさしながら、手紙を全部読んできかせた。

「おどろいたなあ！」と、ジョーは わたしが 読みおわると いった。「おまえ、ほんとに 学者だぜ！」

「ガージャリってどう書くんだい、ジョー？」と、わたしは遠慮ぶかく、はげますようにたずねた。

「まるで書けないよ」

「でも、かりに書くとしてさ」

「かりにだって書けないよ」と、ジョーはいった。「もっとも、読むのはとても好きなんだがねえ」

「好きかい、ジョー？」

「とてもだ。わしになにかいい本を一冊か、いい新聞を一枚もたせて、暖かい火のまえにすわらせてごらん。わしはもうなんにもほしいとはいわんよ。ほんとうに!」と、ジョーは膝をちょっとこすってからつづけた。「ジの字とヨの字と棒を見つけて、『そうら、とうとうジ・ヨ・ー、ジョーがあったぞ』ってことにでもなると、本を読むって、なんておもしろいこったろうなあ!」

わたしはこの最後の言葉から、ジョーの教育が蒸気機関とおなじで、まだきわめて幼稚なものであるということを察した。さらに話をつづけて、わたしはこう聞いてみた。

「ジョー、あんた、ぼくくらい小さかったとき、学校へいかなかったのかい?」

「うん、いかなかったよ、ピップ」

「なぜぼくくらい小さかったとき学校へいかなかったの?」

「そりゃあね、ピップ」と、ジョーは火掻棒《ひかきぼう》をとりあげて、考えこむときにいつもやる仕事、つまり、下の横棒の火をゆっくり掻きながら、いった。「こういうわけなんだ。わしのおやじはね、ひどい酒っくらいで、酒に酔っぱらうと、おふくろをめちゃくちゃにぶったたくんだ。おやじときたら、それしきゃぶったたきゃしなかった。もっとも、わしは別だがね。おやじは頑《がん》として鉄床をたたこうとしなかったが、それとおんなじくらい頑固にわしをぶったたいたよ。——ピップ、おまえ、聞いてるかい? わしのいうことがわかるかい?」

「うん、わかるよ」

「だから、おふくろとわしはなんどもおやじのとこから逃げだしたんだ。それから、おふくろは働きに出るんだ。そしてこういうんだ、『ジョーや、』ってね、おふくろはいったよ。『こんどはおまえ、すこしお勉強させてあげようね』ってな。そして、わしを学校へあげるんだ。ところが、おやじにも多少はいいところがあってな、わしらがいないとどうにもがまんができなくなるんだ。そこで、おやじはものすごい人だかりといっしょにやってきて、わしらのいる家の門口でえらい騒ぎをやるんだ。そうして、家の人たちゃ、いつも、もういっさいわしたちにゃかまわんことにして、おやじにひきわたしてしまわなくちゃならなかったんだ。するとおやじはわしらをつれてかえって、またぞろぶったたくんだ。それがなあ、ピップ」と、ジョーは考えこみながら、火を掻いていた手をやめて、わたしを見ていった。「わしの勉強のじゃまになったわけなんだよ」

「ほんとにねえ、ジョー、かわいそうに！」

「もっともな、ピップ」と、ジョーは、まるで裁判官のように、火掻棒を上の格子《こうし》に一、二どふれながら、いった、「すべてのものに公明正大に、人と人を公平無私にあつかうなら、わしのおやじも心の底には、とても良いところをもっていたんだ。わかるだろう？」

わたしにはわからなかった。が、しかし、わからないと、口に出していいはしなかった。

「そこでだ！」と、ジョーはつづけた。「だれか鍋《なべ》を沸かしていなくちゃならん、でないと鍋は沸きっこないってことはわかってるだろう？」

それならわかっていたので、そうこたえた。

「したがって、おやじはわしが仕事に出ることに反対はしなかったんだ。で、わしはいまやってるような商売をやりに出たんだ。それは、もしおやじがつづけてやってさえいたら、おやじの商売でもあったんだがね。わしはずいぶんと身をいれて仕事をやったもんだよ。ほんとだよ、ピップ。そのうちに、わしはおやじを養うことができるようになったので、てんかんをひきおこしておっ死《ち》ぬまで、養ったよ。で、わしのつもりとしちゃ、おやじの墓石に、彼にいかなる落度ありとも、ひとよ、彼は心のうちはいとも善良なりき、っていうふうに刻みたかったんだよ」

ジョーがこの対句を非常な誇りをもって、それから非常に正確にはっきりととなえたので、わたしは、あんた自分でそれをつくったのか、と聞いてみた。

「わしがつくったんだよ」と、ジョーはいった。「このわしがだよ。わしはそれをすぐつくっちゃったんだ。まるででき上がりの蹄鉄《かなぐつ》を、一打ちでたたきだしたようなもんだよ。わしは、生まれてこんなにびっくりしたことはなかった——ほんとのことをいうとね——自分の頭を信用することができなかったよ。わし自身の頭だってことが、とても信じられなかったよ。いまもいったようにな、ピップ。わしのつもりとしちゃ、それをおやじの墓石に彫りこみたかったんだ。だが、詩というものは、小さく彫っても、大きく彫っても、金のかかるもんでなあ。けっきょくできゃしなかった。柩持《ひつぎも》ちはいうまでもなく、切りつめれる金という金は、みんなおふくろのためにいったんだ。おふくろはからだを悪くして、すっかりまいってしまっていたからな。かわいそうに、間もなくあとを追って、とうとう平和な眠りにつくことになったんだ」

ジョーの青い眼は、すこしばかりぬれていた。彼は火掻棒のもとのほうにある、まるいこぶのところで、その眼を一方ずつ、いかにも気にそわぬように、ぐあいわるそうにこすった。

「それから」と、ジョーはいった。「ここにひとりぼっち住んでることは、とても寂しかったよ。そうして、わしはおまえの姉さんと知合いになったんだ。ところで、ピップ」と、ジョーは、わたしが彼に同意しないのをちゃんと知っているみたいに、きっとわたしを見ながらいった。「おまえの姉さんは、立派な姿の女だよ」

わたしは、いかにも疑わしいというように、火のほうを見ないわけにはいかなかった。

「そのことについて、身内のものが、たといどんな意見をもっていようと、それから、世間の人間がなんといおうと、おまえの姉さんはな」と、ジョーは火掻棒で上の格子を、一言いっては、こつん、一言いっては、こつん、たたきながら、こういった。「立派——な——姿——の——女——だぞ！」

「あんたがそう思ってくれて、うれしいよ、ジョー」わたしには、これよりほかにいい返事が思いうかばなかった。

「わしだってそうだ」と、ジョーはわたしの言葉をさえぎるようにして、こたえた。「わい、わしだって、そう思うことがうれしいんだよ、ピップ。ちょっとばかし赤くたって、それからちょっとばかし骨が、あっちこっちつっぱっていたって、そんなことがこのわしになんだろう？」

もし彼にとって、それがなんでもないとしたら、いったいだれにとってなんでもあるんだ、と、わたしはうまいことをいってやった。

「まさしくそのとおりだ！」と、ジョーは同意した。「それだ！　おまえのいうとおりだよ！　わしがおまえの姉さんと知り合ったとき、姉さんはおまえを手塩にかけて育てているといって、それはそれは評判だった。ほんとによく親切なこったと、みんなの衆がいっていた。わしもみんなの衆といっしょになって、そういったよ。おまえはねえ」と、ジョーは、なにかとてもいやらしいものを見ているといったような顔つきをして、言葉をつづけた。「もしおまえが、自分はどんなに小ちゃくって、ふやふやしていて、見すぼらしかったかということに気づくことができたら、おまえはきっと、自分をとても軽蔑《けいべつ》したろうよ」

こんなふうにいわれると、あんまりうれしい気持ちはしなかったので、わたしはいった。「ぼくのことなんか、気にかけなくっていいんだよ、ジョー」

「ところが、わしはおまえのことを気にかけたんだよ、ピップ」と、彼はやさしく、素朴にこたえた。「おまえの姉さんにいっしょになってくれるように、そうして、この鍛冶場《かじば》へよろこんできてくれる気持ちになったら、教会で結婚の予告をしてもらうようにと、申し込んだとき、わしは姉さんにいったよ、『あのかあいそうな小さい子供も、いっしょにつれていらっしゃい。ほんとうにかあいそうに。この鍛冶場にゃ、あの子のいるところだってありますから！』と、わしゃ姉さんにいったんだよ」

わたしは彼に許しをこいながら、わっと泣きだして、彼の首にだきついた。彼は火掻棒をとりおとして、わたしを抱きしめていった。「わしらはいちばんの仲よしだねえ。そうだろう、ピップ？　泣くなってことよ！」

こうしたちょっとしたじゃまがすむと、ジョーはまたはじめた。

「でね、ピップ、わしらはこうなったんだよ！　ま、だいたい、そういうわけで、わしらはこうしてるんだ！　ところで、おまえがわしに勉強させてくれるときにゃな、ピップ（わしはまえもっていっとくが、とてものろいんだからな、恐ろしくのろいんだ）。わしらがやってることを、ミセス・ジョーにあんまり見せないようにしなくちゃならんよ。いわば、こっそり、かくれてやらなくちゃいけないんだ。なぜこっそりかくれてかというとだな。こういうわけだからだよ」

彼はまた、火掻棒をとりあげていた。それがなかったら、彼は論証をすすめることができたかどうか、怪しいものである。

「おまえの姉さんはな、天下でなくっちゃいけないんだよ」

「天下でなくっちゃって、ジョー？」わたしはびっくりした。わたしはまたジョーが彼女を、海軍大臣か大蔵大臣にゆずるように、離婚したのかしらと、ぼんやり思った（そうだといいがと、はかなく思ったことを、つけくわえなくてはならないだろう）からである。

「天下でなくちゃだめなんだ」と、ジョーはいった。「つまり、おまえやわしにたいしてだよ」

「なあんだ！」

「それからな、姉さんはうちんなかに学者がいることを、あんまり好いちゃいないんだ」と、ジョーはつづけていった。「ことにわしが学者になることを、あんまり好いちゃいないんだ。わしが謀反《むほん》でもおこしたら困る、というわけなんだ。謀反人みたいにな、わかるだろう？」

わたしは聞きかえそうとして、「なぜ——」といいかけたとき、ジョーがさえぎった。

「まあ、待ちな。おまえがいおうと思ってることは、わかってるよ、ピップ。まあ、待て！わしはなにもおまえの姉さんが、ときどきわしたちに、蒙古《もうこ》人みたいにぶつかってくるってのは嘘《うそ》だ、とはいわんよ。それから、わしたちをあおむけにつき倒しといて、わしたちの上にどしんとぶっつかることも、嘘だとはいわん。おまえの姉さんが狂いまわってるときにゃ」と、ジョーは声をすっかりひそめて、戸口のほうをちらっと見た。「正直にいって、姉さんはたいへんな女だよ」

ジョーはこの言葉を、まるででかいたの字が十もよってできているみたいにいった。

「なぜわしは謀反をおこさんか？　わしがさえぎったとき、おまえ、そういいかけてたんだろうが、ピップ？」

「そうだよ、ジョー」

「そりゃあな」と、ジョーは頬髯《ほおひげ》がなでられるように、火搔棒を左手にもちかえながらいった。彼がゆっくりそうしているときには、彼に望みはもてなかった。「おまえの姉さんは傑物《えらぶつ》だよ。傑物なんだ」

「傑物って、なんのこったい？」わたしは彼が返事につまるかもしれんと思って、聞きかえした。しかし、ジョーは予期に反して、ちゃんと返事ができていた。彼は堂々巡りの論法で、きっとした顔つきで「姉さんはよ」とこたえて、わたしをすっかりさえぎってしまった。

「ところが、わしは傑物《えらぶつ》でもなんでもないんだ」と、ジョーは顔つきをやわらげ、頬髯をまたなでながら、言葉をついだ。「最後にな、ピップ！　わしはこれをおまえに、非常に真剣な気持ちでいいたいんだが――わしゃ自分のおふくろに、まるで奴《ど》隷《れい》のようにあくせく働いて、その正直な胸が裂けるほど苦労をし、はかない一生のあいだ、一日として心の安まる日のない女を、いやというほど見たんだ。だから、わしは女にたいして、正しいことをしないため、ぐあい悪くしやあしないかと心配するんだ。わしは、どっちかというと、それとは反対なふうにぐあい悪くなり、ちっとばかり自分が困るほうが、ずっとうれしいんだ。わしはな、ピップ、自分だけが困るんならいいんだが、と思うんだよ。わしはおまえをたたくすぐり棒なんか、ないといいんだがと思うんだよ。わしがひとりで身に引きうけられるといいんだが。だがな、ピップ、世の中ってこうしたもんだよ。だから、不足があっても、眼をつぶっててくれろよ」

　まだ幼くはあったが、わたしはその晩から、ジョーを新しく賛嘆するようになったのだと思っている。それからあとだって、わたしたちはまえとおなじように対等者だった。だが、それからあとわたしは、静かにジョーを見つめながら、彼について考えていると、自分が心のうちでジョーを仰ぎ見ているという、新しい感じを覚えるのであった。

「それはそうと」と、ジョーは炭をつぎに立ちあがりながらいった。「この鳩《はと》時計はもう八時をうとうとしているのに、彼女《あれ》はまだ帰ってきやしない！　パンブルチュック叔父さんの馬のやつ、前足を氷につまずかして、ひっくりかえったんじゃあるまいな」

ミセス・ジョーは、ときどき市日《いちび》にパンブルチュック叔父さんといっしょにでかけて、女のひとに見てもらう必要のあるような日用品を買う手伝いをした。パンブルチュック叔父さんは、やもめ暮しだったが、自分の女中を信用していなかったからである。きょうは市日で、ミセス・ジョーはこういった使いに出かけたのである。

ジョーは火をおこして、炉をきれいにした。それから、わたしたちは戸口のところへいって、一頭だての二人乗り馬車の音の聞こえてくるのをまった。からからにかわいた寒い晩で、身にしみるような風が吹き、きびしい霜がまっ白におりていた。こんな晩に沼地に寝ころがっていたら、きっと凍え死んでしまうだろう。それから、わたしは星を見て、思った、凍えて死にかかった人間が、顔をあげてあの星の群れを仰ぎ見て、しかもあんなにきらきら光っている星の群れのうちに、助けも、憐愍《あわれみ》も、みとめることができないとしたら、なんて恐ろしいことだろう、と。

「そら、馬車がきたぞ」と、ジョーがいった。「鈴がりんりん鳴ってるようだぞ！」

かたく凍《い》てついた道路を、いつもよりずっと早足に、ぱかぱかやってくる馬の蹄鉄《かなぐつ》の音は、ほんとに音楽的だった。わたしたちは、ミセス・ジョーが馬車からおりるときの用意に、椅子《いす》をひとつもちだし、あのひとたちに明るい窓が見えるように、火を掻きたて、台所がなにもかもきちんと片づいているようにと、最後の検分をした。すっかり準備ができたとき、彼らは、眼もとまでくるまってのりつけた。ミセス・ジョーはすぐ馬車からおりた。パンブルチュック叔父さんもすぐおりた。それから、馬に覆いをかけて、わたしたちはみんな台所へはいった――それといっしょに、冷たい空気をうんとこさもちこんだので、暖炉の火の暖かみを、すっかり追いだしてしまうようだった。

「この子がもし」と、ミセス・ジョーは興奮して、あわてて外套をぬぎ、帽子をうしろにはねとばして、ひもで首につるさげながらいった。「この子がもし、今夜ありがたいと思わないとしたら、一生そう思うことはないだろう！」

　わたしは、なぜそんな顔つきをしなくちゃならないかというわけを全然聞かされていない子供にできるかぎりの、ありがたそうな顔つきをして見せた。

「ただね」と、わたしの姉はいった。「この子が増長《じょうちょう》させられないといいがと思うんですよ。でも、その心配があります」

「あのご婦人は、そんなかたじゃあない」と、パンブルチュックさんはいった。「あのご婦人は、もっとりこうなんだよ」

「ご婦人？」わたしはジョーのほうを見て唇《くちびる》と眉毛《まゆげ》で「ご婦人？」という格好をして見せた。ジョーはわたしのほうを見て、彼の唇と眉毛とで、「ご婦人」という格好をして見せた。姉がそれを目ざとく見つけたので、彼はそんなときにいつもやる、なだめるような様子で、手の甲で鼻をこすった。

「おや？」と、姉は例のかみつくような調子でいった。「なにをそんなにじろじろ見ているのよ？

家が火事にでもなってるんですか？」

「――だれか」と、ジョーはおとなしくほのめかした。「ご婦人といったんだよ」

「ご婦人はご婦人でしょうが？」と、姉はいった。「おまえさんがミス・ハヴィシャムを男とよぶんなら別ですがね。いくらおまえさんでも、まさかそうはいいますまいよ」

「あの上町のミス・ハヴィシャムかい？」と、ジョーはいった。

「下町にミス・ハヴィシャムがいるとでもいうんですか？」と、姉はこたえた。「あのひとはこの子に、あそこへいって遊んでもらいたいというんです。むろん、この子はいくんですよ。それから、あそこで遊ぶがいいんですよ」と、姉はうんと気がるに、思いきってはしゃぐがいいというように、わたしのほうへ首をふって見せながら、いった。「でなかったら、わたしにこき使われるでしょうからね」

わたしは、上町のミス・ハヴィシャムのことを、泥棒よけの柵をゆってある、大きくて陰気な屋敷に住んで、隠遁《いんとん》生活をおくっている、ものすごく金持で、気味の悪い婦人だという噂《うわさ》を聞いていた。数マイル四方にいるひとで、上町のミス・ハヴィシャムのことを聞いていないものは、ひとりもなかった。

「こいつは、どうも！」ジョーは、びっくり仰天していった。「いったいどうしてあのかたがピップを知ったのかなあ！」

「阿呆《あほう》さん！」と、姉は叫んだ。「あのかたがこの子を知ってるって、だれがいいました？」

「――だれだったか」ジョーはまたおとなしく、遠まわしにいった。「あのかたはこの子にあそこへいって、遊んでもらいたがってるっていったよ」

「で、あのかたは、パンブルチュック叔父さんに、だれか（ここへきて）遊んでくれる男の子を知らないかと、たずねることはできないとでもいうんですかね？　パンブルチュック叔父さんがあのかたの借家人で、叔父さんはちょいちょい――四半期ごとにだか半期ごとにだか知りませんがね、だって、そりゃあんまりせんさく好きというもんでしょう――家賃をはらいにあそこへいらっしゃるってことも、ありそうなことでしょうが？　そんなとき、あのかたがパンブルチュック叔父さんにむかって、ここへきて遊んでくれる男の子はないだろうかと、たずねることだってありましょうが？　そして、いつもわたしたちのことをよく考え、思いやりをかけてくださるパンブルチュック叔父さんのことだから――もっとも、ジョセフ、あんたはそうは思わないかもしれませんがね」と、まるで彼がこの上もなく酷薄無情な甥《おい》かなぞのように、うんと辛辣《しんらつ》にあてこするようにいった。「ここにはねかえりながらつったっている」――わたしはそんなことをしていなかったことを、誓って断言する――「いつもわたしがよろこんで奴隷になっていてあげてる、この子の名まえを、あのかたにお話なさるってこともありましょうが？」

「まさにそのとおり！」と、パンブルチュック叔父さんは叫んだ、「おっしゃるとおり！　図星だ！　まことにもって、そのとおり！　そこで、ジョセフ、おまえ事情がわかったろうが」

「いいえ、ジョセフ」と、姉はなおも非難がましい調子でいった。その間、ジョーはまるで弁解でもしているように、手の甲で、なんどもなんども、鼻をこすった。「あんたにはまだ事情はわかってやしません――あんたはそうは思いなさらんかもしれませんがね。あんたはわかってると思いなさるかしらんが、わかってなんかいませんよ、ジョセフ。だって、パンブルチュック叔父さんはね、ことによると、ミス・ハヴィシャムのところへいったら、この子の運が開けるかもしれんと、お考えになって、今夜この子をご自分の馬車にのせて町へつれていらっしゃって、一晩泊めて、明日朝ご自分でミス・ハヴィシャムのところへつれてってやろうと、おっしゃってくださったんですよ。あら、どうしよう！」と、姉は、とつぜん自暴自棄《やけくそ》に帽子をはねとばしながら、叫んだ。「馬は戸口で風邪《かぜ》をひきそうだし、この子は頭髪《かみ》の毛の先から足の裏まで、垢《あか》とほこりでよごれきってるのに、このわたしったら、パンブルチュック叔父さんを待たせたまま、阿呆どもを相手におしゃべりばっかりしてるんじゃないの！」

そういうと、彼女は、まるで鷲《わし》が小羊にとびかかるように、わたしにとびかかって、わたしの顔を流しの木の水鉢の中に押しこみ、頭を水樽《たる》の蛇口の下にいれ、石鹸《せっけん》をつけ、もみくちゃにし、タオルでふき、こづき、耙《まぐわ》でもかけるように、くしで掻きむしり、手荒くこすったので、わたしはしまいには、すっかり気が狂ってしまったほどだった。（ちょっとここでいっておくが、結婚指輪が人間の顔を情け容赦《ようしゃ》もなく、ごつごつやるときの、あの痛さを、わたしはどこのだれさまよりもよく知っていると思う）。

洗面がすっかりおわると、わたしは、ちょうど幼い懺悔《ざんげ》者が懺悔服を着せられるように、洗濯したばかりの、ものすごくごわごわしたリンネルの下着を着せられ、猛烈にきつくて、とても恐ろしい服でくくりあげられた。それから、わたしはパンブルチュックさんに引きわたされた。彼は、知事かなんぞのように、わたしを儀式ばってうけとり、彼が死ぬほどやりたくて、やりたくてたまらないでいることが、ちゃんとこっちにわかっている演説を、わたしにむかってぶっぱなした。「ピップ、おまえの友人たちすべてのものにたいして、永久に感謝の心をもちなさい。ことに、おまえを手塩にかけて育てあげたひとたちに、感謝しなければならぬ！」

「ジョー、さようなら！」

「元気でな、ピップ！」

わたしは、いままでいちども彼と別れたことがなかった。で、自分の感情やら石鹸水やらで、はじめのうちは馬車の中から星を見ることができなかった。しかし、星はやがてひとつひとつ、きらめきだした。でも、自分はなぜミス・ハヴィシャムの家へ遊びにいくのか、またいったいぜんたいなにをして遊ぶのか、という疑問については、すこしも光明を投げてはくれなかった。

第八章

市場町《いちばまち》の大通りにあるパンブルチュックさんの屋敷は、いかにも穀物や種物の商売らしく、胡《こ》椒《しょう》の実や穀物の粉でいっぱいだった。自分の店にあんなにたくさん小さい引出しをもっているなんて、なんて幸福なひとだろう、と思った。下の段の引出しを一つ二つのぞいて、茶色の紙にきちんとつつんだ包みを見たとき、いったい草花の種子《たね》や球根は、いつか美しい日にこんな牢獄を破って出て、咲きだしたいと思うことがあるのかしら、と怪しんだ。

こんなことを考えたのは、着いた翌日の朝早くだった。まえの晩は、天井がかたむいている屋根裏部屋《べや》の寝床に、まっすぐ追いやられたのだった。その屋根は、寝台のおいてあるすみっこのところがとても低くなっていたので、わたしの計算だと、屋根がわらは、わたしの眉から一フィートとはなれていないはずだった。おなじ日の朝早く、わたしは種子類とコールテンのズボンとが、おどろくほど似ていることを発見した。パンブルチュックさんもコールテンのズボンをはいていたし、番頭もはいていたが、そのズボンには、いかにも種子らしい空気やにおいがあり、また種子には、いかにもコールテンのズボンのような空気やにおいがあったので、どっちがどっちとも区別がつかないくらいだった。この機会に、わたしはつぎのようなことに気づいた。つまり、パンブルチュックさんは、街の向こう側の馬具商を見ながら商売をし、馬具商はまた馬車製造屋に目をむけながらかれの商売をやり、馬車製造屋は馬車製造屋で、ポケットに両手をつっこみ、パン屋のことを考えながら暮しをたて、パン屋はパン屋で、腕組みしながら、食料品屋をじろじろ見ていい、食料品屋はまた戸口のところにつったって、薬屋を見てあくびをしていた。ただ時計屋だけが、この大通りで自分の商売に専心しているように思えた。彼はいつも一方の眼に拡大鏡をはめて、小さな机を穴のあくほどのぞきこんでいた。それを、長い上っぱりを着たひとかたまりの人間が、店の窓ガラスごしに、穴のあくほどのぞきこみながら、しょっちゅうながめているのである。

パンブルチュックさんとわたしは、朝八時に店の奥にある居間で朝食をした。番頭は表のほうの豆のはいった袋に腰をかけて、一杯の紅茶とバタつきパン一個で朝食をすませた。パンブルチュックさんは、食事の相手としてはじつにつまらん相手だった。彼はわたしの食事には、苦行や懺悔《ざんげ》の性質をおわせなくてはならんという、姉の考えにとりつかれていたばかりでなく――わたしのパンはできるだけ屑をたくさんにし、それにバタをできるだけちょっぴりつけ、牛乳にはいっそ牛乳なんかやめちまったほうがいいくらい、たくさんお湯をさしたばかりでなく――彼の話は、はじめからしまいまで算術だった。わたしがお早うございますと、ていねいに朝のあいさつをすると、彼はもったいぶって、「おい、七かける九は？」と、いった。見知らぬ家で、こんな風にかわされては、空《す》き腹をかかえたわたしに、いったいどうして返事ができよう！　わたしは、腹がぺこぺこだった。しかし、わたしがまだ一口もたべないうちに、彼は早くも「七では？」、「四では？」、「八では？」、「六では」、「二では？」、「十では？」……と、つづけざまに暗算をはじめて、それを食事中ぶっとおしつづけた。ひとつの暗算をかたづけてから、やっとひと口嚙むか、飲むかしたと思うと、とたんにつぎの暗算がとんできた。その間、彼はなんにもいい当てることなく、のんきにベーコンやほかの巻パンを（そういってもかまわないなら）、むしゃむしゃがつがつ、むさぼるように食べていた。

そんなわけで、十時になって、いよいよミス・ハヴィシャムの屋敷へでかけることになったときは、とてもうれしかった。もっとも、この夫人の屋敷でどんなふうにふるまったらいいだろうか、と思うと、ちっとものんきな気持ちにはなれなかったが。ものの十五分とたたぬうちに、ミス・ハヴィシャムの屋敷へついた。それは煉瓦《れんが》造りの陰気な屋敷で、鉄棒がたくさんとりつけてあった。窓は壁でふさいでしまってるところもあった。ふさいでない窓も、下の方は全部赤さびた鉄棒がわたしてあった。屋敷のまえには中庭があって、それも鉄棒でかこってあった。で、呼び鈴を鳴らしてからも、だれかきて開けてくれるまで待っていなければならなかった。待っている間にのぞいて見ると（そのときでさえ、パンブルチュックさんは、「それから十四では？」といっていたが、わたしは聞こえないふりをした）、屋敷のよこに大きな酒造場があった。しかし、酒はつくっていず、また、つくるのをやめてから、もう久しいことたっているらしい様子だった。

窓があいて、澄んだ声が聞こえた。「どなた？」わたしの案内役は、これにこたえた。「パンブルチュックでございます」すると、その声が「承知しました」といった。そして、窓がしまって、若い婦人が鍵《かぎ》を手にもって、中庭をやってきた。

「こちらが」と、パンブルチュックさんはいった。「ピップでございます」

「こちらがピップなんですの？」と、非常にきれいで、非常に高慢らしい、その年若い婦人はいった。「おはいり、ピップ」

パンブルチュックさんもはいってこようとすると、彼女は門で彼を押しとめた。

「あら！」と、彼女はいった。「あなた、ミス・ハヴィシャムにお会いしたいっておっしゃいましたの？」

「もしミス・ハヴィシャムがわたしにお会いなさりたいとおっしゃいましたら」と、パンブルチュックさんは狼狽《ろうばい》しながらこたえた。

「そお！」と、少女はいった。「でも、あのかたはそんなことおっしゃいませんのよ」

彼女はそれを非常にきっぱりと、いやおういわさんような調子でいったので、パンブルチュックさんは威厳をそこねながらも、それに抗議することはできなかった。でも、彼はわたしを邪険な眼つきでじろっと見――まるでわたしが彼になにかしたように――そして、なじるようにこう捨てぜりふをいって、立ち去った。「おい、おまえを手塩にかけて育てあげたひとたちの、顔にかかわらんようにふるまうんだぞ！」わたしは彼がまたもどってきて、「それから十六では？」といいはしないかと、不安でたまらなかった。しかし、もどってきはしなかった。

わたしのうら若い案内者は、門に錠をおろした。わたしたちは中庭をよぎっていった。中庭は舗装してあって、きれいになっていたが、しかし割れ目にはどこにも草がはえていた。酒造場は小さな小道で中庭とつづいていた。小道の木の門は、みんな開けっぱなしになっていた。むこうの酒造場は、高い囲い塀《べい》のところまで、すっかり開けっぱなしになっていて、からっぽで、打ちすてられてあった。そこを吹きぬけている風は、門の外よりもっと冷たいような気がした。それはちょうど海上の船の索具にあたる風の音のような、鋭い音をたてながら、酒造場の開けっぱなしになっている側から、ひゅうひゅう吹きこんだり、吹き出たりしていた。

彼女はわたしが酒造場を見つめているのを見ていった。「おまえさん、あそこでつくってる強ビールを、全部でも平気で飲めそうね？」

「ええ、できそうです」と、わたしは恥かしそうにいった。

「あんなところでいまごろビールなんかつくろうとしないがいいわ。酢《す》っぱくなってしまうでしょうからね。そうじゃないこと？」

「そんな気がしますね」

「といっても、だれもつくろうとしてるわけじゃないのよ。そんなこと、とっくの昔にやめちまったの。あの建物は倒れるまで、ああしてあのまま、なんにもならずにつったってることでしょう。強ビールなら、このお館《やかた》が溺れちまうくらいたくさん穴蔵にしまいこんであるわよ」

「お館《やかた》っていってるんですか？」

「そうもいわれてるの」

「というと、ほかの名まえもあるんですね？」

「もう一つだけ。サチス荘っていうの。サチスって、満足という意味のギリシャ語か、ラテン語か、ヘブライ語か、それとも三つ全部いっしょになったものなの――わたしには、どっちだっておんなじことなんだけど」

「満足荘!」とわたしはいった。「なんだか、変な名まえですね」

「そうよ」と、彼女はこたえた。「でも、それには文字だけよりか、もっと深い意味があったのよ。その名まえがつけられたときには、だれでもこのお屋敷をもつものは、ほかに望むものはなにひとつなくなる、というつもりだったの。きっとそのころは、みんな手がるに満足してしまったんでしょう。でも、道草してちゃだめよ、おまえさん」

こんなふうに、彼女はわたしをなんども「おまえさん」と呼んだのだが、それも義理にもお世辞《せじ》とはいえないような、いかにも投げやりな調子で呼んだのだが、年ごろはわたしとほぼ同年輩だった。しかし、彼女は少女だったし、それに美しくって、落ち着きがあったので、むろんわたしよりかずっと年上に見えた。そして、まるで年は二十一にもなり、しかも女王さまででもあるかのように、わたしを小ばかにしていた。

わたしたちは、脇戸《わきど》からはいっていった――大きな正面の入口には、外側に鎖が二つわたしてあったからである。なかにはいって、最初に気づいたのだが、廊下という廊下は、どこもみんな暗くなっていて、火のついたローソクがそこにおいてあった。彼女はそのローソクをとりあげた。そして、わたしたちはさらにいくつかの廊下をとおり、階段をひとつ上がった。でも、やはりまっ暗で、ただローソクの光がわたしたちを照らすだけだった。

とうとうある部屋《へや》の入口のところへきた。すると彼女は「おはいり」といった。

「どうぞお先に」と、わたしは礼儀というよりか、むしろ恥かしくって、そうこたえた。

すると、彼女はこうこたえた。「まあ、おかしな子! わたしははいりはしないのよ」そういいすてて、さげすむように、さっさといってしまった――しかも――困ったことに――ローソクをいっしょにもっていってしまったのである。

　これにはすっかりまいってしまって、なんだか恐ろしくさえなった。しかし、ドアをノックするよりほか仕方がなかったので、ノックしてみた。すると、「おはいり」という声がした。で、わたしははいっていった。それはかなり大きな部屋で、ローソクが明るくともっていた。日の光はすこしも見られなかった。家具の様子からみて――もっとも大部分のものは、いままで見たこともない形のもので、なんに使うのか、さっぱり見当もつかなかったが――化粧室らしかった。そのうちでも一ばん眼についたのは、金縁の姿見のついた、布でおおわれているテーブルだった。わたしは、ひと眼で、それは立派な貴婦人用の化粧テーブルだな、とわかった。

　もし立派な貴婦人がそのテーブルにむかっていなかったら、それが化粧テーブルだと、あんなにさっそくわかったかどうか知らない。いままで一ども見たこともない、これからだって二どと見ることはないと思われるような、ふしぎな婦人が、そのテーブルに片肘《ひじ》たてて、頬づえつきながら、肘掛椅《い》子《す》に腰かけていた。

　彼女は――繻子《しゅす》やレースや絹などの――非常な金目のものの服をつけていて、それが全部白ずくめだった。彼女がはいている靴も白かった。それから、長い白ベールを髪からたらし、花嫁の花を髪にさしていたが、その髪は白かった。彼女の首や手には輝かしい宝石がいくつかきらきら光っており、テーブルの上にも、いくつかの宝石が燦然《さんぜん》と輝いていた。彼女が着ているものほどではないが、すばらしく立派な服と、半分つめかけたトランクが、あたりに散らかっていた。彼女は、まだすっかり衣装をつけおわってはいなかった。というのは、靴は一方はいただけで――

片方はテーブルの上の手もとにのっていた――ベールはまだ半分かけかけたままであり、くさりつきの時計はつけてなく、胸飾りのレースは、装身具やハンケチ、手袋、花、祈禱書などといっしょくたに、姿見のまわりに乱雑につまれていたからである。

といっても、それを最初の瞬間に全部見てとったわけではなかった。もっとも、想像以上に、いろんなものを最初の瞬間に見てとったことは事実だが。しかし、わたしは、わたしの眼につくもので、当然白いはずのものが、すべて、ずっと昔は白かったのに、いまは光沢《つや》をうしなって、色があせ、黄色っぽくなっているのを知った。わたしは、花嫁の婚礼服につつまれた花嫁が、その婚礼服や花とおなじようにしぼんでしまって、いまは彼女のおちくぼんだ眼の輝きのほかには、輝かしさをすこしもとどめていないのを知った。わたしは、婚礼服はかつてはうら若いおとめのまろやかな体《からだ》をつつんだのだということ、いまその服がだらりとかかっているその体は、しぼんで骨と皮ばかりになってしまっているということを見てとった。いつかわたしは、市《いち》の恐ろしいろう人形を見につれていかれたことがある。それは、世にも奇怪な人物が、棺にいれて、安置されているのだった。またあるときわたしは、わたしたちの古い沼地のある教会へ、朽ち果てた立派な服につつまれた骸骨《がいこつ》を見につれていかれたことがあった。それは、教会の敷石の下の納骨所から掘りだされたものだった。そのろう人形と骸骨とが、いま黒い眼をもち、その眼が動いてわたしを見ているのじゃないだろうかと思った。わたしは、叫び声をあげるところだったが、声も出なかった。

「だれです?」と、テーブルにむかっている婦人はいった。

「ピップです」

「ピップ?」

「パンブルチュックさんのとこの子供です。あの――遊びをしにうかがったのです」

「もっとこっちへきなさい。顔をお見せ。ずっとこっちへきなさい」

わたしは、彼女の眼を避けながら、彼女のまえに立ったとき、はじめてまわりにあるいろんなものにこまかく気づいた。そして、彼女の時計が九時二十分まえのところでとまっていること、部屋の置時計も九時二十分まえでとまっていることを知った。

「わたしをごらん」と、ミス・ハヴィシャムはいった。「おまえが生まれたときから、一ども日の目を見たことのない女を、おまえはこわいとは思わないかい?」

口にいうのも残念ながら、わたしは、「いいえ」と返事して、まっかな大嘘をつくことをこわいとは思わなかった。

「わたしのここになにがあるか、おまえおわかりかい?」彼女は左の胸の上に両手を重ねてあてながら、いった。

「はい、わかります」(それはわたしに、あの若い男のことを思いおこさせた)

「なにがあるんです?」

「あなたの心臓《ハート》です」

「破れた心臓《ハート》!」

彼女は眼を輝かせ、いちまつの誇りをまじえた気味悪い微笑をうかべながら、強くひと言、そういった。それから、しばらくのあいだ、手をそのままじっと胸にあてていたが、やがて重たげに、ゆっくりとはなした。

「わたしは退屈なんだよ」と、ミス・ハヴィシャムはいった、「なにか気晴らしをしたい。でも、男や女はもうまっぴらです。遊びをしてごらん」

彼女は不幸な少年にむかい、こんな事情のもとで、ひろい世界中でもこれ以上に困難な仕事をしろと命ずることは、恐らくできなかったろう。どんなに口やかましい読者でも、これだけはみとめてくださるだろうと思う。

「わたしはね、ときどき妙な気まぐれをおこすんだよ」と、彼女はつづけていった。「で、いまもだれか遊んでるところを見てみたくって、しようがないんです。さあ、さあ！」と、右手の五本の指をいらだたしそうに動かしながらいった、「なにか遊びをやってごらん、やってごらん、やってごらん！」

また姉にこき使われる恐ろしさをはっきりと思い浮かべながら、一瞬、わたしはパンブルチュックさんの馬車のまねをして、部屋のなかをぐるぐるまわって歩こうかと、必死になって考えた。しかし、自分にはとてもそんな芸当はできないという気がしたので、それはあきらめて、つったったまま、まじまじと、ミス・ハヴィシャムを見つめていた。ミス・ハヴィシャムは、わたしのその態度を強情と勘ちがいしたのだろう。わたしたちが存分に見あったあとで、彼女はこういった。

「おまえ、すねて、強情をはってるのかね？」

「いいえ、ちがいます。ぼくほんとにすみません。いますぐなにか遊びができなくて、ほんとにすみません。あなたに悪くおっしゃられると、ぼくきっと姉さんにひどい目にあわされるんです。ですから、ぼく、やれさえしたらやりたいんです。でも、ここは、ぼくにはとても新しくって、ふしぎで、あんまり立派で、――それにあんまり陰気――」わたしは、いいすぎはしないだろうか、いや、もうすでにいいすぎたんじゃないだろうかと心配して、口をつぐんだ。わたしたちは、またじっと顔を見あわせた。

彼女はふたたび口を開くまえに、わたしから眼をはなして、自分の着ている服を見、化粧テーブルを見、そして最後に姿見にうつっている自分の姿を見た。

「この子には新しくて」と、彼女はつぶやくようにいった。「わたしにはとても古い。この子にはふしぎだが、わたしにはあたりまえ。そして、どちらにとっても、とても陰気！　エステラをお呼び」

彼女はなおも鏡にうつった自分の姿を見ていたので、まだひとりごとをいっているのだろうと思って、わたしは黙っていた。

「エステラをお呼び」と、彼女はきらっとわたしを一瞥《いちべつ》しながら、くりかえしていった。「それならできるだろう。エステラをお呼び。ドアのところから」

見も知らぬ屋敷の怪奇な廊下の暗闇のなかにつったたって、姿も見えなければ、いらえもない、ひとを小ばかにした少女にむかって、エステラーあ、とわめきながら、彼女の名まえをこんなに大声でほえたてるなんて、なんて恐ろしい無作法だろうと思うと、命令どおりになにか遊びをやることとおんなじくらいつらかった。だが、ついに彼女の返事がして、それから、彼女の燈火《あかり》が暗い廊下をまるで星のようにやってきた。

ミス・ハヴィシャムは彼女をすぐそばへ招きよせて、テーブルの上から宝石を一つとりあげて、それを彼女の美しい若い胸や、きれいな栗色《くりいろ》の髪にあてて見た。「いつかはおまえのものになるんだよ。そしたら、おまえはこれを上手に使うだろう。この子とトランプをやって見せておくれ」

「この子と！　この子はいやしい労働者の子供じゃございませんの！」

「それがどうなの？　おまえはあの子の心臓《ハート》を破ってやることができるんだよ」——ミス・ハヴィシャムがそうこたえるのが聞こえたような気がしたが、まさかそんなことは、と思った。

「おまえさん、なにがやれるの？」エステラはいかにもさげすむような調子で、わたしにたずねた。

「乞食《こじき》遊びしかできません」

「この子を乞食にしておやり」と、ミス・ハヴィシャムはエステラにいった。そこで、わたしたちは腰をおろして、トランプをはじめた。

そのときになってはじめてわたしは、この部屋のなかのものがなにもかも、懐中時計や柱時計のように、ずっと昔にぱったり動かなくなってしまったんだ、ということがわかってきた。わたしは、ミス・ハヴィシャムが、例の宝石を、とりあげたところとぴったりおなじところにおくのに気づいた。エステラが札をくばっているとき、わたしはまた化粧テーブルをちらっと見て、その上においてある、かつては白かったがいまは黄色になっている靴が、まだいちどもはかれたことがないものだということを知った。わたしは眼を伏せて、その靴をはいていないほうの足をちらっと見、その足にはいている、かつては白かったがいまは黄色になっている絹の靴下が、ふみすれてぼろぼろになっているのを知った。こんなにあらゆるものがぱったりとまっているのでなかったら、色あせて朽ちしぼんだすべてのものが、こんなに静止しているのでなかったら、老い凋《しぼ》んだ体にまとった、色あせた婚礼服すら、これほどまでに死衣のようには見えなかったろうし、長いベールだって、こんなにまで経帷子《きょうかたびら》そっくりに見えはしなかったろう。

こうして、わたしたちがトランプをやっているあいだ、彼女はまるで骸骨のようにじっとすわっていた。彼女の婚礼服のひだ飾りやへり飾りは、まるで土気色の紙みたいに見えた。大昔に埋められた死体がときどき発見されるが、それはいよいよはっきり見られるだんになると、その瞬間にこなごなにくずれてしまうものである。が、そのときはまだ、そんなことはなにも知らなかった。しかし、その後わたしは、あのとき彼女は、もしほんとの日の光がさしこんだら、とたんに、たちまち塵埃と化してしまいそうな様子をしていたにちがいない、となんども思った。

「この子ったら、兵隊《ネイヴ》のことをジャックなんていって」と、エステラは最初の勝負がまだつかないうちに、さもさげすむような調子でいった、「それから、まあ、なんてざらざらした手をしてるんだろう！　まあ、なんて厚《ヽ》い《ヽ》どた靴なのよ！」

わたしは、それまで自分の手を恥かしいと思ったことなぞ、ついぞいちどもなかった。ところが、そういわれてみると、自分の手がいかにもつまらない手のように思われた。わたしにたいする彼女のけいべつはあまりにもはげしかったので、それがわたしにもうつってしまったのだ。

彼女が勝ったので、こんどはわたしが札をくばった。ところが、くばりそこなってしまった。わたしがなにか間違いをやるのを、彼女が待ちかまえていることがちゃんとわかっていたので、やりそこなうのも当然だった。彼女は、わたしを気のきかぬ、ぶきっちょな、労働者の子供と呼んだ。

「おまえはあの娘《こ》のことをなんともいってやらんのかね」ミス・ハヴィシャムは見物しながらい

った。「あの娘はおまえのことをあんなに悪口いってるのに、おまえはあの娘のことをなんともいってやらないのかね。おまえ、あの娘をどう思って？」

「ぼく、いいたくありません」と、わたしはどもりながらいった。

「わしの耳にそっといってごらん」と、ミス・ハヴィシャムは体をこごめながらいった。

「あの娘はとても高慢だと思います」と、わたしは小声でささやいた。

「それから？」

「とてもきれいだと思います」

「それから？」

「ぼく、あのひとはとても失敬だと思います」（彼女はそのときわたしをさも大きらいだといわんばかりの眼つきで見ていた）

「それから？」

「ぼく、もう家へ帰りたいと思います」

「そして、あの娘はあんなにきれいなのに、もう二どとあの娘を見ないようにかね？」

「ぼく、二どとあのひとを見たくないかどうかはっきりわかりません、でも、ぼく、もう家へ帰りたいと思います」

「すぐ帰してあげる」と、ミス・ハヴィシャムは声をだしていった。「勝負をつけておしまい」

最初にあの気味の悪い微笑をうかべなかったら、ミス・ハヴィシャムの顔はけっして微笑むことはできないのだと、思いこんだかもしれない。その顔は沈んで、油断のない、じっと考えこんでいるような表情にかわっていた――彼女の周囲のあらゆるものがぱったりとまっているとき、それはいかにも似つかわしいように思われた――そして、どんなことがあろうとも、二どとその顔をおこすことはけっしてないように思われた。彼女の胸はおちくぼみ、そのため彼女はかがみこんでいた。彼女の声も沈んで、低い声でささやいていた。死のような静寂が彼女をおしつつんでいた。全体に、彼女は潰滅的《かいめつてき》な一撃をうけて、魂も肉体も、内も外も、がっくりとなってしまったような様子だった。

わたしは、エステラと勝負をつけた。エステラは、わたしをすっかり無一文にしてしまった。彼女はみんなとってしまうと、わたしからとったものだというので、それをさげすんでいるみたいに、テーブルの上に札をたたきつけた。

「こんどまたいつきてもらおうかね？」ミス・ハヴィシャムはいった。「さてと」

わたしがきょうは水曜日ですといいかけると、彼女はまえのように右手の五本の指をいらだたしそうに動かして、わたしをさえぎった。

「そら！　そら！　わたしは何曜日かなんてことは知らないんだよ。今年の何週目かということも、なにひとつ知らないのです。あと六日したらきなさい。わかったかね？」

「はい、わかりました」

「エステラ、この子を階下《した》へつれていって、なにか食べさせておやり。そして、食べているあいだに、そこらをぶらぶら見させておやり。ピップ、さあお帰り」

わたしは上がってきたときとおなじように、燈火《あかり》のあとについておりた。彼女は燈火をまえにあったところへおいた。彼女が脇戸をあけるまでは、わたしはなんということなしに、どうしても夜分にちがいないと思っていた。日の光がさっとさしてきたので、わたしはすっかり面くらってしまった。そして、ふしぎな部屋のローソクのあかりのなかに、何時間もいたような気がした。

「おまえさん、ここに待っているんですよ」と、エステラはいって、姿を消し、戸を閉じた。

わたしは中庭にひとりおきざりにされた機会に、自分のざらざらした手と厚いどた靴を見てみた。それは、いかにもぱっとしない付属品のように思えた。それまでこんなものが気にかかったことなど、いちどもなかったのだが、いまやそれは下品な付属品として、わたしの心を悩ましたのである。わたしはジョーにむかって、あの絵のカードを正しくは兵隊と呼ばなくちゃならないのに、いったい、なぜジャックだなんて呼ぶように教えこんだのか、聞きただしてやろうと決心した。ジョーがもっと紳士的に育っていてくれたらよかったのに、そしたら自分もそうなっていたろうに、と思った。

彼女はパンと肉と、それからビールを小さなジョッキにいっぱいもって、もどってきた。そして、ジョッキを庭の石の上においた。わたしのほうへは眼もくれずに、まるでしかられた犬にでもやるように、横柄な態度でパンをくれた。わたしは非常に侮辱され、傷つけられ、足蹴《げ》にされて、腹が立ち、悲しくなって――あの悲痛な憤りをうまくいいあらわす言葉をわたしは知らない――それをなんと呼ぶべきだったか、神さまだけがごぞんじだ――ついに涙が両の眼にあふれてきた。涙がうかんだ瞬間、少女は涙をうかべさせてやったことにちらっと喜びの色を見せて、わたしを見た。これはわたしに、出かかった涙をひっこめて、彼女を見かえしてやる力をあたえてくれた。すると、彼女はいかにもさげすむように頭をふりあげ――でも、おまえがそんなにひどく傷つけられたのを、はっきり見とどけてやったわよ、といわんばかりに――、わたしをおいて、さっさといってしまった。

彼女がいなくなるやいなや、わたしはあたりを見まわして、顔をかくすところをさがした。そして、酒造場へいく小道の門のかげにはいって、そこの壁に袖をあて、袖に額をよせかけて泣きだした。わたしは泣きながら、塀を足でけり、髪をいやというほどかきむしった。わたしの気持ちはあまりにも悲痛で、あの名状しがたい憤りはあまりにもはげしかったので、これにたいして反作用をせずにはいられなかったのである。

姉の養育は、わたしを神経過敏な子供にしてしまった。子供たちがだれの手で育てられようと、彼らが生きている小さな世界では、不正ほど鋭敏に知覚され、鋭く感じられるものはない。子供は、小さな不正にしかさらされないかもしれない。だが、子供は小さいものであり、その世界も小さいものである。その木馬は、物差しではかれば、骨太のアイルランド種の猟犬の背たけしかないのだ。わたしは、心のうちで、赤んぼのときから、不正にたいする不断の戦いをつづけてきたのだった。わたしは口がまわるようになってからというもの、姉がわたしに気まぐれなめちゃくちゃな威圧をくわえては、非道な仕打ちをしたことを知っていた。たとえ彼女がわたしを手塩にかけて育てあげたからといって、なにもわたしを引っぱったり、つねったりして育てあげる権利は、毛頭ないのだというのが、わたしの深い信念だった。わたしは、わたしがうけたありとあらゆる処罰、屈辱、絶食、寝ずの夜、そのほかの懲罰的苦行をとおして、この確信を心にいだいていたのである。わたしが精神的に臆病《おくびょう》で、非常に感じやすかったのも、もとをただせば、わたしが寄るべもなくひとりぼっち、つねにこの確信を友としていたことに、大部分原因しているのだと思う。

わたしは、傷つけられた感情を、酒造場の壁のなかに足で蹴《け》こみ、髪からむしりとって、さしあたりそれからのがれることができた。そこで、袖で顔をふいて、門のかげから出てきた。パンと肉はおいしかったし、ビールは体を暖め、ほてらした。で、間もなく元気がでて、あたりを見まわした。

ほんとにそこは、さびれていた。酒造場の庭の鳩《はと》の巣箱までもさびれはてていた。その巣箱は、竿《さお》の上ではげしい風に吹かれて、引きゆがんでいた。もし鳩がいて、その巣箱にとまってゆられるとしたら、きっと海の上にいるような気がしたろうと思う。だが、鳩小屋には鳩はいず、厩《うまや》には馬はいず、豚小屋には豚はいず、倉庫には麦芽《もやし》はなく、銅釜《かま》や大樽《たる》にも麦芽かすやビールのにおいはしていなかった。酒造場の仕事もにおいも、そこからぬけでた最後の煙の臭気といっしょに、すっかり蒸発して消えていってしまったのかもしれない。わきの庭には、空樽《からだる》がいっぱいおいてあった。これには、盛んだったころの酢っぱい思い出がまだ消え去りかねてのこっていた。だが、それは過ぎさった日のビールの見本としてうけとるには、あまりにも酢っぱいものだった――この点では、それらの世捨人然たる空樽も、ほかのものとおなじようだったことをおぼえている。

酒造場のいちばんむこうのはしのかげには、古い塀のある、草の生《お》い茂った庭園があった。その塀はあまり高くなかったので、わたしはそれになんとかよじのぼって、つかまったまま、塀ごしになかをのぞくことができた。そこは屋敷の庭園になっていて、雑草がからみあって、いっぱいに生《お》い茂っていた。だが、だれかそこを歩くものがあるらしく、緑と黄色の小道には、ひとの通った跡がついていた。そして、現にそのときも、エステラがそこをとおって、むこうのほうへ歩いていった。だが、エステラは、あらゆるところに姿をあらわすように思えた。というのは、樽の誘惑に負けて、その上を歩きだしたとき、樽のおいてある中庭のむこうの端の樽の上を彼女が歩いているのが見えたからである。彼女は背をこちらにむけ、きれいな栗色の髪をいっぱいにひろげて、両手でもち、いちどもふりむきもせずに、たちまちわたしの視界から消えてしまった――酒造場のなかでも、やっぱりおなじだった――酒造場というのは、以前ビールをつくっていた、床がたたきになっている大きなおそろしく高い建物のことで、そこには醸造用の道具がいまもおいてあった。はじめ、そのなかへはいっていって、あまりの陰気さに圧倒されて、入口の近くにつったったまま、あたりを見まわしていたとき、わたしは彼女が火の消えた炉のあいだをとおり、軽い鉄製の階段をのぼって、まるで空中へ抜けでていくかのように、はるか頭上の階廊《かいろう》から出てゆく姿を見た。

ちょうどそのせつな、その場所で、わたしはふしぎな幻を感じた。それは、そのときもふしぎにたえなかったが、その後になっても長いあいだ、いっそうふしぎに思われてならなかった。わたしが眼を――霜のように冷たい光線を見上げたため、すこしぼーっとなっていた眼を――右手近くの低いすみっこにある、巨大な木の梁《はり》のほうへむけると、そこに首をくくってつるさがっている人間の姿が見えたのである。その姿は、黄色くなった白の装束《しょうぞく》をし、靴は片方しかはいていなかった。こちらむきにつるさがっていたので、服の色あせたへり飾りが土気色の紙のようで、ミス・ハヴィシャムそっくりの顔をしており、その顔全体に、いまにもわたしの名を呼びそうな表情がうかんでいるのが見えた。その人間の姿を見た恐怖と、一瞬前にはたしかにそんなものはそこにはなかったということを知っての恐怖とにかられて、わたしはそこから逃げだし、こんどは反対にそちらのほうへとんでいった。ところが、その姿がいつの間にかかき消されてなくなっていることを発見したときのわたしの恐怖は、まさに頂点にたっした。

もしも晴れやかな空の霜のような冷たい光や、中庭の横木の向こうを往来しているひとびとの姿がなく、残りのパンや肉やビールに元気づけられることがなかったら、わたしはとても正気にかえることはできなかったろう。よしこれらの助けがあったとしても、もしエステラがわたしを外へ出すように鍵《かぎ》をもって近づいてくるのを見なかったら、あんなに早く我にかえることはできなかったかもしれない。ぼくがおびえきっているところをもし彼女が見たら、彼女はわたしを見くだす立派な理由があるだろう、とわたしは思った。わたしは彼女にそんな立派な理由をあたえてはならない。

彼女は、わたしの手がこんなにざらざらしていて、靴がこんなに厚いどた靴なのをたのしんででもいるように、とおりすがりに、勝ち誇った眼つきでちらっとわたしを一瞥した。それから門をあけ、そこに手をかけたまま立っていた。わたしは彼女を見ないでとおりすぎようとした。すると、彼女は憎々しそうな手つきでわたしにさわった。

「おまえさん、なぜ泣かないの？」

「泣きたくないからです」

「うそっ、泣きたいくせに」と、彼女はいった。「おまえさん、いままで眼がつぶれるほど泣いてたじゃないの。いまだって泣きそうになってるくせに」

彼女はあざけるように笑って、わたしをつきだして、門に錠をおろした。わたしは、まっすぐにパンブルチュックさんの家にいった。そして、彼が家にいないのを知って、心からほっとした。そこで、こんどまた、ミス・ハヴィシャムの屋敷に出かける日の言伝《ことづて》を番頭さんにたのんで、四マイルある道をわが鍛冶場《かじば》にむかって出かけた。そして、道々、きょう見たいろんなことを考え、自分はつまらない労働者の子供だということ、自分の手がざらざらしていること、自分の靴が厚いどた靴だということ、自分は兵隊《ネイヴ》をジャックだなんていういやしい癖がついているということ、自分はゆうべ考えたよりかはるかに無知だということ、そして、つまり自分は、下等な、いやらしい生活をしているのだということを、つくづく考えた。

第九章

家に着くと、わたしの姉は、ミス・ハヴィシャムの屋敷のことを根ほり葉ほり知りたがって、いろんな質問をたたみかけた。わたしがそれらの質問に十分くわしくこたえなかったというので、わたしはたちまち首筋と腰のところを背後からものすごくこづかれ、顔を台所の壁に見っともないほどおしつけられた。

話してみたってわかってはもらえないだろうという心配が、わたしの胸にいつもかくされていたほど、ほかの子供たちの胸にもかくされているとしたら――たぶんかくされていることと思う、なぜって、自分は異様な怪物だったかもしれないと思う特別の理由がなにもないからである――それは多くの隠しだてを理解する鍵となるだろう。わたしは、どうせミス・ハヴィシャムの屋敷のことを眼で見てきたとおりに話したところで、とてもわかってはもらえないだろうと思った。それればかりでなく、ミス・ハヴィシャム自身のことだって、わかってもらえっこないと思った。それから、彼女はわたしにはまったく不可解な存在であったが、それにしても、ありのままの彼女を（ミス・エステラのことはいわずもがな）ミセス・ジョーのまえにひきずりだして、いろいろ想像をたくましくさせることは、なんとなく乱暴で、彼女を裏切るような気がしてならなかった。そういうわけで、わたしはできるだけ言葉すくなくかたった。そして、自分の顔を台所の壁に押しつけられるようなことになったのである。

いちばん悪いことには、あの弱い者いじめのパンブルチュックじいさんが、わたしの見聞きしたことをすっかり知りたいという、猛烈な好奇心に矢も楯もたまらぬほどかりたてられて、彼のまえに洗いざらい吐きださせようと思って、お茶どきに、馬車にのってじりじりしながらおしかけてきたことだった。魚の眼のようなどんよりした眼つきをし、口をあんぐりあけ、薄茶色の髪をがつがつした好奇心のため逆立て、饒舌《じょうぜつ》な算術でチョッキをふくらませているこの拷問者の姿をちょっと見ただけで、わたしは意地悪く黙りこくってしまった。

「さあて、小僧君」と、パンブルチュック叔父さんは、炉のそばの特別賓客用の椅子に腰をおろすが早いか、さっそくはじめた。「町じゃどうだったね？」

わたしは、「まあ結構でした」とこたえた。すると、姉はわたしにむかって拳骨《げんこつ》をふった。

「まあ結構でした？」と、パンブルチュックさんはくりかえした。「まあ結構でしたって、返事になりゃしないじゃないか。まあ結構でしたって、どういう意味か、話してごらん」

額に漆喰《しっくい》を塗ったら、頭がこちこちになって、きっと強情になるだろう。いずれにせよ、わたしの強情は、額の壁の漆喰によって、まさに金城鉄壁だった。わたしはしばらくの間考えてから、まるで新しい考えを発見したように、「つまり、まあ まあ結構だったという意味です」とこたえた。

姉はいらだたしい叫び声をあげるといっしょに、わたしにとびかかろうとした——ジョーは鍛冶場で仕事にいそがしかったので、わたしには紙一枚の防御物もなかった——すると、パンブルチュックさんが、「いけない、いけない！　怒《おこ》ってしまっちゃなんにもならん。この子はわたしにまかせなさい。まかしておきなさい」といって、おしとめた。それから、パンブルチュックさんはわたしの髪でも刈るように、わたしの体を彼のほうへ向けさせた。

「まず（わしたちの考えをととのえるために）、四十三ペンスは？」

わたしは、「四百ポンドです」といってやったら、どんなことになるだろうかと、腹勘定してみたが、それはまずいということがわかったので、できるだけ正しい答えにちかいこたえをした——つまり、ちょっと八ペンスほど的をはずれた答えをしたのである。そこで、パンブルチュックさんは、「十二ペンスでは一シリング」から、「四十ペンスでは三シリング四ペンス」まで、ペンス表をわたしにすっかりやらせてから、まるでそれをわたしにかわってやってくれたかのように、勝ち誇って質問した。「さあ！　四十三ペンスでは何シリングか？」わたしは長いこと考えたすえ、こうこたえた。「ぼく、わかりません」わたしはすっかり腹がたっていたので、じっさいわかっていたかどうか、いまでも怪しむくらいである。

パンブルチュックさんはわたしから答えをねじりだそうとして、自分の頭をまるでねじみたいにねじりながらいった。「四十三ペンスは、たとえば七シリング、六ペンス、三ファージングかね？」「そうです！」と、わたしはいった。とたんに、姉はわたしの横っ面をぴしゃっとなぐったが、しかしこの答えで、彼の冗談がすっかり台無しになって、彼が呆然《ぼうぜん》としてしまったのを見て、わたしはすっかり溜飲《りゅういん》がさがった。

「小僧！　ミス・ハヴィシャムってどんなひとだい？」パンブルチュックさんは、我にかえるやいなや、腕を胸の上にしっかり組み、ねじをあてながら、さっそくはじめた。

「とても背が高くて、色が黒いです」と、わたしはいってやった。

「そうですの、叔父《おじ》さま？」と、姉はたずねた。

パンブルチュックさんは、そうだというかわりに、ウィンクした。そこで、わたしはたちまち、彼はまだ一どもミス・ハヴィシャムを見たことがないんだ、と断定した。なぜって、彼女はおよそそんな風ではなかったからである。

「よおし！」と、パンブルチュックさんは得意になっていった。（「この子をやっつけるにゃ、これでいかなくっちゃ！　もう大丈夫だと思うがね」）

「ほんとにそうですわ」と、ミセス・ジョーはこたえた、「叔父さまがいつもこの子をやっつけてくださるといいんですがね。あなたはこの子の扱い方をすっかりのみこんでらっしゃるんですもの」

「さあ、小僧！　おまえがきょうはいっていったとき、あのひとはなにをしていたかね？」と、パンブルチュックさんはたずねた。

「あのかたは」と、わたしはこたえた。「黒いビロードの馬車のなかにすわっていました」

パンブルチュックさんとミセス・ジョーはたがいに顔を見あわせた——無理もないことだが——そしていっせいにくりかえした、「黒いビロードの馬車のなかに？」

「そうです」と、わたしはいった。「そしてミス・エステラが——あのかたの姪《めい》だと思いますが

――お菓子とぶどう酒を金の皿《さら》にのせて、馬車の窓からわたしました。そして、ぼくたちはみんな金の皿で、お菓子とぶどう酒をいただいたんです。ぼくは馬車のうしろに乗って、自分のをたべました。あのかたがそうしろっていったからです」

「ほかにだれかいたかね?」と、パンブルチュックさんがたずねた。

「犬が四匹いました」と、わたしはいった。

「大きいのかね。それとも小さいのかね?」

「ものすごく大きいのです」と、わたしはいった。「それから、犬は銀の籠《かご》からヴィール・カツレツをとろうとして、けんかしましたよ」

パンブルチュックさんとミセス・ジョーは、非常におどろいて、また眼をみはって顔を見あわせた。わたしはすっかり気が狂ったようになった――まるで拷問にかけられて、破れかぶれになった証人みたいだった――そして、出まかせにどんなことでもいいかねなかった。

「いったいぜんたい、その馬車というのはどこにあったのよ?」と、姉はたずねた。

「ミス・ハヴィシャムのお部屋んなかです」彼らはまた眼をみはった。「でも、馬は一匹もつけてありませんでした」わたしははなやかに装われた四頭の駿馬《しゅんめ》を馬車につけてやりたくてたまらなかったが、それはあきらめて、こう但書きをつけくわえた。

「まあ、そんなことってあるんでしょうか、叔父さま?」と、ミセス・ジョーはたずねた。「いったいこの子のいっていることは、どういうことなんですの?」

「それはだね」と、パンブルチュックさんはいった。「わしの考えじゃね、つまりそれは轎《かご》なんだね。あのひとはひょうきんなひとなんだ――恐ろしくひょうきんな――轎にのって日を過ごすほどひょうきんなひとなんだね」

「叔父さま、あなたいつかあのかたが輌にのってるところをごらんになったことあって？」と、ミセス・ジョーはたずねた。

「まさか、見たことなんかありゃしない」と、彼は冑《かぶと》をぬがざるをえなくなって、こうこたえた、「なにしろ、まだ生まれていちどもあのひとにはあったことがないんだからね。いちども見かけたことがないんだ！」

「まあ、叔父さまったら！　それでいて、あのかたとお話したことがおあんなさるんですの？」

「そりゃ、おまえさん」と、パンブルチュックさんはぷりぷりしながらいった。「わしがあそこへいったときにゃ、わしはあのひとの部屋のドアの外までつれていかれただけだよ。ドアは開いて、あのひとはそこからわしにむかって話したんさ。こりゃ、ほんとなんだ。それはそうと、この子はあそこへ遊びをしにいったんだ。おまえなにして遊んだのかい？」

「ぼくたち、旗をもって遊んだんです」と、わたしはいった。（ちょっとひと言いわせていただくが、このときわたしが口にしたいろんな嘘を思いだすと、われながら驚かずにはいられない）

「旗を！」と、姉はおうむがえしにいった。

「そうなんです！」と、わたしはいった。「エステラは青い旗をふり、ぼくは赤い旗をふり、それからミス・ハヴィシャムは馬車の窓から小さな金の星がいっぱいちらばってる旗をふったんです。それから、ぼくたちはみんなぼくたちの剣をふって、万歳を叫びました」

「剣を！」と、姉はくりかえした。「いったい、どこから剣をもってきたのよ？」

「戸棚からです。戸棚んなかには、ピストルもあったし、子供服もあったし、弾《たま》もありました。

そして、部屋のなかは日がさしこまないで、ローソクの火ですっかり明るくなってました」

「そのとおりだ」と、パンブルチュックさんはおごそかにうなずいていった。「そのとおりなんだ。わしもそれだけは自分で見たからね」それからふたりは、わたしを眼を丸くして見つめた。わたしもいかにも無邪気そうな顔つきをこれ見よがしにして、彼らをじろじろ見ながら、右足のズボンに右手で襞《ひだ》をつけていた。

もし彼らがその上なおもわたしになにか質問したら、わたしはきっと尻尾《しっぽ》をだしてしまったにちがいない。というのは、ちょうどその瞬間、わたしはもすこしで、庭には風船があがっていたといってしまうところだったからである。中庭に風船があがっていたといおうか、酒造場んなかに熊がいたといおうか、どっちにしようかと、迷っていたので助かったものの、そうでなかったら、盲滅法にそんなことをいってしまったろうと思う。しかし、ふたりはわたしがいままでに話してやったふしぎ千万なことを、夢中になって論じあっていたので、わたしはおかげでまぬかれた。彼らがまだその話題に夢中になっていたとき、ジョーが仕事場からお茶を飲みにはいってきた。姉は彼を満足させてやるというよりか、むしろ彼女自身の気持ちの吐け口として、彼にむかってわたしの経験したと称することをかたって聞かせた。

ジョーがおどろきあきれて、青い目をみはって台所中をぐるぐる見まわすのを見て、わたしはすっかり後悔した。しかし、それはただ彼にたいしてだけであって、ほかのふたりにたいしては、そんな気持ちはみじんもおこらなかった。ミス・ハヴィシャムに知られ、寵愛《ちょうあい》されていたら、わたしはしまいにはどうしてもらえるだろうかと、彼らが論じあっているあいだ、わたしはジョーにたいして——ジョーにたいしてだけ——自分が小さな怪物のように思えてしかたがなかった。彼らはミス・ハヴィシャムがわたしに「なにかしてくれる」だろうということを、すこしも疑わなかった。彼らの疑問は、そのなにかがどんな形となって起こるかということだった。姉は、「財産」がいいと主張した。パンブルチュックさんは、わたしをなにか上品な商売——たとえば穀物や種子もの商のような——に年季奉公にいれるための謝礼金を、たっぷり出してもらうほうがいいといった。ジョーは、ヴィール・カツレツを争って喧嘩した犬を一匹だけもらうがいいという、すばらしい案をもちだして、ふたりからすっかり見放されてしまった。「ばかの頭じゃ、それくらいのことしか考えられんとしたら」と、姉はいった。「それに、あんた、仕事がおありでしょう、さっさといって仕事をおやんなさい」そこで、彼は出ていった。

パンブルチュックさんは馬車で帰ってゆき、姉は洗い上げをしていたので、わたしはジョーの鍛冶場へそっとはいっていって、一日の仕事がおわるまで、彼のそばにいた。それから、こういった。「火が消えるまえに、あんたに話したいことがあるんだよ」

「話したいことがあるって、ピップ?」ジョーは蹄鉄《ていてつ》を打つ道具を鞴《ふいご》のそばにひきよせながらいった。「じゃ、話しな。なんだね?」

「ジョー」と、わたしは彼のたくし上げたシャツの袖をとらえて、それを親指と人差し指でひねりながらいった。「ジョー、あんた、ミス・ハヴィシャムについていったこと、みんなおぼえてるだろう?」

「おぼえてるかって?」と、ジョーはいった。「ほんとうに! すばらしいじゃないか!」

「恐ろしいこったよ、ジョー。ありゃほんとのことじゃないんだ」

「ピップ、おまえ、なにいってるんだ?」と、ジョーは非常にびっくりして、たじたじとあとずさりしながら叫んだ。「おまえ、まさか――」

「いいや、そうなんだよ。嘘なんだ、ジョー」

「だって、みんな嘘じゃないんだろう？　まさか、ピップ、黒いビロードの馬車がなかったというんじゃ――？」というのは、わたしは立ったまま首をふっていたからである。「だって、せめて犬ぐらいおったんだろう、ピップ？　おい、ピップ」と、ジョーはまるですかすようにいった。「たとえヴィール・カツレツはなかったとしても、せめて犬はおったろうが？」

「いなかったんだよ、ジョー」

「せめて一匹ぐらいはいたろうが？」と、ジョーはいった。「子犬ならおったろう？　なあ！」

「ううん、そんなものはまるっきしいなかったんだ」

わたしが絶望的な目をジョーにじっとむけると、ジョーは愕然《がくぜん》として、わたしをまじまじと見つめた。「おい、ピップ！　そいつあよくないなあ！　おまえ、どうしようっていうんだい？」

「恐ろしいこったろう、ジョー？」

「恐ろしい？」と、ジョーは叫んだ。「それどころか、畏《おそ》るべきことだよ！　いったい、おまえなんに取っつかれたんだ？」

「ぼくなんに取っつかれたかわからないんだ、ジョー」と、わたしは彼のシャツの袖をはなし、彼の足もとの埃のなかに腰をおろし、頭をうなだれながらこたえた。「でも、ぼく、あんたがぼくに兵隊《ネイヴ》をジャックだなんて呼ぶように教えてくれなかったらよかったのにと思うよ。それから、ぼくの靴がこんなに厚いどた靴でなく、ぼくの手がこんなにざらざらしてなけりゃいいのにと思うよ」

それから、わたしはジョーに、自分がとてもみじめな気持ちになっていること、わたしにむかってとても失敬な態度をとったパンブルチュックさんやミセス・ジョーに説明してやることができなかったこと、ミス・ハヴィシャムの屋敷に恐ろしく高慢な少女がいたこと、彼女がわたしを平凡な、つまらん人間だといったこと、自分がつまらん人間だということは自分にもわかってること、つまらん人間でなかったらよかったと思うこと、いろんな嘘がどういうわけか、ひとりでにひょいひょい、口をついて出てきてしまったことなどを、話して聞かせた。

これはまさに深遠玄妙な哲理の問題で、わたしやジョーの手に負えるものではとうていないはずだった。ところが、ジョーは問題を哲理の領分からあっさり取りだして、それを見事に片づけてしまった。

「ただひとつはっきりしてることはだね、ピップ」と、ジョーはしばらく考えこんでいてからいった。「嘘はやっぱし嘘だということだ。嘘はどうして生まれたにせよ、やっぱし生まれちゃいけないものなんだ。嘘は嘘のおやじから生まれて、まわりまわって、またおなじところへもどっていくもんだ。もう嘘なんかいっちゃいかんよ、ピップ。そりゃ平凡なことからぬけだす道じゃないよ。それから、その平凡ということなんだが、わしにはどうもはっきりしないな。おまえはいろんな点で平凡な人間じゃない。第一、おまえはずばぬけて小さい。それからまた、ずばぬけて物知りだよ」

「いいや、ぼくは無知で、おくれているんだよ、ジョー」

「ばかな、ゆうべおまえが書いた手紙を見てみろ！　それも四角い文字でよ！　わしゃいままでいろんな手紙を見たことがある――それも旦那衆《だんなしゅう》の書かれた手紙をだ――だが、誓っていうが、そりゃ四角い字じゃなかったよ」と、ジョーはいった。

「ジョー、ぼくはなんにも知らんといってもいいくらいなんだよ。あんたはぼくをえらいと思ってるが、ただそれだけなんだ」

「まあ、そりゃそうとしても、そうでなくてもだ」と、ジョーはいった。「おまえがずばぬけた物知りになるには、まずそのまえに平凡な物知りにならなくちゃならん、と思うよ！　王冠を頭にかむって、王位についていらっしゃる王さまだって、ただの王子さまだったときに、いろはからはじめなかったら、議会の法案を四角い字で書くなんてできやしないよ——ほんとだよ！」と、ジョーは意味深長に頭をふりながらいいそえた。「それもいからはじめて、んまですすまなくっちゃね。このわしだって、やりかたぐらいはわかってるよ。もっとも、すっかりそのとおりにやったとはいえんがね」

　この一片の知恵のうちには希望があって、それがわたしを大いにはげましてくれた。

「平凡な商売やかせぎの人間は」と、ジョーは考えながらつづけた、「平凡な人間とまじわっていたほうが、えらいひとたちのところへ遊びに出かけるよりも、よくはないかな——それで思いだしたが、旗はあったろうな？」

「いいや、なかったよ、ジョー」

「(旗がなかったとは残念だな、ピップ) それがよいかわるいか、そんなことをいま詮議《せんぎ》したら、それこそおまえの姉さんをあばれさせるだけだ。ことさらあばれさせそうなんて、まず考えちゃならんこったよ。なあ、ピップ、ほんとの友だちがおまえにいうことを、ようく気をつけるんだよ。こりゃ、ほんとの友だちがおまえにいうことなんだからな。もしおまえがまっすぐなことをやってえらい人間になれんのなら、曲がったことをやったからって、えらい人間になれるもんじゃけっしてない。だから、あんなことの話はもうやめて、立派に生き、幸福に死ぬのだよ、ピップ」

「ジョー、あんた、ぼくを怒ってやしないかい？」

「まさか。だがな、あんなことあ——つまり、ヴィール・カツレツや犬の喧嘩《けんか》のようなことなんだが——ほんとに途方もない、無鉄砲なことなんだからな。まじめな、善意のある人間なら、おまえにむかって、二階へ寝にいったら、そういうことをとっくり考えてみるように、忠告するだろうよ。さあ、それだけだ、ピップ、もう二どとそんなまねをするなよ」

二階の小さな自分の部屋にいってお祈禱《いのり》をしたとき、わたしはジョーの忠告を忘れはしなかった。でも、わたしの幼い心はすっかり掻き乱され、恩知らずな気持ちになってしまって、横になってからも、エステラは、ただの鍛冶屋にすぎないジョーを、なんてつまらない人間だと思うだろう、彼の靴をなんて厚いどた靴だと思うだろう、そして、彼の手をなんてざらざらした手だと思うことだろう、と長いあいだ考えていた。わたしはまた、ジョーと姉はいまも台所にいるということ、自分は台所から寝に上がってきたんだということ、ミス・ハヴィシャムやエステラは台所なんかにはいないで、そんなつまらんことからかけ離れた、はるかに高い世界にいるんだということなどを考えた。ミス・ハヴィシャムの屋敷にいたときに、自分が「しつけていた」ことを思いだしながら、眠りついた。まるであそこに、ほんの数時間でなく、何週間も何カ月もいたかのように、それはほんのきょうあったばかりのことではなくて、すっかり古くなった思い出でもあるかのように。

それは、わたしには忘れることのできない日であった。なぜなら、その日はわたしのうちに大きな変化をひきおこしたからである。だが、それはだれの生涯においてもおなじである。ある特別の日がその生涯になかったものと想像してみよ。そして、その生涯の行路がどんなにちがったものになったろうかを、考えて見よ。この物語を読まれる読者よ、しばし読むことをやめて、もしもある忘れがたい日に、最初の一環をつくらなかったら、あなたをけっして縛りはしなかったにちがいない、鉄か、それとも黄金の、荊棘《いばら》か、それとも草花の、長い鎖を、しばし思いうかべてみられよ。

第十章

それから、一、二日たった朝、眼をさましたとき、うまい考えが頭にうかんだ。つまり、えらくなるには、ビディの知っていることをすっかり教えてもらうのが、いちばんいい方法だ、ということだった。で、このすばらしい考えにしたがって、晩ウォプスルさんの大伯母《おば》さんのところへいったとき、わたしはビディにむかって、自分はある特別の理由で、どうしても出世したいと思っているということ、もし彼女が知っていることをみんなわたしに教えてくれたら、とてもありがたいということを話した。ビディは、この上もなく親切な少女だったので、すぐ承知してくれて、五分とたたぬうちに、この約束を実行にうつした。

ウォプスルさんの大伯母さんが立てた教育法ないし教程というのは、あらましつぎのようなものだった。生徒たちは、リンゴを食べて、わらをたがいに背中へいれっこする、すると、ウォプスルさんの大伯母さんは、ついに元気をふりしぼり、樺《かば》の棒をもって、よろよろしながら、だれかれの見さかいなしに、打ってかかる。生徒たちはありとあらゆる嘲笑《ちょうしょう》をもってこの突撃をむかえたのち、一列に整列して、がやがやいいながら、ぼろぼろになった一冊の本を手から手にわたす。その本には、いろはと、数字と九々の表と、それからつづり字がすこしばかり書いてあった——いや、かつては書いてあったのである。この本がまわりはじめるやいなや、ウォプスルさんの大伯母さんは、眠気のためか、それともリューマチの発作のためか知らないが、とにかく昏睡《こんすい》状態に早くもおちいってしまう。すると、生徒たちは生徒たちで、だれがだれの足指をいちばんひどくふみつけることができるか確かめようとして、勝手に靴の問題について競争試験をおっぱじめるのである。この頭の練習がしばらくつづくと、ビディが彼らのところへとんできて、すっかりすりきれた聖書を三冊みんなにくばる。その聖書というのがまた（なにかの太いほうの端をへたくそにちぎりとったような格好をしていて）、どんなによく見ても、その後わたしが見たどんな稀覯《きこう》の書よりも読みにくく印刷されていて、一面に鉄さびの斑点がついており、またページとページのあいだには昆虫界のあらゆる種類の虫がおしつぶされてはさまっていた。このへんの教程は、たいていビディと、とくにいうことをきかぬ強情っぱりの生徒たちとの一騎打ちがいくつかあって、軽められるのだった。一騎打ちがおわると、ビディがページを指摘し、わたしたちはみんなめちゃくちゃな合唱で、読めるところを——それとも読めないところを——大声に読むのである。ビディは単調なかん高い金切り声で、先に読んだ。わたしたちは、いったいなにを読んでいるのか、だれひとり知るものはなく、また読んでいるものにたいして、ありがたい気持ちなんかすこしも感じなかった。この恐ろしい喧騒がしばらくのあいだつづくと、ウォプスルさんの大伯母さんが、まるで機械のようにきまって眼をさまし、よろよろしながら、手あたりしだい、だれかひとりの少年につかみかかって、耳を引っぱるのである。これでその晩の稽古《けいこ》は終りとなることになっていた。そして、わたしたちは知的な勝利の歓声をあげながら、戸外にとびだした。ここでちょっといっておいたほうがいいと思うが、生徒は石板をつかったり、インキすら(もしあるとしたら)つかっても、別にしかられはしなかった。しかし、なにしろ教室というのが小さな雑貨店になっていて――それはまたウォプスルさんの大伯母さんの居間でもあり、寝室でもあったのである――それがいかにも心細い糸心ローソクで照らされていて、心《しん》を切るはさみもなかったため、冬になると、そういう勉強をやることは、よういなことではなかった。

こんな状態では、えらくなるにはひまがかかるように思われた。それでも、わたしはやってみようと決心した。そして、その晩さっそくビディは特別に約束をしてくれて、彼女の小さな定価表のうちから、赤砂糖の見出しのところをすこし教えてくれ、彼女がなにかの新聞の題字をまねて書いた古い英語のDという文字を、家へかえって写すように貸してくれた。それがなにか、ビディに教えてもらうまで、わたしはこの文字を、しめ金のデザインだとばかり思っていた。

もちろん、村には居酒屋があって、もちろんジョーはときおりそこへでかけて、たばこを吸うのがすきだった。わたしは姉から、その晩学校の帰りに、陽気な船員亭《てい》へたちよって、生命《いのち》にかけても彼を家へ引っぱってこい、という厳命をうけていた。で、その船員亭へまっすぐにむかった。

陽気な船員亭のドアの側の壁には桟《さん》があって、その桟には白墨でつけた貸金の覚えの印が、まるで長蛇のように恐ろしいほど長々とつづいていた。それは、全部支払われたことが一どもないように思われた。それは、わたしが物覚えがついたころからずっと書きつけてあり、おまけにまえよりずっと長くなっていた。でも、わたしの地方には白墨がたくさん出たので、たぶんみんなはそれを利用する機会をひとつも取り逃がさなかったのだろうと思う。

土曜日の晩だったので、居酒屋の主人はいやにこわい顔をして、白墨の印を見ていた。しかし、わたしはジョーに用があったのであって、主人に用があったわけではなかったので、ただ「今晩は」といったまま、廊下のはずれにある休憩室へはいっていった。そこには、台所の火が盛んに燃えていて、ジョーがウォプスルさんと、もうひとりの見知らぬ人といっしょに、たばこをすっていた。ジョーは、いつものように「やあ、ピップ！」といった。と、彼がそういった瞬間、見知らぬ人はふりむいて、わたしを見た。

彼は秘密のありそうな様子をした男で、わたしはいままで一ども見かけたことがなかった。彼はまるで眼に見えない鉄砲でなにか狙《ねら》っているかのように、首をぐっと一方にかしげ、片眼を半眼に閉じていた。パイプを口にくわえていたが、それをはなして、ゆっくりと煙を吐きだしてしまいながら、じっとわたしを見つめて、うなずいた。そこで、わたしもうなずいた。すると彼はまたうなずいて、長椅子《ながいす》の自分のわきをあけて、わたしがすわる席をつくってくれた。

しかし、わたしは、この休憩室へはいるときには、いつでもジョーのわきにすわることにしていたので、「いえ、かまいません」といって、ジョーが反対側の長椅子にあけてくれた席へ、どっかり腰をおろした。見知らぬ人は、ジョーをちらっと見たが、彼がほかのことに気をとられていたので、わたしが腰をおろすと、またわたしにうなずいて見せ、それから――妙な手つきで(わたしの眼にはそう見えたのである)――足をさすった。「あんたは鍛冶屋だといいなさったね」と、彼はジョーのほうにふりむいていった。

「そうです。そういいましたよ」と、ジョーはいった。

「なんにしますか、あの――？　まだ名まえをうかがいませんでしたな」

　ジョーは名まえをいった。すると、見知らぬ人は彼をそう呼んだ。

「ガージャリさん、あんたはなんになさいます？　わしが払いますから？　ひとつおひらきに？」

「そうですか」と、ジョーはいった。「じつをいうと、わたしはよそさまに払ってもらって飲むことはあまりやりませんですが」

「あまりやりなさらん？　そりゃそうでしょう」と、見知らぬ人はこたえた。「だが、ほんのいちどだけ、それも土曜日の晩ですよ。さあ！　なんにしなさるか、おっしゃいよ、ガージャリさん」

「じゃ、あんまり固くなるのもいやですから」と、ジョーはいった。「ラムにしましょう」

「ラム」と、見知らぬ人はくりかえした。「ところで、こちらのかたはなにかいかがですかな？」

「ラム」と、ウォプスルさんはいった。

「ラムを三杯！」と、見知らぬ人は主人にむかって叫んだ。「みんなやるんだ！」

「このかたは」と、ジョーはウォプスルさんを紹介していった。「賛美歌を誦《よ》まれるのをお聞きになると、おもしろいかたですよ。わたしらの教会の書記さんでして」

「ははあ！」と、見知らぬ人は早口にいって、わたしをちらっと見た。「ずっと離れた沼地にある、墓にかこまれた寂しい教会！」

「そうです」とジョーはいった。

見知らぬ人は、たばこをすいながら、愉快そうにぶつぶついって、ひとり占めしている長椅子の上に両足をのせた。彼はばたばたする縁の広い旅行帽をかぶり、その下にはハンケチを頭巾《ずきん》のようにむすんでいたので、髪は一本も見えなかった。彼が炉の火を見たとき、わたしは彼の顔にずるそうな表情がうかび、それが含み笑いにかわったのを見たような気がした。

「わたしはこの辺の地理には暗いものですがね。でも、川にむかった寂しい土地らしいですな」

「沼地というやつは、どこでもたいてい寂しいもんですよ」と、ジョーがいった。

「いや、たしかに、たしかに。そこにゃ、いまでもジプシーとか、浮浪人とか、なにかその宿無しとかいったものが、見かけられますかね？」

「いいえ」と、ジョーはいった。「ときおり脱獄囚があるだけですよ。それだって、めったにゃ見られませんよ。ねえ、ウォプスルさん？」

ウォプスルさんは昔の失敗をおごそかに思い出して、これに同意した。だが、熱意はなかった。

「そういったものを追いかけたことがおありのようですな？」と、見知らぬ人はたずねた。

「いちどありました」と、ジョーはこたえた。「といって、わたしたちゃなにも、そのひとたちをつかまえようと思ったわけじゃありませんよ。ただ見物に出かけただけなんです。わたしと、ウォプスルさんと、ピップでですね。そうだったろう、ピップ？」

「うん」

見知らぬ人は、またわたしを見た――まるで眼に見えない鉄砲でわたしをとくにねらってるみたいに、なおも片眼でじっとわたしをみながら――そうして、こういった。「この子はまるで小さい骨ばかりのようですな。なんというんです？」

「ピップといいます」と、ジョーはいった。

「ピップという名まえなんですか？」

「いいえ、そういうわけじゃありません」

「ピップという名字なんですかね？」

「いいえ」と、ジョーはいった。「この子が小さかったときに、自分でつけた名字のようなもので、みんなそう呼んでるんですよ」

「あんたの息子さんで？」

「そうですな」と、ジョーは考えこみながらいった——むろんそれについてとっくり考えてみる必要があってそうしたわけではなくて、この船員亭では、たばこをふかしながら論じあうことは、なんでもじっくり考えているように見せるという習慣だったからである——「そうですな——いや、ちがいます。そうじゃありません」

「甥《おい》ごさんで？」と、見知らぬ人はいった。

「そうですな」と、ジョーはなおも深刻に沈思黙考しているような顔つきをしながら、いった。「ちがいますですよ——ほんとをいうと、この子はわたしの甥じゃありませんので」

「いったいぜんたい、この子はなになんです？」と、見知らぬ人はたずねた。わたしは、こんなに力をこめてたずねなくったって、よさそうなのに、と思った。

するど、ウォプスルさんが口をはさんだ。男はいったいどんな女と結婚しないものかということを、職掌《しょくしょう》がら心にとめていたので、姻戚《いんせき》関係ならなんでも知らんことはなかったからである。で、彼はわたしとジョーとのつながりを説明した。いったん口を出したウォプスルさんは、最後に「リチャード三世」の一節を、ものすごいうなり声で引用した。そして、「……とかの詩人はいっておりますよ」とつけくわえた。それから、問題はこれで完全に説明しつくされたというような顔つきをした。

ここでちょっといっておきたいことは、ウォプスルさんはなにかわたしのことをいうとき、わたしの髪の毛をもみくちゃにして、それをぜひともわたしの眼のなかへつっこまなくてはならんと考えていたということである。彼とおなじ身分のひとがわたしたちの家をおとずれると、こんな場合、みんなかならずわたしをおなじような憤激にたえない目にあわせるのであった。いったいどうしてあのひとたちは、そうしなくてはならなかったか、わたしにはそのわけが、さっぱりわからないのである。といっても、なにもわたしが小さかったとき、家の集まりなどで、話題となった覚えがあるというわけではないので、ただ、だれか大きな手をしたひとが、わたしをはげまそうとして、そんなふうに眼に炎症をおこさせるようなことをしたというだけである。

そのあいだも、見知らぬ人は、ただわたしひとりを見ていた。それも、まるでいよいよわたしを撃ち倒そうと決心したかのように、見つめたのである。だが、彼は「いったいぜんたい云々《うんぬん》」といったあとは、水割りのラム酒のコップがくるまで、ひとことも口をきかなかった。ラム酒がくると、とうとう彼はぶっ放した。しかもそれは、じつに思いもかけない、おどろくべき狙撃《そげき》だったのである。

それは言葉ではなくて、ぴったりわたしを狙ってやった、だんまり劇の所作だった。彼は水で割ったラム酒を、わたしを狙いながら掻きまぜ、それをわたしを狙いながら味わった。それから、また掻きまぜて、それを飲んだ。だが、それは彼のところへもってきたスプーンでではなく、やすりでもって掻きまぜたのである。

彼はそれを、わたしにだけしか見えないようなぐあいにやった。それがすむと、やすりをふいて、胸のポケットにおさめた。わたしは、その道具を見た瞬間、それがジョーのやすりだということ、それから彼はわたしの囚人を知っているひとだということを知った。わたしは、魔法でもかけられたように、じっと彼を凝視していた。しかし、彼はこんどは長椅子の上にもたれかかって、わたしにはまるで注意をはらわずに、主に蕪青《かぶ》のことを話していた。

わたしたちの村では、土曜日の晩になると、新しく仕事をつづけるまえに、ひと洗濯《せんたく》やって、静かに憩《いこ》うという、まことに気持ちのよいところがあった。ジョーも、土曜日にはこういう気分に動かされて、いつもより半時《はんとき》くらい長くいるのだった。その半時もラム酒もいっしょにつきたので、ジョーは帰ろうとして立ち上がり、わたしの手をとった。

「ちょっとお待ちなさい、ガージャリさん」と見知らぬ人はいった。「わたしゃどっかポケットのなかに、ぴかぴかする新しい一シリング銀貨をもってたと思うが、あったらこの子にやりましょう」

彼は一握りほどの小銭のうちからそれをひろい出して、しわくちゃの紙にくるんで、わたしにくれた。「おまえのものだよ！」と、彼はいった。「いいかね！　おまえにあげるんだからね！」

わたしは行儀のわくをはるかにこえるほど彼を見つめ、ジョーの手をしっかり握りしめながら、お礼をいった。彼はジョーにもウォプスルさんにも（わたしたちといっしょに帰ったので）お休みのあいさつをしたが、わたしのほうは例の狙いの眼でちょっと見ただけだった——いや、見たのではなかった。彼はその眼をぴったり閉じたからである。だが、眼を閉じることによっても、奇跡はおこなわれうる。

帰り道にもしわたしが話をするような気持ちになっていたら、わたしひとりで話もしたことだろう。ウォプスルさんは船員亭から出るとすぐ、戸口のところで別れたし、ジョーはできるだけたくさんの空気でラム酒をそそぎおとそうと思って、家へつくまでずっと口を大きくあけていたからである。だが、わたしはわたしの旧悪と古い知己とがあんなふうにひょっこり出現したため、ちょっとぼーっとなって、ほかのことはてんで考えられなかった。

わたしたちが台所に姿を見せたとき、姉はあまり不きげんではなかった。これは非常に珍しいことなので、ジョーはすっかり勇気が出て、ぴかぴかするシリング銀貨のことを彼女に話してきかせた。「贋物《にせもの》ですよ。わかりきってるじゃないの」と、ミセス・ジョーは勝ち誇ったようにいった。「でなかったら、この子にくれるもんですか！　どう、見せてごらん」

わたしは紙から出して見せた。すると、それは正真正銘の本物だった。「でも、こりゃなに？」と、ミセス・ジョーはそのシリング銀貨を放り出し、紙だけとっていった。「まあ、一ポンド札二枚あるじゃないの？」

まさしくそれは、いままで州のあらゆる家畜市場と非常にじっこんにしていたらしい、汗にうだったようにふくらんだ二枚の一ポンド紙幣だった。ジョーはまた帽子をひっつかむと、持主にかえすため、札をもって船員亭へとすっとんでいった。その間、わたしはいつもの腰掛けに腰をおろして、きっとあのひとはもうあそこにはいないだろうと思いながら、ぼんやりと姉を見ていた。

間もなくジョーはもどってきて、あの男はもういってしまっていなかったが、札《さつ》のことを船員亭に言伝してきたと話した。そこで、姉はそれを一枚の紙に包んで封をし、客間の戸棚の上にある、お飾りの茶びんのなかのかわいたバラの葉の下にしまった。それは、その後長いあいだそこにあって、夜も昼もわたしにとって、まるで悪夢のように思えた。

わたしは寝てからも、眼に見えぬ鉄砲でわたしを狙っていたあの見知らぬ男のことや、囚人たちと秘密の陰謀でむすばれていることは、罪悪といっていいほど野卑で下等なことだということ——これは、わたしがとうに忘れてしまっていた、自分のいやしい生涯における重要な一点であった——などを考えて、すっかり眠りをさまたげられてしまった。わたしはまた、やすりにも取りつかれた。思いもかけないときに、やすりはまたひょっこり現われるだろうという恐怖が、わたしをおそった。わたしはこんどの水曜日にミス・ハヴィシャムの屋敷へいくことを考えて、むりやり眠りこんだ。夢のなかで、だれがもっているのかわからないのに、やすりがドアのところからわたしのほうに迫ってくるのを見て、思わず悲鳴をあげて眼をさました。

第十一章

約束の時刻に、わたしはミス・ハヴィシャムの屋敷へいった。そして、おそるおそる門の呼び鈴をならすと、エステラが出てきた。彼女はまえとおなじように、わたしを通してから、門に錠をおろし、また暗い廊下《ろうか》を、ローソクのあるところまで先にたって歩いた。ローソクを手にとるまでは、わたしにすこしも眼をとめなかった。ローソクを手にすると、肩ごしにふりかえりながら、高慢な調子で、「きょうはこっちへくるのよ」といって、屋敷の全然別のほうへわたしをつれていった。

廊下は非常に長くて、この邸宅の正方形の地階全体にわたっているように思われた。だが、わたしたちは正方形の一辺を歩いただけで、その端までくると、彼女は立ちどまって、ローソクを下へおいて、ドアをあけた。ここには日の光がまた見えて、わたしは小さな舗装した中庭に立っていた。中庭の向い側は、離れた住宅になっていて、いまは廃止になった酒造場の支配人、または一番番頭でも住んでいたものらしかった。この家の外側の壁に時計がかかっていた。ミス・ハヴィシャムの部屋の時計や彼女の懐中時計とおなじように、これもまた九時二十分まえでとまっていた。

わたしたちは、あけっ放しになっていたドアからはいっていった。それは、奥の一階にある、天井の低い、陰気な部屋だった。部屋のなかには何人かひとがいた。エステラはそのひとたちといっしょになると、「おまえさんはあそこへいって、用があるまであそこに立っているんです」と、わたしにいった。「あそこ」というのは窓だったので、わたしは部屋を横ぎって窓のところへいって、とても不愉快な気持ちで外を見ながら「そこに」立っていた。

窓は地面にむかって開いていて、見すてられた庭園の、世にも悲惨な一隅をのぞき、キャベツの茎の腐った残骸《ざんがい》と、一本の黄楊《つげ》の木を見おろしていた。その黄楊の木は、まるでプディングのように円く刈りこまれていたが、それはとっくの昔のことなので、そのてっぺんには、ちがった色の枝葉が新しくのびて、格好をくずしていた。まるでプディングのそこの部分が鍋《なべ》にはりついて、焦げたようだった。これはわたしが、黄楊の木をじっと見ながらいだいた、いかにも素朴な考えだった。ゆうべ淡雪《あわゆき》がふったが、わたしの見たかぎりでは、ほかにはどこにもつもっていなかった。しかし、この小さな庭園の冷たいものかげからは、まだすっかりは消えないで、風が小さなうずまきになってそれを吹きあげて、まるでそこへきたのがいけないといって、わたしにたたきつけるように、窓へ投げつけていた。

わたしがきたため部屋のなかの会話がとぎれ、部屋にいるそのひとたちはわたしを見ているな、とわたしは思った。部屋のなかは窓ガラスにうつる暖炉の火影《ほかげ》しか見えなかったが、しかし自分がじろじろ見られているという意識で、全身の関節がひきしまった。

部屋のなかには、三人の婦人とひとりの紳士がいた。わたしが窓のところへいって五分とたたぬうちに、なんとなく、彼らはみんなおべっか使いの追従者だということ、でも、たがいに相手がおべっか使いの追従者だということを知らないようなふりをしていること、もしも自分がそれを知っていると認めるなら、自分をおべっか使いの追従者にしてしまうことになるだろう、ということがわかった。

彼らはみんなだれかの恩恵を待ちもうけているといったような、ものうげな、退屈そうな様子をしていた。いちばんおしゃべりの婦人は、あくびをかみ殺すために、きびしい調子でしゃべらねばならなかった。キャミラという名まえのこの婦人は、わたしの姉にとてもよく似ていた。ちがうのは、ただこの婦人のほうが年上ということ、そして(彼女を見たときわかったが)もっと神経の鈍い顔つきをしているということだった。じっさい、彼女をもっとよく知ってからわかったことだが、彼女がとにもかくにもひとつの顔立をしていることは、ありがたいお慈悲だった。かの女の死んだ壁みたいな顔は、それほどひどくぼんやりしていて、高かった。

「かわいそうに!」と、この婦人はわたしの姉そっくりなほどだしぬけにいった。「だれの敵でもなく、自分自身の敵になってるのだわ!」

「だれかほかの人間の敵だったら、まだしもですがね」と、紳士はいった。「そのほうがはるかに自然ですよ」

「レイモンドさん」と、もひとりの婦人がいった、「わたしたちは、わたしたちの隣人を愛さなくてはなりませんのよ」

「サラ・ポケットさん」と、従兄《いとこ》のレイモンドはこたえた、「もしひとが自分自身の隣人でないとしたら、いったいだれが隣人なんです?」

ミス・ポケットは笑った。キャミラも笑って(あくびをかみ殺しながら)、「ま、なんてことでしょう!」といった。しかし、彼らはみんなそれをなかなかうまいことをいってると思ってらしかった。いままでなにもいわなかった婦人が、「ほんとにそのとおりよ!」と、まじめに、力をこめていった。

「かわいそうに!」と、キャミラはすぐつづけた(わたしには、こういっている間も、彼らがみんなわたしを見つめていることがわかっていた)。「あのひと、とてもかわってるのよ! トムの家内が亡《な》くなったときなど、子供たちが喪服にいちばん深いへり飾《かざ》りをつけることが大切だってことを、どんなにいって聞かせてもわかろうとしないんですものね。そんなこと信ずることできて?『とんでもない』って、あのひとはいうの。『キャミラ、母親を亡くしたかわいそうな子供たちが、喪服をつけていさえすりゃ、それでかまわんじゃないか?』ってね。いかにもマシューのいいそうなことだわ! ま、なんてことでしょう!」

「それがあのひとの良いところさ、あのひとの良いところだよ」と、従兄のレイモンドはいった、「天もご照覧あれだ、わしはあのひとの良いところをけっして否定しはせんよ。だが、あのひとは財産の観念をいちどももったことがないんだ。これからだってもちっこないよ」

「わたしどうしても」と、キャミラはいった。「わたしどうしてもきつくならなくちゃならなかったのよ。で、こういってやったわ。『一族の名誉のためにも、それはよろしくありません』て。深いへり飾りがなかったら、一族の恥になりますよって、わたしいってやったわ。わたし、朝のときから夕飯のときまで、そのことをどなりつづけたの。おかげで、食欲は台無しだったわ。すると、あのひととうとう気ちがいみたいに乱暴なことをわめきだして、『ちくしょう、じゃ、どうとも勝手にしろ』っていったの。わたし、すぐさまどしゃ降りのなかをとび出していって、それを買ったのよ。あのこと思いだすと、いまでも晴々するわ」

「あのかたがお金を払ったんでしょうが？」と、エステラがたずねた。

「まあ、おまえさん、だれがお金を払ったかって、そんなこと問題じゃないのよ」と、キャミラはこたえた。「わたしが買ったのよ。わたし夜中に眼をさまして、そのことを思いだしては、いつも心がなごむことでしょう」

遠くに呼び鈴のなる音がし、それといっしょに、わたしがやってきた廊下のほうから、だれかの叫び声、もしくは呼び声が反響してきて、会話がとぎれ、エステラが「さあ、おまえさん！」とわたしにいった。ふり向くと、みんなはわたしをいかにもけいべつしきったような眼つきで見た。わたしは部屋から出ながら、サラが「ほんとにまあ！　このつぎはどうなることやら？」というのと、キャミラが憤然として、「こんな気まぐれって、あって？　ま、なんてことでしょう！」

といいそえるのがきこえた。

　わたしたちがローソクをもって暗い廊下を歩いていたとき、エステラはふいに立ちどまって、くるっとふりむき、彼女の顔をわたしの顔にくっつけるようにしながら、例の嘲笑するような調子でいった。

「どう？」

「どうって？」と、あやうく彼女に倒れかかりそうになるのをふみとまって、わたしはいった。

　彼女は立ったままわたしを見つめた。で、もちろんわたしも立ったまま彼女を見つめた。

「わたし、きれいだこと？」

「ええ、とてもきれいだと思います」

「わたし失礼だこと？」

「このまえのときほどじゃないです」と、わたしはいった。

「このまえのときほどじゃないんですって？」

「ええ」

　彼女はこのいちばん最後の問いを発したとき、激してまっ赤になった。そして、わたしが「ええ」とこたえると、ありったけの力をだしてわたしの顔をぴしゃっと打った。

「これならどう？」と、彼女はいった。「粗野な化物さん、こんどはわたしをどう思うの？」

「あんたにいうのはやめです」

「二階へいっていうつもりだからなの？　そうなんでしょう？」

「いいえ」と、わたしはいった。「そんなわけじゃありません」

「なぜまた泣かないのよ？　おばかさん！」

「ぼくはもう二どとあんたのことで泣かないときめたからです」と、わたしはいった。だが、それこそ、この上もない虚偽の宣言であったと思う。なぜといって、わたしはそのとき、心のなかで、彼女のために泣いていたから。そしてまた、その後も彼女がわたしにあたえた苦痛は、口にこそだしてはいわぬが、わたしにはいやというほどわかっている。

このエピソードがあってから、わたしたちは二階へ上がっていった。上がっていきながら、手探りしながらおりてくる紳士に出あった。

「これはだれかね？」紳士は立ちどまって、わたしを見た。

「男の子です」と、エステラはこたえた。

彼は恐ろしく大きな頭と、それに釣りあった大きな手をした、顔色の恐ろしく浅黒い、頑丈《がんじょう》な造りの男だった。彼はその大きな手でわたしの頤《あご》をつかまえて、顔をあお向かせて、ローソクの光で見た。彼はまだその年でもないのに、頭のてっぺんが禿《は》げあがっていて、もじゃもじゃはえた黒い眉毛は、どうしてもねようとはしないで、そそり立っていた。彼の眼は深くくぼんでいて、不愉快なほど鋭く、邪推《じゃすい》深そうだった。大きな時計の鎖をもっており、頤髯《あごひげ》や頬髯が、そのままのばしたらはえておるべきところには、小さな点々がどす黒くついていた。彼はわたしにはなんの関係もなかった。また彼がいつかわたしにとってなにか関係ある人間となるだろうなどということを、あのとき予想することはできなかったろう。だが、偶然にもわたしは、この機会に、彼をよく観察したのだった。

「この近所の子供かな？　ええっ？」と、彼はいった。

「はい、そうです」と、わたしはいった。

「いったいおまえどうしてここへくるんだ？」

「ミス・ハヴィシャムがぼくをお呼びになったんです」と、わたしは説明した。

「ふふん！――行儀よくするんだぜ。わしは男の子にゃずいぶん経験があるが、おまえたちゃろくでもないやつらだからな。いいか、気をつけるんだぞ！」と、彼はわたしにむかって顔をしかめ、大きな人差し指の腹を噛みながらいった。「いいか、行儀よくするんだぞ！」

彼はこういってわたしを放して――放してもらって、わたしはうれしかった。彼の手は香水入り石鹸のにおいがしていたから――階段をおりていった。お医者さんかしらという気もしたが、しかしそうじゃないと思った。お医者さんのはずがない。もしそうだったら、もっともの静かな、もっとじょうずな口のきき方をするはずだ。しかし、そんなことをあまり考えるひまもないうちに、わたしはミス・ハヴィシャムの部屋にきていた。そこでは、彼女も、その他なにもかも、このまえきたときとちっとも変わっていなかった。エステラは入口の近くにわたしを立たせておいて、いってしまった。わたしは、ミス・ハヴィシャムが化粧テーブルからわたしに眼をむけるまで、そこにつっ立っていた。

「そう！」と、彼女はすこしもおどろいた様子も見せずに、いった。「日が過ぎてしまったんだね？」

「そうです。きょうは――」

「そら、そら、そら！」と、手の指をいらだたしそうに動かしながら、いった。「わたしは、そんなこと知りたくないいんだよ。さあ遊びの用意はよいかね？」

わたしはどぎまぎしながら、「できそうにありません」と、返事しなければならなかった。

「トランプはもういやだというのかい？」と、彼女は探るような眼つきでたずねた。

「いいえ。やれとおっしゃられれば、やれないことはありません」

「この家が古くって、重っ苦しく思われて、遊びをする気になれんというなら」と、ミス・ハヴィシャムはいらだたしそうにいった、「では、仕事ならおやりかね？」

この質問には、まえの質問にたいしてよりも、もっと元気にこたえることができた。そして、よろこんでいたします、といった。

「じゃ、向こうの部屋へいって」と、しなびた手でわたしのうしろのドアをさしていった、「わたしがいくまで、そこに待っていなさい」

わたしは階段の踊場をよこぎって、彼女が指さした部屋へはいった。日の光は、その部屋からも完全にしめだされていて、息のつまるような空気のよどんだにおいがしていた。湿っぽい古風な炉格子には、火をつけたばかりで、ぱっと燃え上がるというより、むしろ消えそうになっていた。部屋のなかに不承々々にただよっている煙は――わたしたちの沼地の霧のように――澄んだ空気よりも、いっそう寒々と感じられた。高い炉棚の上の、枝に分かれている燭台のわびしいローソクが、かすかに部屋を照らしていた。いや、照らしていたというよりか、部屋のなかの暗闇をかすかに乱していたといったほうが、もっと適切だろう。それは広々としていて、恐らくかつては立派な部屋だったろうが、いまは目に見えるすべてのものが、ほこりとかびにおおわれ、ばらばらにくずれかかっていた。いちばん目立つのは、長いテーブルで、その上にはテーブル掛けがひろげてあって、この屋敷と邸内のすべての時計がぴたっととまってしまったとき、ちょうど祝宴の準備ができていたようだった。テーブル掛けの中央には、飾り台《イパーン》がおいてあったが、くもの巣がたるむほどかかっていたので、どんな格好をしているのかわからないくらいだった。その飾り台《イパーン》が、まるで黒いきのこがはえたように立っている、黄色くなった広いテーブル掛けを見ていると、ぶちのある足としみだらけの胴体をした、何匹かのくもが、飾り台《イパーン》にかけこんだり、かけだしたりしていた。さながらくもの社会にゆゆしい大事件が発覚したかのようだった。

　ねずみもまた鏡板のうしろでがさがさやっていた。まるで、その事件が彼らにも重大な関係があるかのようだった。しかし、油虫はこの騒ぎには一向気もとめず、まるで近眼で、耳が遠くて、おたがいに付合なんかしていないみたいに、年がいっているような、重々しい様子で、炉のあたりを手探りしていた。

　これらのはいまわっている虫にすっかり注意をうばわれて、遠くからそれを見守っていると、ミス・ハヴィシャムがわたしの肩に手をかけた。彼女は、もう一方の手で鳩杖《はとづえ》をついて、それによりかかっていた。その様子は、ちょうどこの家の魔法使いのようだった。

「わたしが死ぬと」と、彼女は長いテーブルを杖で指しながらいった、「ここにねかしてもらうんだよ。みんなはここへきて、わたしを見るのです」

　彼女はいますぐこの場でテーブルの上にのぼって、あの市《いち》で見た恐ろしいろう人形のようになって、死んでしまうんではないだろうかという、ばくぜんとした不安のため、彼女の手の下で身がちぢむような思いがした。

「おまえ、あれをなんだと思います?」と、彼女はまた杖でさしながらわたしにたずねた。「そら、あのくもの巣のかかっているのは?」

「なにかわかりません」

「大きなお菓子なんだよ。結婚のお祝いのお菓子なんだよ。このわたしのです！」

　彼女は目をぎらぎら光らせながら部屋を見まわした。それから、わたしによりかかって、わたしの肩を手でぐいぐい引っぱりながらいった。「さあ、さあ、さあ！　わたしを歩かせるんです、歩かせるんです！」

　これでわたしは、自分のやる仕事というのは、ミス・ハヴィシャムを部屋中ぐるぐる、ぐるぐる、歩かせることだなとわかった。そこで、さっそく歩きだした。すると、彼女はわたしの肩によりかかった。そして、わたしたちは、パンブルチュックさんの馬車をそっくりまねたといってもいいような早さで（これは、このお屋敷でわたしが最初に感じた衝動をもとにしたものだった）まわった。

　彼女は丈夫なからだではなかったので、すこしすると、「もっとゆっくり！」といった。それでもわたしたちはいらいらした、発作にかかったような速さで歩いた。歩きながらも、彼女はわたしの肩にかけた手をぐいっぐいっと引きつらせたり、口を動かしたりした。で、彼女の考えが早くうつり変わるので、わたしたちも自然速く歩いてるんだという気がした。

　しばらくすると、彼女は「エステラをお呼び！」といった。そこで、わたしは踊場へ出ていって、このまえとおなじように、エステラの名まえを大声でどなった。彼女の燈火《あかり》が見えると、わたしはミス・ハヴィシャムのところへもどって、また部屋中をぐるぐる、ぐるぐるまわりだした。

　こんな仕草をエステラひとりに見物にこられたとしても、すっかりいやな気持ちがしたろう。ところが、彼女はさっき下で見た例の三人の婦人とひとりの紳士をいっしょにつれてきたのだから、わたしはどうしていいかわからなかった。わたしは礼儀上立ちどまろうとしたが、ミス・ハヴィシャムはわたしの肩をぐいぐいひっぱったので、早駆けをつづけなければならなかった。──みんなはきっとわたしがやってるんだというふうに思うだろうと、恥かしく感じながら。

「まあ、ハヴィシャムさん」と、ミス・サラ・ポケットはいった。「とてもお元気そうですこと！」

「元気なんかありません」と、ミス・ハヴィシャムはこたえた。「わたしは黄色い骨と皮ばかりです」

ミス・ポケットがこんなふうにやりこめられると、キャミラは顔を輝かせた。そして、ミス・ハヴィシャムを悲しそうに見つめながら、いった。「おかわいそうに！　お元気そうになんかとても見えはしない。おかわいそうに！　なんてことだろう！」

「で、そういうあんたは？　お元気なのかね？」と、ミス・ハヴィシャムはキャミラにいった。そのとき、わたしたちはキャミラのすぐそばにきていたので、わたしはもちろん立ちどまろうとしたが、ミス・ハヴィシャムがそうはさせなかった。わたしたちは、さっさと通りすぎた。だから、わたしはキャミラの気にひどくさわったことだろうと思った。

「ありがとう、ハヴィシャムさん」と、彼女はこたえた。「わたし、まあまあどうやら……」

「まあ、あんた、どうおしなの？」と、ミス・ハヴィシャムは恐ろしく鋭い調子でたずねた。

「別になんでもないのよ」と、キャミラはこたえた。「わたし、自分の気持ちをひけらかすのはいやですわ。でも、わたし、いつも夜あなたのことを、とてもたえられないくらい思っているのよ」

「じゃ、わたしのことなぞ思わないでちょうだい」と、ミス・ハヴィシャムはこたえた。

「口にいうのはやさしいけどね！」と、キャミラはやさしく嗚咽《おえつ》をおさえながらいったが、上唇がひきつって、涙があふれでた。「わたしが夜、生薑《しょうが》入りの気付け薬をどんなに飲まなくちゃならないか、レイモンドがよく知ってます。わたしの足がけいれんをおこして、どんなにひきつるかってことも、レイモンドがよく知ってます。でも、わたしが自分の愛するかたたちのことを心配しながら考えるときには、涙で息がつまったり、けいれんでひきつったりすることは、なにもいまはじまったことではありません。わたしがこんなに情にもろかったり、感じやすかったりしなかったら、もっと食欲がでて、神経だって鉄のように強くなるんでしょうけど。ほんとに、そうだといいんだけど。でも、夜あんたのことを思わないなんて――まあ、なんてことでしょう！」ここで、涙がどっとあふれた。

いま話に出たレイモンドというのは、ここにいる紳士のことで、キャミラ氏なんだということがわかった。ここで、彼は助け船に出て、なぐさめ、たたえるような声でいった。「キャミラ、身内のことを思うおまえの気持ちがだんだんおまえを弱らして、そのためおまえの足が一方短くさえなってるってことは、だれでもよく知ってるよ」

「わたしはね」と、いままでいちどしか口をきかない例のまじめくさった婦人がいった。「ひとのことを思うだけで、そのひとにたいしてものを無心する権利が生まれるなんて、知らなかったわ」

ミス・サラ・ポケットは、いま見ると、くるみの殻でつくったような小さな顔と、ひげのないねこの口みたいに大きな口をした、小さな、干からびてしわだらけになった、茶色の老婦人だったが、「ほんとにねえ」といって、咳払《せきばら》いして、その説に味方した。

「思うだけならやさしいことです」と、まじめくさった婦人はいった。

「それくらいやさしいことがほかにあって？」と、ミス・サラ・ポケットが同意した。

「ええ、そうですとも、そうですとも！」と、沸きかえる激情が足から胸にこみ上げてきたらしいキャミラが叫んだ。「ほんとにそのとおりです！　こんなにもろいなんて、ほんとに欠点ですわ。でも、わたし、どうすることもできないのよ。もしこんなでなかったら、もっとずっと健康になれるんでしょうが。でも、わたし、たとえできても、この性質をかえたくありません。こんな性質って、いろんな苦労の種なんだけど、夜中に眼がさめて、自分がそんな性質をもっているってことを知ると、なぐさめられますわ」ここでまた彼女の涙が、どっとあふれでた。

この間中も、ミス・ハヴィシャムとわたしとは、訪問客のスカートとすれすれに通ったり、彼らからいくつかの陰気な部屋の長さほども遠ざかったりしながら、いちどもやすまず、部屋中をぐるぐる、ぐるぐるまわっていた。

「マシューったら！」と、キャミラがいった。「身内の者といちどだっていっしょになったこともなければ、ハヴィシャムさんをお見舞いにここへきたこともないんじゃないの！　わたしコルセットのひもを切って、ソーファのとこへいって気を失ったまま、そこに何時間も何時間もねていたのよ。首をソーファからたらし、髪毛はだらりとなり、足はどこにあるやらわからず――」

（「おまえの頭よりずっと高いところにあったんだよ」と、キャミラ氏がいった）

「わたし、マシューがあんまり変人で、わけのわからぬことばかりするもんだから、何時間も何時間もそんな風になっていたのよ。それなのに、ひとりとしてわたしに感謝するひとはいないんですもの」

「それはそうでしょうとも！」と、まじめくさった婦人が口をはさんだ。

「そりゃね」と、（口当りがやわらかで、悪意のあるご夫人の）ミス・サラ・ポケットがつけくわえた。

「いったい、あんたはだれがあんたに感謝するものと予期していたのか、ご自分にたずねて見なさることだわね」

「感謝されるなんて、そんなこと、ちっとも予期しないで」と、キャミラはつづけた、「わたし、何時間も何時間もそうしていたのよ。そして、わたしがどんなにのどをつまらせたか、生薑《しょうが》の気付け薬がどんなにききめがなかったか、レイモンドがよく知ってます。わたしの泣く声は、通りの向い側のピアノ直しの家まで聞こえて、あそこのかわいそうな子供たちは、わたしの泣き声を遠くで鳩がないてるんだとさえ勘違いしたのよ――それなのに、いまこんなことといわれて――」ここでキャミラは、のどに手をあてて、のどによくきく新しい薬の調剤を、まるで薬剤師のように語りはじめた。

マシューの名がまたいわれるのを聞くと、ミス・ハヴィシャムはわたしをとめて立ちどまり、話し手をじっと見つめた。これは、キャミラの薬の調剤をとつぜん中止させるのに、非常な効果があった。

「わたしがあのテーブルの上にねかされたら」と、ミス・ハヴィシャムはきびしい調子でいった。「マシューはわたしを見にきましょう。あのひとはあそこにすわるんです――そら」と杖《つえ》でテーブルをたたきながら、「わたしの枕もとです！　あんたのすわるとこはあそこ！　あんたのご主人はそこ！　サラ・ポケットはあそこ！　それから、ジョージアナはこちら！　これでわたしを見物にきたとき、どこへすわったらいいか、みんなわかったでしょう。さあ、もうお帰んなさい」

名まえをいうごとに、彼女は杖でテーブルのちがった場所をたたいた。そしていった。「さあ、歩くの、歩くの！」で、わたしはまた歩きだした。

「いうようになって、帰るよりほかしようがないのね」と、キャミラは叫んだ。「こんなにほんのちょっとの間だけでも、自分の愛情と義務の的になっているかたにあえたことは、せめてもの慰めですわ。わたし夜中に眼をさましたときも、悲しく満足しながら、そのことを思いだすことでしょう。マシューもこんな慰めがもてたらと思いますわ。でも、あのひとは、それを頭から無視しているのです。わたし、自分の感情を表に出すまいと決心しているんだけど、自分の身内のものを見物したがってるんだなんていわれ——まるで自分が涙のない大男かなんぞのように——そして帰れなんていわれると、ほんとにつらいわ。まあ、なんてことだろう！」

ミセス・キャミラが高まる胸に手をあてたとき、キャミラ氏が手を貸したので、彼女は見えないところへいったら倒れて息をつまらせるつもりじゃないかと思われるくらい、不自然なしっかりした態度をして、ミス・ハヴィシャムにキッスを投げながら、付きそわれて出ていった。サラ・ポケットとジョージアナとは、いちばんしまいまで残ろうとして争いあったが、出し抜かれるにはあまりに抜け目のないサラは、巧みにひょうたんなまずをきめこんで、ジョージアナのまわりをふらりふらり歩いていたので、ジョージアナは先に立って出ないわけにはいかなかった。そこで、サラ・ポケットは、「ごきげんよう、ハヴィシャムさん！」といって、他のものの弱点を哀れみゆるすような微笑を、そのくるみの殻みたいな顔にうかべながら、とくべつ印象をのこすように、ひとりだけで別れを告げた。

エステラが彼らに燈火《あかり》を見せるため降りていったあいだも、ミス・ハヴィシャムは片手をわたしの肩において歩いていたが、しかし歩調はだんだんゆるくなった。ついに暖炉のまえで立ちどまって、ちょっとのあいだ、ぶつぶついいながらそれを見ていてから、こういった。

「ピップ、きょうはわたしの誕生日なんだよ」

わたしがいく久しくと、あいさつしようとすると、彼女は杖をふりあげた。

「わたし、そんなことといってもらいたくないんだよ、いまここにきていたひとたちにも、そのほかだれにも、誕生日のことを口にしてもらいたくないんだよ。あのひとたちはいつもその日にここへくるけど、そのことを口にだしてはいえないんです」

もちろん、わたしは、それ以上誕生日のことをいおうとは思わなかった。

「おまえが生まれるずっとまえの年のきょう、この朽ち果てたものが」と、鳩杖でテーブルの上のくもの巣の山を、それにふれないようにつき刺しながら、「ここへもってこられたんだよ。それとわたしは、いっしょに朽ち果てたんだよ。それはねずみが嚙んだが、わたしの心を、ねずみの歯よりもっと鋭い歯が嚙んだんです」

彼女は杖の頭を自分の心臓にあてながら、立ちつくしたまま、テーブルを見ていた。かつては白かったのに、いまはすっかり黄色くなってしぼんでいる服を着た彼女、かつては白かったのに、いまはすっかり黄色くなってしぼんでいるテーブル掛け。あたりのすべてのものは、ちょっと指先きでふれるだけでも、ばらばらにくずれそうになっていた。

「すっかり朽ち果ててしまって」と、彼女は気味悪い顔つきをしながらいった、「婚礼服をきたわたしの亡骸《なきがら》を、婚礼のテーブルにねかすとき——わたしはそうしてもらうんだよ、それはあのひとにたいする最後ののろいとなるだろう——もしそれがわたしの誕生日だったら、いっそういいんだよ!」

彼女は、立ったまま、まるで死んで横たわっている自分の亡骸《なきがら》を見ているかのように、テーブルをながめていた。わたしはじっとしていた。エステラがもどってきたが、彼女もじっとしていた。わたしたちは、長いあいだこうしていたような気がした。部屋の重苦しい空気と、部屋のはなれたすみっこにたちこめている重苦しい暗闇のなかで、エステラとわたしがいまにも朽ちはじめるだろうという、恐ろしい気さえした。

ついに、ミス・ハヴィシャムは、それも狂った状態からだんだん正気にかえってではなく、いきなりこういった。「さあ、ふたりでトランプをやって見せておくれ。なぜはじめなかったんだね?」そこで、わたしたちは彼女の部屋にもどって、このまえのときのようにすわった。わたしは、まえとおなじように一文なしにされた。ミス・ハヴィシャムは、こんどもまたまえとおなじように、わたしの注意をエステラの美しさにむけさせ、彼女の宝石をエステラの胸や髪につけて見ては、わたしに彼女の美しさをいっそう気づかせるようにした。

エステラはエステラで、まえとおなじようにわたしを扱った。こんどは口さえきかなかった。そのの五、六回もやったとき、また訪れる日がきめられて、わたしは中庭につれていかれた。そして、このまえとおなじように、まるで犬かなんぞのように食物をあてがわれた。それから、また勝手にぶらつくように、ひとりぼっちでとりのこされた。

このまえわたしがなかをのぞこうとしてよじのぼった、あの庭の塀《へい》の門が、あのとき開いていたか閉じていたかということは、たいしたことではない。あのときは門が眼につかなかったということ、ところが、こんどは門がひとつ眼についたということだけで十分だろう。その門は開けっ放しになっていたし、エステラはお客さんを送り出してやったということがわかっていたので——彼女が鍵《かぎ》を手にもって帰ってきたから——、わたしは庭園のなかへぶらぶらはいっていって、あっちこっちぶらついてまわった。庭はすっかり荒れ果てていて、古いメロンの温床や胡瓜《きゅうり》の温床があった。朽ちた温床には蔓《つる》が自然にはえて、古帽子や古長靴のできそこないみたいな、弱々しい実をむすんでおり、ところどころに、使いつぶされたソースパンみたいな格好のわき芽が、ひょろひょろ出ていた。

庭園も、倒れ落ちたぶどう蔓と、いくつかのからびんしかはいっていない温室のなかも、すっかり見つくしてしまったとき、わたしはまえに窓から見おろした、あの陰気なすみっこに立っていた。いまは家のなかにはだれもいないものと思って、別の窓からのぞきこんだわたしは、われながらおどろいたことに、赤い眼瞼《まぶた》と明るい頭髪をした、青白い顔の若い紳士と、じろじろ顔を見あわせたのだった。

この青白い顔の紳士は、素早く姿を消して、こんどはわたしのそばに現われた。わたしたちが顔を見あわせたときには、彼は本を読んでいたが、いま見ると、インキのしみだらけだった。

「やあ！」と、彼はいった、「小僧君！」

やあ！というのは、それをくりかえしただけでいちばんいい返事になる、ばくとしたあいさつなので、わたしはしょっちゅうつかっていた。で、わたしもまた「やあ！」といって、「小僧君！」だけはおとなしく省略した。

「きみはだれにいれてもらったんだ？」と、彼はいった。

「エステラです」

「だれのゆるしをえてうろつきまわってるんだ？」

「エステラのです」

「こい、喧嘩《けんか》だ」青白い顔をした若い紳士はいった。

彼についてゆく以外、わたしにどうすることができたろう？　その後もわたしは、なんども自分にたずねて見た――ほかにどうすることができたろう？　彼の態度は非常に決定的であったし、わたしときたら、すっかり胆《きも》を抜かれていたので、まるで魔法でもかけられたように、彼のゆくところへついていったのだった。

「だが、ちょっと待て」と、まだ何歩もいかぬうちに、彼はくるっと後ろをふりむいていった。「喧嘩の理由をつけなくちゃならんな。そら、こうしてやろう！」そういったかと思うと、彼はとてもしゃくにさわるように、両手をぱんとたたき、片足をしなやかにぱっと後ろにはね上げ、わたしの髪を引っぱり、もう一度両手をたたき、頭をぐいと下げて、それをわたしのみぞおちのところへどしんとぶっつけてきた。

いまいったこの雄牛のような仕草は、明らかに勝手気ままな行為と見なすべきものであったばかりでなく、パンと肉をたべた直後ときているので、とりわけ不愉快千万だった。で、わたしは拳骨で彼を猛烈に打ちのめし、さらにもういちど打ちのめそうとした。すると、彼は、「ほほう！　やるのか？」といって、いままでのわたしのせまい経験では、いちども見たこともないような具合に、前後におどりはじめた。「勝負の法式だ！」と、彼はいった。そして、左足から右足へはねた。「正規の法式だ！」そういって、こんどは右足から左足へはねた。「決闘場へきて、準備運動しろ！」こういって彼は、たくみに前後に身をかわし、そのほかいろんなことをやった。そのあいだ、わたしはいかにも心もとないふうに彼をながめていた。

彼があんまり敏捷なのを見て、わたしはひそかに恐ろしくなったが、しかし彼の明るい頭髪の頭は、わたしのみぞおちになんの用事もないのだということ、それがこんなにわたしの眼のまえに出しゃばる以上、わたしはそれを見当ちがいだと考える権利があるということを、精神的にも肉体的にも確信した。そこで、わたしはひとことも口をきかずに、彼のあとについて、庭園のひっこんだすみっこのところへいった。そこは二つの塀《へい》がいっしょになっていて、がらくた物の陰になっていた。決闘場はここで満足かと聞いたので、結構だとこたえると、彼はちょっといってくるから、待ってくれといって、見えなくなった。が、すぐまた水のはいったびんと酢にひたした海綿をもってもどってきた。「ふたりで使うんだ」といって、それを塀のところへおいた。それから、気がるで、事務的で、しかも殺伐な仕草で、ジャケツやチョッキから、シャツまでさっさとぬぎはじめた。

彼はあまり丈夫そうには見えなかったが――顔にはにきびがふいており、口には吹出ものができていて――この恐ろしい準備運動に、わたしはすっかりおどろいてしまった。たいていわたしとおなじ年ぐらいだなと思ったが、しかしわたしよりずっと背が高くって、すばらしいほどくるくるまわることができた。その外の点では、彼は肘や膝や手首やかかとが、体の他の部分よりも非常に発達している、グレーの服を着た（格闘のためぬぎすてなかったときには）若い紳士だった。

彼が機械的な精確さをしめす示威運動をさかんにやりながら、拳闘の構えをもって近づき、まるで打ち砕く骨を精密にえらんでいるかのように、わたしの体をじろじろにらんでいるのを見て、わたしはすっかり勇気がくじけてしまった。だから、彼がわたしの第一撃をくらって、あお向けにぶったおれ、鼻を血だらけにし、顔をおそろしくしかめながらわたしを見あげているのを見たときほど、びっくりしたことは、生まれていちどもなかった。

だが、彼はすぐさまはね起きて、敏捷《びんしょう》らしさをこれ見よがしに見せびらかしながら体を海綿でふき、また戦いの構えをとりはじめた。彼がふたたびあお向けにぶったおれて、紫色になった一方の眼でこちらを見あげているのを見たとき、わたしは生まれて二どめの大驚愕を喫《きっ》したのだった。

彼の元気はわたしに非常な敬意をいだかせた。彼には力がちっともないらしくて、わたしをいちどもひどく打たずに、いつも打ちたおされた。しかし、たちまたむっくり起きあがって、型どおりに自分を介添《かいぞ》えすることに非常な満足を感じながら、海綿で体をふき、びんの水を飲んで、こんどこそやっつけられるな、とわたしに思いこませたほど、気取った様子をさかんに見せながら、むかってきた。彼はひどい傷をうけた。気の毒なことだが、わたしは彼を打つごとに、いよいよ激しく打ちまくったからである。が、彼はくりかえし、くりかえし、かかってきて、とうとうおしまいには、ひどくぶったおれて、後頭部を塀にぶっつけた。こんなにひどい目にあってからでも、彼は起きあがって、わたしがどこにいるかも知らずに、めちゃくちゃに二、三回ぐるぐるまわったが、ついに海綿のところへはっていって、それをほうり上げた。同時に、あえぎながら、「つまり、おまえの勝ちだ」といった。

彼がいかにも勇敢で、無心に見えたので、格闘を申しこんだのは自分ではなかったが、しかしわたしは自分の勝利に陰気な満足しか感ずることができなかった。じっさい、わたしは服を着ながら、自分を残忍な狼の子か、またはほかの野獣かなんぞのように思った。でも、わたしは、ときどき自分の凶暴な顔を陰気な気持ちでふきながら、服を着て、こういった。「手つだってやろうか？」すると、彼は、「いいや、かまわん」といったので、わたしは「さようなら」というと、彼も、「さようなら」といった。

中庭へもどって見ると、エステラが鍵をもって待っていた。しかし、彼女はどこへいっていたのかとも、なぜ待たしておいたのかともたずねはしなかった。彼女の顔は、なにかうれしいことでもあったように、明るく紅潮していた。彼女はまっすぐに門のほうへいくかわりに、小道のなかへはいっていって、わたしを手招きした。

「こっちへいらっしゃい！　もしわたしにキスしたかったら、してもいいわよ」

彼女が頰《ほお》をわたしのほうへさしむけたので、わたしはそれにキスした。彼女の頰にキスするためなら、わたしはどんなことでもしたろうと思う。しかし、わたしには、このキスは、粗野でいやしい少年に、まるで金でもあたえるようにあたえたのであって、なんの値打もないものだというような気がした。

誕生日のお客さんたちやら、トランプやら、格闘やらで、わたしは意外に長居をしたので、家に近づいたときには、沼地の突端の砂嘴《きし》の燈火《あかり》が真暗な夜空に光り、ジョーのかまどは道路の上に火影《ほかげ》を投げていた。

第十二章

あの青白い顔をした若い紳士のことで、わたしはとても不安になった。格闘のことを考え、あお向けにひっくりかえって、息を切らせ、顔をまっ赤にしていたあの青白い年若い紳士のことを思いだせばだすほど、自分にたいしてなにか懲罰がくだされるだろうということが、いよいよたしかなように思われた。あの顔の青白い年若い紳士の血がわたしの頭についているような気がし、法律がその仕返しをするだろうと思った。自分がいままでうけてきた懲罰のことをはっきり知っていなくとも、村の少年が界隈《かいわい》をいばってのし歩き、良家のひとたちの家を荒しまわり、イギリスの勤勉な若者をひどい目にあわせたとしたら、厳重な罰をうけなくてはならないということは、わたしには明白であった。わたしは何日かのあいだ、家に閉じこもっていた。そして、お使いにいくときにも、州監獄の役人にいきなりとびかかられないように、まず非常に用心しながら、心配そうに、台所の入口から外をのぞいて見るのだった。顔の青白い年若い紳士の鼻血でズボンがよごされたので、わたしは真夜中にその罪の証拠を洗いおとそうとした。青白い顔の年若い紳士の歯にあたって、指の関節が切れていた。そこで、自分が裁判官たちのまえに引きだされたとき、その破滅的に不利な事情を説明するための、途方もない方法を考えながら、頭をすっかりこんがらせてしまった。

やがて暴力沙汰の現場にもどっていく日がめぐってきたとき、わたしの恐怖は極点にたっした。わざわざロンドンから派遣された、情け容赦ない鬼みたいな法の手先が、門の後ろにでも待ち伏せしてるんじゃないだろうか？　それとも、ミス・ハヴィシャムは、自分の屋敷にたいする復讐《ふくしゅう》を自分でやりたいと思って、あの経帷子《きょうかたびら》のような着物をきたまま立ち上がって、ピストルでわたしを打ち殺すんじゃないだろうか？　あるいはまた、買収された少年たち――傭兵《ようへい》の大群――が酒造場でわたしに襲いかかり、無抵抗なわたしを袋だたきにして、殺してしまうんじゃないだろうか？　わたしは彼をこれらの仕返しの共謀者とは、いちども思わなかった。それは、わたしが彼の勇気を信じていた十分な証拠である。これらの仕返しは、彼の無残な形相、傷つけられた身内の顔立にたいする同情のあまり、かっとなった無分別な親類たちの所行として、いつもわたしの頭にうかんだのだった。

　だが、わたしはどうしてもハヴィシャムの屋敷へいかねばならぬ。で、わたしは思いきっていった。すると、どうだ！　このまえの格闘に関したことはなにひとつおこらなかった。そのことには、ひと言もふれられなかったし、青白い顔の年若い紳士の姿も、屋敷内に見あたらなかった。例の門が開けっ放しになっていたので、庭園を探って見、窓からのぞいてさえ見たが、鎧戸《よろいど》がしまっていてなかは見えず、なにもかも死んだもののようだった。ただ格闘をやった例のすみっこだけに、年若い紳士がいたという証拠を発見することができた。そこには彼の血の痕がついていたので、わたしは庭のかるい土をかけて、人眼につかぬようにした。

　ミス・ハヴィシャムの部屋とテーブルをおいてあったあの別の部屋とのあいだの、ひろい踊場に、庭椅子――車をとりつけたかるい椅子で、後ろから押すようになっている――がひとつおいてあった。それは、このまえきたときからそこにおいてあった。この日、わたしはこの椅子にミス・ハヴィシャムをのせて（彼女がわたしの肩につかまって歩くのに疲れたとき）、彼女の部屋をぐるぐるまわり、それから踊場をとおって、例の別の部屋をぐるぐるまわって歩くという、きまった仕事をはじめた。ぐるぐる、ぐるぐる、ぐるぐる、わたしたちはこうして歩きまわった。ときには、それがいちどに三時間もぶっつづけのことがあった。わたしはこうした運動をずいぶんやったと、自分でもそれと気づかずに口にしたが、それは、その日さっそく、それをやるため一日おきに昼訪問するようにきめられたからであり、またわたしはいますくなくとも八カ月ないし十カ月のあいだのことをまとめていっているからである。

　わたしたちがたがいに馴れるにつれて、ミス・ハヴィシャムはだんだんわたしに話をするようになって、いままで何を学んだかとか、何になるつもりかとか、たずねるようになった。わたしは彼女に、ジョーの年季奉公人になるだろうと思うと話した。それから、さらに話をひろげて、自分はなんにも知っていないことや、なんでも知りたいと思っていることなどを話した。もしかしたら、彼女がこの希望を助けてやろうといってくれるかも知れないと思ったからである。しかし、彼女はなんにもいいはしなかった。それどころか、わたしがなにも知らないままでいるほうを、よろこんでいるようだった。また、毎日の食事以外には、わたしに一文の金も、その他なにひとつくれはしなかった――わたしの仕事の報酬を支払ってやろうと約束もしてくれなかった。

　エステラはいつもそばにいて、わたしを入れたり出したりしてくれたが、しかし彼女にキスしてもいいということは、二どといわなかった。彼女は、あるときはわたしを冷淡に黙許したり、あるときは高ぶらないでやさしくしてくれたり、あるときはすっかり馴れ馴れしくしたり、またあるときはわたしがきらいだと、力をこめていったりした。ミス・ハヴィシャムは、「あの娘《こ》はだんだん、だんだんきれいになりやしないかい、ピップ?」と、小さな声で、またはエステラのいないときに、よく聞いた。わたしが、「そうです」とこたえると(じっさいまたそのとおりだったから)、彼女はそれを貪欲《どんよく》なほどよろこぶのだった。それからまた、わたしたちがトランプをやっていると、ミス・ハヴィシャムはエステラがどんなきげんであろうと、彼女のきげんを強欲なほどよろこんでながめているのだった。ときどき、彼女のきげんがいろいろに変り、それがたがいにちぐはぐなため、わたしがすっかり困惑して、どういっていいかわからなくなるときなど、ミス・ハヴィシャムは彼女をむちゃくちゃにかわいがって抱きしめ、彼女の耳になにごとかささやくのだった。それは、「みんなの心臓《ハート》を破っておやり、おまえはわたしの誇りと希望です。みんなの心臓《ハート》を破っておやり、情けようしゃなく!」といってるように聞こえた。

ジョーがかまどにむかいながら、ところどころを口ずさむ歌があった。その折り返しは、「クレムさま」というのだった。これはいやしくも守護者の聖人さまをたたえるものとしては、あまりおごそかなものではなかった。だが、老クレムさまと鍛冶屋たちとは、そういう間柄なんだろうと思う。それは、鉄を打つときの拍子にあわせた歌で、クレムさまのあらたかな名まえをいいだすための歌の文句にすぎなかった。つまり、こんな調子である。みんなにぐるぐるたたかせろ——クレムさま! どしんと音させ——クレムさま! うーんと打て、うーんと打て——クレームさーま! しっかり者にはどしんとひとつ——クレームさまよー火を吹け、火を吹け——クレームさーまだ! ごーごいって、かわいて、たーかく燃えあがり——クレームさーまだ!

椅子が現われてから間もないある日のこと、ミス・ハヴィシャムはふいに手の指をいらいら動かしながら、わたしにいった。「さあ、さあ、さあ! 歌、歌!」わたしはびっくりして、彼女を押して歩きながら、思わずこの端唄《はうた》を小さい声で歌いだした。ところが、彼女はそれがひどく気にいって、まるで眠りながら歌っているように、低い、考えこんでいるような声で歌いだした。それからというもの、わたしたちは歩きまわりながら、これを歌うのが習慣となった。エステラもよくいっしょになって歌った。でも、全体の調子が非常に低かったので、三人いっしょに歌ってるときでも、この陰気な古い邸内で、ほんのかすかな風ほどの音もたてなかった。

　こうした環境にあって、わたしはどうなったろうか？　こうした環境がわたしの性格に、どうして影響せずにおれるだろうか？　ちょうどあの薄暗い黄色な部屋から、太陽の光のなかへ出てくるとき、わたしの眼がくらんだように、わたしの考えがぼーっとなったとしても、ふしぎに思うことができるだろうか？

　もしわたしがこのまえついあんな途方もない作り話などして、それを告白したりなどしていなかったら、わたしはあの青白い顔の年若い紳士のことをジョーに話してやったろう。しかし、あんなことになったので、ジョーは恐らく青白い年若い紳士を、黒ビロードの馬車にちょうどふさわしいお客さんぐらいに考えるだろうと思って、彼のことはひとこともいわなかった。それに、ミス・ハヴィシャムやエステラのことを何かと噂されたくないという最初からの気持ちが、時のたつといっしょにいよいよ強くなった。わたしは、ビディ以外のものにはだれにも完全な信用をおいていなかった。ただビディにだけは、なにもかもすっかり打ち明けた。いったいなぜ自然とそうするような気持ちになったのか、なぜまたビディはわたしの話すことにはなんでも深い関心をよせたのか、あのころわたしにはちっともわからなかった。いまでは、わかっているつもりだが。

一方、家の台所では、しきりに相談がつづけられていた。それがまた、いらいらしているわたしの気持ちを、ほとんどたえがたいほど激昂《げっこう》させることばかりだった。あのパンブルチュックのあほうは、姉といっしょにわたしの将来の予想を論議しようと思って、夜などよくやってきた。で、わたしは、もしもこの手で彼の馬車のくさびを引っこ抜くことができたら、きっとそうしたろうと、ほんとに信じている（現にいまでも、それを非常に悪いことだとは思っていない）。このみじめな男は、恐ろしくゆうずうのきかぬ鈍感な頭の持主で、わたしを目のまえにすえておかないと――まるで手術でもするみたいに――わたしの将来の予想を論ずることができなかった。わたしがすみっこのほうでそっとしていると、その腰掛けから（たいていえり首をつかんで）引っ立て、これからわたしを料理でもするように、火のまえに立たせておいて、まずこういうのである。「ところで、おかみさん、この子なんだがね！　あんたが手塩にかけて育てたこの子ですよ。おい、頭をまっすぐにおこすんだ。そして、おまえをそんなにしてくれたひとたちのご恩を、いつまでも忘れてはいけませんぞ、ところで、おかみさん、この子に関けえすることなんだがね！」そういって、彼はわたしの髪を逆におしつけて、くしゃくしゃにしてしまうのである――すでにいったように、わたしは物心がついたころから、こんなことをする権利はだれにもないと、心のなかで誓っていた――そして、わたしの袖をつかまえて、彼のまえにひきすえるのである――またとないほどの（もっとも彼だけは別だが）、見るも哀れなほどばかげた様子をして。

それから彼と姉とは、ミス・ハヴィシャムのこと、彼女がわたしをどうするだろうかとか、わたしのためになにをしてくれるだろうかとか、いうことについて、まったく途方もないばかげた揣摩《しま》臆測《おくそく》をやるので、わたしはいつもくやし涙を流しながら、パンブルチュックのやつにとびついて、やつの体中をなぐってなぐってなぐりぬいてやりたいと、切ないほど思った。この対話のあいだに、姉はわたしに話しかけることがあったが、そのたびごとに、まるで頭のなかでわたしの歯を一本一本もぎとっているような口のきき方をするのだった。一方、わたしの保護者だと自分できめこんでいるパンブルチュック自身は、まるでわたしの運命の設計者で、恐ろしく割に合わぬ仕事をやらされているとでも考えているように、いかにも侮蔑《ぶべつ》しきった眼つきでわたしを監視しながら、すわっているのだった。

ジョーは、この相談にはちっともあずからなかった。しかし、彼はわたしが鍛冶場から引きはなされることに賛成でないということをミセス・ジョーに見抜かれたため、話の最中に、さかんにあてこすられた。わたしは、もうとっくにジョーのお弟子になっていい年になっていた。ジョーが下の格子の間の灰を考え深そうに掻きだしながら、灰掻棒を膝の上にのせてすわっていると、姉はこの無心の仕草を、彼が反対しているんだと頭からきめこんで、いきなり彼にとびかかって、灰掻棒をひったくり、彼の体をゆすぶって、それをほかへ片づけるのだった。こういう議論の最後は、いつもきまって非常に腹立たしいものだった。姉はなんの前ぶれもなしに、とつぜんあくびをして、話をやめ、いかにも偶然のように、ひょっとわたしに眼をとめ、「さあ、おいで！　もうおまえのことなんかたくさんです！　さっさっと寝床へいきなさい。このくらい世話を焼かせたら、今夜はもうたくさんだろう！」といいながら、わたしに襲いかかるのだった。これじゃまるで、わたしがあのひとたちに、わたしを死ぬほど悩まし抜いてくれとお願い申したようなものだった。

わたしたちは長いことこんなふうにしていた。そして、いつまでもこんなふうにしておるだろうと思った。ところがある日、ミス・ハヴィシャムはわたしの肩によっかかっていっしょに歩きまわっていたとき、とつぜん立ちどまって、ちょっと不興気にこういった。

「ピップ、おまえ背が高くなったんだね！」

わたしは、考え深そうな顔つきをして、これはわたしのどうすることもできない事情のためそうなったものだと、それとなくほのめかすのがいちばん上策だと思った。

彼女は、そのときはそれきりなにもいわなかった。しかし、間もなくまたふいに立ちどまって、わたしをながめた。しばらくして、またそんなことをくりかえした。それからは、顔をしかめて、むっつりふさぎこんだ。そのつぎ訪れたとき、いつもの運動もおわって、彼女を化粧テーブルのまえにすわらせると、彼女はいらだたしそうに手の指を動かして、わたしをとめた。

「おまえの鍛冶屋の名をもういちどいってごらん」

「ジョー・ガージャリです」

「おまえがお弟子入りしようと思っていた師匠のことだね？」

「はい、そうです」

「すぐお弟子入りしたほうがいいだろう。ガージャリはおまえの年季証明書をもってここへきてくれるだろうかね？」

彼はそういわれたらきっと光栄と思いますよと、わたしはいった。

「じゃ、きてもらいましょう」

「いつにいたしましょうか？」

「そら、そら！　わたしは時間のことはなにも知らないんだよ。すぐこさせなさい。おまえとふたりだけでこさせなさい」

夜、家へ帰ってジョーへの言伝てをすると、姉はいままでよりもいっそうひどく「暴れまわった」彼女はわたしやジョーにむかって、おまえさんたちはわたしを、足でふみつける靴ぬぐいとでも思っているのかね、おまえさんたちは、よくもわたしをそんなふうに扱える、いったいわたしはどんな仲間にふさわしい人間だとお考えくださっているんです、などとたずねた。こんな質問の洪水《こうずい》をすっかり出しつくしてしまうと、ジョーを目がけてローソクを投げつけ、大声ですすり泣きはじめた。そして、塵《ちり》とりをもちだし——これはいつでも非常に悪い兆候だった——粗織《あらおり》のエプロンをつけて、ものすごい勢ではたきだした。ただ掃《は》いただけでは満足しないで、ぞうきんバケツとたわしをとって、そうじをはじめ、わたしたちを家から追いだしてしまったので、わたしたちは裏庭でぶるぶるふるえながら立っていた。夜の十時をすぎてから、わたしたちはまた勇を鼓《こ》してこっそりはいこんだ。すると、ミセス・ジョーはジョーにむかって、なぜおまえさんはすぐにも女の黒んぼの奴隷《どれい》と結婚しないのです？　とたずねた。かわいそうに、ジョーはひとこともいいかえさないで、頬髯《ほおひげ》をなでながら、いっそそうしたほうがほんとにいいかもしれないとでも考えてるみたいに、悄然《しょうぜん》とわたしを見て立っていた。

第十三章

その翌々日、ジョーがわたしといっしょにミス・ハヴィシャムの屋敷へいくため、一帳羅《いっちょうら》の晴着を着こむのを見るつらさといったらなかった。しかし、この場合参内服を着ることが必要だと彼が考える以上、わたしとして、彼には仕事着のほうがはるかに似あうというわけにはいかなかった。彼がこんな不愉快な思いをするのはまったくわたしのためだということ、それから彼がシャツの襟《えり》の後ろをうんと高く引っぱり上げて、彼の頭のてっぺんの髪の毛をまるで羽毛《はね》の房みたいにつったたせたのも、このわたしのためであるということが、わたしにはよくわかっていたので、なおさら彼にむかってそんなことはいえなかった。

朝食のとき、姉はわたしたちといっしょに町へいって、パンブルチュックの家にのこっており、「おまえさんたちが立派なご婦人がたとのご用がおすみになったら」――この口裏から、ジョーは最悪の事態を予感している様子だった――立ちよってもらうつもりだと宣言した。鍛冶場は一日閉じられた。ジョーは（たまさか仕事を休んだりするとき、いつでもそうしたが）、表戸に白墨で「ルス」とたったひと言書きつけ、それに彼が出掛ける方向にとんでいっているつもりの矢印をかきそえた。

わたしたちは、町へ歩いていった。姉は、すばらしく大きなビーバーの毛皮でつくった帽子をかむり、まるで麦稈《むぎわら》真田でつくった国璽《こくじ》のようにかごをかかえ、晴れわたった上天気にもかかわらず、靴の上にはく木履、よぶんの肩掛け、それから洋傘《ようがさ》をもって、先に立って歩いた。これらの品物は、懺悔《ざんげ》の気持ちでもっていったのか、それとも見せびらかすためにもっていったのか、どうもはっきりしないが、おそらく――野外劇や行列行進で、クレオパトラか、それともだれかほかの怒り狂える女王がやるように――立派な持物として、見せびらかしたかったのだろうと思う。

パンブルチュックの家までくると、姉はわたしたちをほっておいて、なかへとびこんだ。もうかれこれ昼時だったので、ジョーとわたしはまっすぐにミス・ハヴィシャムの屋敷へむかった。エステラは、いつものように門をあけた。彼女が現われた瞬間、ジョーは帽子をぬいで、まるで目方でもはかっているように、その縁を両手にもってつっ立っていた。一オンスの八分の一までも精密に知る緊急な理由があるように。

エステラは、わたしたちのどちらにも一向気をとめずに、わたしがよく知っている道を先に立って案内した。彼女のあとにわたしがつづき、ジョーはいちばん最後だった。長い廊下《ろうか》でジョーをふりかえって見ると、彼は相かわらず非常に注意深く帽子の重さをはかりながら、爪先き立ちで、大股にわたしたちのあとからついてきた。

エステラがわたしたちふたりなかへはいるようにと、わたしたちにいったので、わたしはジョーの上着の袖口をとって、ミス・ハヴィシャムのまえにつれていった。彼女は化粧テーブルのまえにすわっていたが、すぐわたしたちのほうへぐるっとふりむいた。

「いらっしゃい!」と、彼女はジョーにむかっていった。「この子のお姉さんのご主人ですね?」

こんなに彼らしくない様子をしているジョーを――いや、むしろなにか異様な鳥みたいな様子をしているといったほうがいいだろう――想像することはできなかったろう。あんなふうに、口もきけずに、羽毛の房をさか立たせ、まるで虫でもほしそうに口をぽっかりあけていたのである。

「あなたは、この子のお姉さんのご主人なんですね?」と、ミス・ハヴィシャムはくりかえした。

この会見の間中、ジョーはミス・ハヴィシャムにむかって話すかわりに、わたしにばかり話しかけたので、わたしはじれったくって、腹が立つほどだった。

「そのとおりなんだよ、ピップ」と、こんどはジョーは、強情な理屈ともとれれば、極秘の内証話ともとれるし、非常な慇懃《いんぎん》さともとれる口調でいった、「わしはおまえの姉さんといっしょになるようになったし、そのころわしはおまえのいう（もしおまえがそんなふうにいいたい気持ちになったらだが）ひとり者の身だったんだからな」

「なるほど！」と、ミス・ハヴィシャムはいった。「そこで、あなたはこの子をお弟子《でし》にとるつもりで育てた、というわけですか、ガージャリさん？」

「おまえとわしはずっと仲良しだったことは、おまえが知ってのとおりだ。ピップ」と、ジョーはこたえた。「それから、もしそうなったら楽しいことだろうというつもりで、わたしたちふたりが待ちのぞんでいたことも、おまえが知ってのとおりだ。だがな、ピップ、もしもおまえのほうでこの仕事に異議があったとしたら――たとえば、この仕事はすすだらけのまっ黒けになっていやだとか、なんとかいうので――それを聞きいれなかったわけじゃけっしてないんだ、わかるだろう？」

「この子は」と、ミス・ハヴィシャムはいった。「なにか異議を申したてましたか？　この子は、その商売が好きなんですか？」

「ピップ、そりゃおまえ自身の心からの望みだったってことは」と、ジョーはまえの理屈と内証話と慇懃《いんぎん》さをいっしょにした調子を、いっそう強めながらいった、「おまえがよく知ってるわけだ」（さらに言葉をつづけるまえに、例の碑銘をここでもちだしてやろうという考えが、とつぜん彼の頭にひらめいたことが、わたしにはわかった）「そして、おまえにはなんらの異議もなく、ピップ、それはおまえの心からの大いなる望みであったんだからな!」

ミス・ハヴィシャムにむかって話をしなくちゃいけないということを、彼に気づかせようとして、いくら気をもんで見ても、まるでむだだった。彼にそうするように、わたしがいろんな顔つきや身振りをして見せれば見せるほど、彼はますます内証話のように、理屈っぽく、ていねいにわたしにむかって話すのだった。

「この子の年季証書をもってきましたか?」と、ミス・ハヴィシャムがたずねた。

「だって、ピップ」と、ジョーはすこし理にあわぬじゃないか、といわんばかりにこたえた。「わしがそいつをわしの帽子のなかへいれるところを、おまえ自分で見たんだろう。だから、ちゃんとここにあることは、おまえ、わかっているだろうが」そういって、証書を取りだして、ミス・ハヴィシャムにではなく、わたしにわたした。わたしは、エステラがミス・ハヴィシャムの椅子の後ろに立っていて、その眼が意地悪そうに笑っているのを見たとき、このなつかしい男のことを恥かしく思いはしなかったかと思う——いや、たしかに恥かしく思ったのだ。わたしは、証書を彼の手からうけとって、ミス・ハヴィシャムにわたした。

「あなたは」と、ミス・ハヴィシャムは証書にひととおり眼をとおしながらいった。「この子にお弟子入りの謝礼をなにも望んでいなかったのですか?」

「ジョー!」と、わたしはとがめるようにいった。彼は黙ったまま、返事をしなかったからである。「おまえ、なぜ返事をしないんだい——」

「ピップ」と、彼は気にさわったようにわたしをさえぎって、いった、「わしはな、そんなことはおまえとわしとのあいだじゃ、返事をする必要もないことだと思うんだよ。もし返事をするとしたら、きっぱり否《いいや》とこたえるだけだということは、おまえがちゃんと知ってるとおりだ。それが、否だということは、おまえがちゃんと知っている。だのに、なぜ返事をしなくちゃならんのかね？」

ミス・ハヴィシャムは、彼を眼のまえに見て、わたしが心配していたよりもよく彼のほんとの人柄を理解できたというように、彼のほうをちらっと見た。そして、かたわらのテーブルの上にあった小さな袋をとりあげた。

「ピップはここで謝礼金をかせぎました」と、彼女はいった。「さあ、どうぞ。この袋には、二十五ギニーはいっています。ピップ、それをおまえのお師匠さんにあげなさい！」

ジョーは、ミス・ハヴィシャムの異様な姿やふしぎな部屋の様子におどろいて、すっかり度を失ってしまったように、この場になっても、なお頑《がん》としてわたしにむかってばかり話しかけた。

「ピップ、こりゃまことにもって手厚いことで」と、ジョーはいった、「ありがたくおうけし、厚くお礼を申しあげるよ。もっとも、こんなことは、ほんとにも嘘にも、いちどだって考えたことはなかったんだが。そこで、なあ、おまえ」と、ジョーはわたしに身を灼《や》かれるような、つぎには身も凍るような思いをさせながらいった。というのは、この親しみのある「おまえ」という言葉は、ミス・ハヴィシャムにあてられたものだと思えたからである。「そこで、なあ、おまえ、どうかわしたちの義務を果たすことができますように！　おまえもわしも、ともにおたがい同士、わしたちの義務を果たせますように！　それから——おまえの手厚い贈物が——気がすむために——いままでいちども——」ここで、ジョーはすっかり行き詰まってしまった様子だったが、やがて、「それから、わしとしちゃ思いもよらんこった——」という文句は、彼には完全無欠で、ひとを納得させる力があるように思えたので、彼はそれを二どもくりかえした。

「では、ピップ、さようなら！」と、ミス・ハヴィシャムはいった。「エステラ、ふたりをつれていきなさい」

「ぼく、また伺うのですか？」と、わたしはたずねた。

「いいえ。こんどはガージャリさんがおまえの主人です。ガージャリさん！　ちょっとひとこと！」

わたしはドアの外に出ながら、彼女がこういって彼を呼びもどして、はっきりと力をこめていうのを聞いた。「あの子はここでよくつとめてくれました。で、その報酬です。むろん、正直な人間として、あなたはほかにこれ以上出してもらえるものと思ってはなりません」

ジョーがどんなふうにして部屋を出たか、ついにはっきりさせることができないでしまった。しかし、いまでも覚えているが、彼は部屋から出てくると、階下《した》へおりるかわりに、どんどん階上《うえ》へのぼっていって、わたしが追いかけてつかまえるまでは、なんといってとがめても、ちっとも耳にはいらなかった。わたしたちは、すぐ門の外へ出た。門は錠をおろされて、エステラは立ちさってしまった。わたしたちがまたふたりだけ日の光の中に立ったとき、ジョーは塀にもたれて、「ああ、おどろいた！」と、わたしにいった。そしていつまでもいつまでも、そこにそうしたまま、ときどき「おどろいたなあ！」といっていたので、わたしはしまいには、彼はもう正気にかえらないのじゃないだろうか、と心配しだしたほどだった。ついに彼は、「ピップ、まったくの話、こいつはおどろいたなあ！」といってから、だんだん話ができるようになり、やがて歩いて立ち去ることができた。

いまの会見で、ジョーの知恵が大いに光りだし、彼はパンブルチュックの家へいく道々、巧妙深遠な策を考えだしたと思われる理由がある。そう思う理由は、パンブルチュックの客間で起こったことから見てわかると思う。わたしたちがそこへ姿をあらわすと、姉はあの大きらいな種商人と相談の最中だった。

「それで！」と、姉はわたしたちふたりに同時に話しかけながら叫んだ。「あんたがた、どうだったんです？　こんなつまらない仲間のところへ、よくまあ腰を低くしてお越しくださいましたこと、ほんとうに！」

「ミス・ハヴィシャムは」と、ジョーはまるで一生けんめい思い出しているように、わたしをじっと見つめながらいった、「とくべつ念をいれて、わしたちがあのかたから――よろしくと申しあげるように、だったかね、それともごあいさつ申しあげるように、だったかね、ピップ？」

「よろしくと申しあげるように、だったよ」と、わたしはいった。

「わしもそう思ったんだが」と、ジョーはこたえた――「J・ガージャリ奥さんへ、あのかたからよろしく申しあげるように――」

「ええ、ええ、ありがたいことですよ！」と、姉はいったが、それでもうれしそうな様子だった。

「それから」と、もういちど思い出そうとするみたいに、またわたしの顔をじっと見つめながらいった、「もしあのかたの健康状態がもっとよくて、ご婦人がたと――だったかねえ、ピップ？」

「ごいっしょになれるのだったら」と、わたしはいいそえた。

「ごいっしょになれるのだったら、よかったのですが――こう、申しあげるようにおっしゃった」と、ジョーはいった。そして、ほーっと大きく息をついた。

「なるほどね！」と、姉は眼を和らげて、パンブルチュックさんをちらっと見ながら叫んだ。

「あのかたは、そのくらいなあいさつははじめっからいってよこしてくださってもよかったんだわ。でも、あとからだって、いっそいわんよりはましでしょう。で、あのかたはこの極道者になにをくださったんです？」

「あのかたはこの子に」と、ジョーはいった、「なんにもくださらなかったよ」

ミセス・ジョーはも少しで怒りだそうとしたが、ジョーはかまわず話をつづけた。

「あのかたのくださりものを」と、ジョーはいった、「あのかたは、この子の友だちにくださったんだ。『ところで、この子の友だちというのは、この子のお姉さんの、J・ガージャリ奥さんのお手に、というつもりなんですよ』と、あのかたは説明なさったよ。そのとおりにおっしゃったんだ、『J・ガージャリ奥さん』とね。あのかたはジョーなのか、それともジョージなのか、ごぞんじなかったらしいんだ」と、彼はいいそえた。

姉は、パンブルチュックのほうを見た。パンブルチュックは、木製の肘掛椅子の肘掛けをさすり、そんなことはまえからちゃあんと知ってたといわんばかりに、彼女と火にむかってうなずいて見せた。

「で、いったいいくらいただいたのよ？」と、姉は笑いながらたずねた。ほんとに、笑いながらである！

「十ポンドだとしたら、あんたたちはなんというだろうね？」と、ジョーはたずねた。

「まあ相当なものだというでしょうよ」と、姉はぶっきらぼうにいった。「多すぎはしないが、でも相当なものだわ」

「じゃ、それよりか多いんだよ」と、ジョーはいった。

　あの恐るべきぺてん師パンブルチュックのやつは、さっそくうなずいて見せて、椅子の肘掛けをさすりながら、「おかみさん、それよりか多いんだよ」といった。

「まあ、まさかあなたは」――と、姉がいいさした。

「いや、おかみさん、ほんとなんだよ」と、パンブルチュックはいった。「まあ、待ちなさい。ジョセフ、さあ、先をいってごらん。よし、よし！　さあ、いってごらん！」

「あんたたちはなんと おっしゃるかね？」と、ジョーは つづけた。「もし二十ポンドだとしたら？」

「それこそ、立派なものだといわなくちゃ」と、姉はこたえた。

「じゃあ」と、ジョーはいった、「二十ポンドよりも多いんだよ」

　世にもけいべつすべきあの偽善者パンブルチュックは、またしてもうなずいて見せて、いかにも恩人ぶった笑い声をたてながらいった、「おかみさん、それより多いんだよ。すばらしい、ジョセフ。どしどし先をいってごらん！」

「じゃ、いってしまうが」と、ジョーはうれしそうに袋を姉にわたしながらいった。「二十五ギニーだよ」

「二十五ギニーです、おかみさん」と、あの賤劣《せんれつ》きわまる詐欺漢のパンブルチュックは、おうむ返しにいいながら、立ち上がって彼女と握手した。「でも、そりゃ（わしが意見を聞かれたときにいったように）、あんたの分に過ぎるものじゃない。わしはあんたがそのお金をよろこんでおうけになることを希望しますよ!」

この悪党がそれだけでおいたとしても、鼻もちならぬものだったのに、いままでの罪悪を、はるかしりえに瞠若《どうじゃく》たらしめるほど、恩人の権利をふりかざして、さらにわたしを引き合いにだして、彼の罪悪をまっ黒なものとしたのだった。

「さて、ジョセフとおかみさん」と、パンブルチュックは、わたしの肘の上のところをつかんでいった、「わしは、いったんはじめたことは、どこまでもやりぬかんと気がすまん人間だ。で、この子はさっそく弟子入りさせなくちゃならん。それが、このわしの流儀なんだよ。すぐにも弟子入りの契約をさせるんだ」

「ほんとにまあ、パンブルチュックの叔父さま」と、姉は（お金をつかみながら）いった、「わたくしたちは、大へんご恩になりましたわ」

「わしのことなんか、かまいなさんな、おかみさん」と、この悪魔そっくりの雑穀商はこたえた。「うれしいことは、どこの世界へいってもおんなじようにうれしいもんだよ。ところで、この子はだね、弟子入りさせなくちゃいけない。じつをいうと――わしが引き受けてそうするように、する、といったんだ」

すぐ近くの町の公会堂で、裁判が開廷中だったので、判事さんのまえでジョーへの年季奉公の契約をするために、わたしたちみんなで出かけた。わたしたちは出かけた、といったが、わたしは、まるでたったいまスリでもしたか、または干し草のやまに火でもつけたように、パンブルチュックにつつかれながらいったのだった。じっさいまた法廷では、わたしが犯行の現場を取り押えられたというい っぱんの印象だった。というのは、パンブルチュックがわたしを先に立てて、つつきながら群衆のなかをおしわけていったとき、「あいつ、なにをしやあがったんだろう？」とか、「あいつもまだ若いじゃないか。でも、悪党らしい面つきをしてるな」とかいっている声が聞こえたからである。やさしい、情けぶかそうな顔つきをしたひとりのひとは、ものすごく長い手枷足枷でがんじがらめにされた、意地悪そうな若者の木版画のついた、「わが独房にて読むために」という題目の小冊子をくれたりした。

公会堂は、教会よりも高い席があって、その席には、ひとびとがのしかかるようにして見物していた。威厳《いげん》のある判事たちのうちには（そのひとりは髪に髪粉をつけていた）、腕組みして椅子によっかかってるものもあれば、かぎたばこをかいでいるものもあり、眠りかけているものもあり、書きものをしているものもあり、新聞を読んでいるものもあった。わたしは妙なところだなと思った。壁には、てかてか黒光りのする肖像画がかけてあったが、絵のことがわからぬわたしの目には、アメンドー入りの砂糖菓子と絆創膏《ばんそうこう》でつくったもののように見えた。この公会堂のすみっこのところで、わたしの年季証書は正式に署名され、証明されて、わたしは「弟子入り」した。そのあいだも、パンブルチュックは、まるでわたしたちは絞首台へいく途中で、こんなささいな予備の仕事をすますために、ちょっと立ちよったというように、ずっとわたしをつかまえたままだった。

わたしたちはまた外へ出て、少年たちの群れからぬけだして、パンブルチュックの家へもどっていった。少年たちは、わたしが公衆の面前で拷問にかけられるのが見られるものと思いこんで、大喜びだったが、わたしのつれは、ただわたしの味方をしているだけだとわかって、すっかり失望した。パンブルチュックの家へつくと、姉は二十五ギニーという大金にすっかり逆上《のぼ》せてしまって、この思いがけない授かり物でもって、青豚亭へおしかけて、晩餐会をやらなくてはならない、それからパンブルチュックさんは馬車で、ハッブルさん夫婦とウォプスルさんをお招きしてきてくれるようにといって、どうしてもきかなかった。

で、そうすることに相談が一決して、わたしはこの上もなく陰気な一日を過ごすことになった。というのは、まことに不可思議千万なわけだが、わたしはこの宴会にはなくもがなのじゃまものみたいなものだと、みんなしごく当然のように思っているらしかったからである。それから、いっそう悪いことに、みんなはときどき――つまり、なにもほかにすることがないときにはきまって――なぜおまえは愉快にやらんのか？　とたずねた。それにたいして、愉快にやっておりますと――ちっとも愉快でもなんでもないのに――こたえる以外に、わたしにどうすることができたろうか？

しかし、なんといっても、みんなは大人で、大人は大人の勝手があって、それを遺憾なく発揮したのだった。この宴会の奇特な発起者にまつりあげられたあの山師のパンブルチュックは、食卓のいちばん上座にすわりこんだ。そして、わたしが弟子入りしたことをみんなに話し、もしわたしがトランプ遊びをやったり、強い酒を飲んだり、夜ふかししたり、悪い仲間をつくったり、そのほかわたしの年季証書の文句がほとんど避けがたいことだときめこんでいるらしい、いろんな酔狂《すいきょう》にふけったりしようものなら、監獄にたたきこむことができるんですよといって、まるで悪魔のように、みんなにお祝いの言葉をのべたとき、彼は自分の話の証拠として、わたしを彼のそばの椅子の上に立たせた。

この大祝宴について、わたしがもうひとつだけおぼえていることは、みんながわたしをどうしても眠らせないで、わたしが椅子からころげ落ちようとするごとに、わたしをゆりおこして、大いに愉快にやれよ、といったこと。それから、その晩かなりおそくなって、ウォプスルさんがコリンズの賦《ふ》を朗誦し、ものすごい勢いで、彼の血に染める剣を戛然《かつぜん》と投げおろしたので、給仕がはいってきて、「階下におられる商人がたがよろしくと申しましたよ。それから、ここは軽業師の宿ではありませんから、どうぞ」といったこと。そのさい、ウォプスルさんが低音部《バス》をやって、とお、眉目《みめ》うるわしの淑女よ！」を歌ったこと。帰り道でもみんなすばらしい上きげんで、「おほうもなく強い声で（他人の私事をなんでも知りたがっては、おそろしく厚顔出しゃばりなやりかたでこの歌の音頭をとる、せんさく好きのうるさ型にこたえて）、かれこそ、白髪を波うたせたる男であり、まずはこよなく弱き巡礼であると、歌ったこと、などだった。

最後に、わたしは自分の小さな寝室にたどりついたとき、わたしがすっかりみじめな気持ちになっていて、自分はジョーの職業をとても好きになれそうもないという、強い確信をもっていたことを、記憶している。かつては、それを好きなことがあった。だが、かつてとは、現在のことではないのである。

第十四章

およそ家庭を恥ずるということは、この上もなくみじめなことである。それには、極悪な忘恩がひそんでいて、それにたいする懲罰は因果応報で、当然の報いであるかもしれない。だが、それがみじめなことであるということは証言できる。

姉の癇癖《かんぺき》のゆえに、家庭はわたしにとって、いちども非常に愉快なところではなかった。しかし、ジョーはそれを神聖視していたので、わたしもそれを信じていた。わたしは、いちばんいい客間をこの上もなく高雅な客間《サロン》だと信じていた。正面の玄関は、神厳な殿堂の神秘不可思議な正門であって、それがおごそかに開かれるときには、焼き鶏の生贄《いけにえ》をかならずそなえなければならぬのだった。台所は、壮麗《そうれい》ではないが、きよらかな部屋だと信じていた。鍛冶場《かじば》は、大人《おとな》となり、独立独行するための輝かしい大道だと信じていた。ところが、たった一年のうちに、事情は完全に一変してしまった。いまは、そんなものはみな粗野で下等なものとなった。わたしはどんなことがあっても、それをミス・ハヴィシャムやエステラの眼にふれさせはしなかったろう。

この不心得千万な心理の、はたしてどれまでが、わたし自身の罪であり、どれまでが、ミス・ハヴィシャムの罪であり、またどれまでが、姉の罪であったかということは、いまとなってはもはや、わたしにとっても、だれにとっても、問題ではない。わたしが変わってしまったのである。そして、そうなってしまったのである。よかれあしかれ、ゆるさるべきことであれ、ゆるすべからざることであれ、とにかくそうなったのである。

かつては、いよいよシャツの袖をたくしあげて、ジョーの弟子《でし》として鍛冶場にはいることにでもなったら、自分の名もあがり、さぞかし幸福なことだろう、と思われたのだった。それがいよいよ現実となったいま、わたしはただ自分が石炭屑《くず》のほこりにまみれていること、日々の思い出が重苦しいものに感ぜられること、それにくらべたら、鉄床《かなしき》なんか一片の羽毛にすぎないということしか考えることができなかった。その後わたしは（だれでもそうであろうが）、まるで厚いカーテンが自分の生涯のいっさいの興味やロマンスの上にたれかかって、わたしからすべてのものをかくしてしまい、ただ退屈千万な忍耐しかないというように感じられることがたびたびだった。でも、ジョーへの年季奉公という、新たにふみだした道をとおして、自分の生涯が眼前にまっすぐにつづいているのが見えたときほど、そのカーテンが重く、味気なくたれこめたことはかつてなかった。

年季もよほどたってから、わたしは日曜日の夕方、夜の闇がたれそめるころ、いつも墓地のあたりにたたずんでは、自分自身の前途を、風に吹きさらされた沼地の風景とくらべて、両方とも低くってまっ平らなことや、どちらも見知らぬ道につづき、暗い霧がかかり、さらに海となっていることなど考えて、この二つのものが、たがいに似かよっているのを発見したことをおぼえている。わたしは弟子入りした最初の仕事日にも、いまいったこの後のころとおなじように、すっかり消沈していた。しかし、年季証書のつづいているかぎり、わたしはジョーにたいしていちども不平をもらしたおぼえのないことを、いまでもうれしく思っている。この年季奉公について、自分のことを思いだしてうれしく思うのは、まずこれくらいのものである。

というのは、ついでにここでいっておこうと思うことの（それはいまいったことの一部なのだが）いっさいの美点は、わたしのものではなくて、ことごとくジョーのものだったからである。わたしが逃げだして、兵隊か水兵にならなかったのは、わたしが誠実だったためではなくて、ジョーが誠実だったためである。わたしが気にそまぬながらも、かなり熱心に仕事をやったのも、わたしに強烈な勤勉の美徳がそなわっていたからではなく、ジョーに強烈な勤勉の美徳がそなわっていたためである。やさしくて正直な心をもつ、義務に忠実な人間の感化というものが、世のなかにどのくらいひろがってゆくものか、それを知ることはできない。だが、通りすがりにその力が自分の魂にふれたことを知ることは、大いに可能である。もしもわたしの年季奉公のうちに、なにかの美点がまじりこんでいたとすれば、それはすべてぼくとつな、満足しきったジョーから生まれたものであって、落着きもなく、野心に燃えて、不満ばかりいだいていたわたしから生まれたものではなかった、ということを、わたしはよく知っている。

　わたしがなにをねがい、なにをもとめていたか、それをいうことがだれにできよう？　わたし自身、それがなにであるか、すこしも知らなかったのだから、どうしてわたしにいえよう？　わたしが恐れていたことは、いつか運悪く、いちばん薄汚なく下品な様子をしているとき、ふと眼をあげたとたん、鍛冶場の木造の窓からなかをのぞきこんでいるエステラと、眼を見合わせるようなことはあるまいかということだった。わたしは、彼女が手や顔をまっ黒にして、いちばん粗野な仕事をしているわたしを、おそかれ早かれ見つけだし、勝ち誇ってこおどりし、わたしをけいべつするだろうという恐怖に、たえずつきまとわれていた。よく暗くなってから、ジョーのため鞴《ふいご》をふきながら、ふたりして「クレムさま」を歌っているとき、ミス・ハヴィシャムの屋敷でいつもこの歌をうたった思い出が、きれいな髪を風に吹きなびかせ、わたしをさげすむような眼をしているエステラの顔を、火のなかにうかびあがらせるとき――そうしたとき、よくわたしは、まるでまっ暗な夜の闇の羽目板を壁にはめたように見える木窓をふりむいて見、その瞬間、彼女がちょうど顔をひっこめたのが見えたような気がして、とうとうやってきたな、と思ったりするのだった。

　そんなことのあったあとで、夕食に家へはいっていくと、部屋や食器がいつもよりもいっそうそまつなものに見え、恩知らずな自分の胸のうちで、わが家をひとしお恥かしく感ずるのだった。

第十五章

わたしはウォプスルさんの大伯母《おば》さんの部屋には大きくなりすぎたので、あのばかげた婦人のもとでうける教育はおわりとなった。しかし、それまでに、ビディは、小さな定価表から彼女がいつか半ペニーでもとめたざれ歌にいたるまで、自分の知っていることは、なにもかものこらずわたしに教えてくれたのだった。いまいったこのざれ歌集のうちで、たったひとつつじつまがあっているところは、

わたしが都へいったらば、
ツー・ラル・ルー・ラル！
ツー・ラル・ルー・ラル！
すっかり茶色にされました、
ツー・ラル・ルー・ラル！
ツー・ラル・ルー・ラル！

という最初の数行だけだったが、それでも賢くなりたい一心から、この歌を大まじめに暗唱したものだった。ツー・ラルという文句が詩としてはすこし多すぎるような気がしたが（いまでもそんな気がしている）、それ以外、この歌の価値にたいして疑問をいだいたような記憶はすこしもない。知識欲に燃えたわたしは、ウォプスルさんに知恵のこまぎれをすこしさずけてくださいとたのんだ。ウォプスルさんは親切に承知してくれた。ところが、彼はわたしを反駁《はんばく》したり、抱《ほう》

擁したり、慟哭したり、埋葬したり、引っ捕えたり、つき刺したり、いろんな所作でたたきまくっ たりするための、芝居の傀儡《かいらい》としたかったことがわかったので、わたしは間もなくこの授業をおことわりした。といっても、詩的激怒にかられたウォプスルさんに、小っぴどく打ちのめされたあとで、やっとおことわりすることができたのである。

わたしは、自分が習ったことはなんでもジョーに教えてやるようにした。こういうといかにもよく聞こえるので、ちょっと説明しないと気がとがめる。つまり、わたしはジョーをすこしでも無知でないように、下品でないようにして、彼を自分の仲間として恥かしくない人間にし、エステラにできるだけ非難されないようにしてやりたいと思ったのである。

沼地にある古い砲台はわたしたちの勉強所であり、こわれた石板《せきばん》と短い石筆がわたしたちの勉強道具だった。ジョーはこれについでにパイプとたばこをくわえた。ジョーは、日曜日からつぎの日曜日まで、なにかひとつでも忘れないでいたとか、わたしに教えられてなにかひとつでも覚えこんだとかいうためしがなかった。でも、彼は砲台だと、ほかのどこでよりも賢そうな様子をして――それどころか、ひとかどの学者ぶった様子さえして、たばこをふかすのだった。まるで自分の勉強がすばらしい勢いですすんでいると思いこんでいるみたいだった。これがほんとにそうだったら、と思う。

あそこは、いかにもたのしい、静かなところだった。堤の向こうの川を船の帆がとおりすぎ、また潮が退いたときなど、さながら沈没したまま、いまもなお水底を動いている船の帆かなんぞのように見えたりした。船が白い帆を張って海のほうにむかっているのをながめていると、なぜかしら、ミス・ハヴィシャムやエステラのことが思いだされた。それから、はるかかなたの雲とか、帆とか、緑の山肌とか、または水平線に、日の光が斜めにさっと射したりするときなども、おなじように思いだされるのだった——ミス・ハヴィシャムとエステラと、あのふしぎな屋敷とふしぎな生活は、絵のように美しいすべてのものと、なにかしら関係しているように思われた。

ある日曜日のこと、ジョーがいかにもおいしそうにパイプをふかしながら、「恐ろしく頭が悪い」のをしきりに自慢するので、わたしはその日はジョーにすっかりさじをなげて、堤の上に寝ころび、片肘たてて頰づえつきながら、しばらくのあいだ、空にも、水中にも、いたるところの風景に、ミス・ハヴィシャムとエステラの姿を追っていた。やがてわたしは、あのふたりに関してしきりに気にかかっていたことを、話してしまおうと思った。

「ジョー」と、わたしはいった、「ぼく、ミス・ハヴィシャムをいちどおたずねしたほうがいいと思わないかい?」

「そうだな、ピップ」と、ジョーはゆっくり考えながら、こたえた。「なんのためだい?」

「なんのためって、ジョー? ためなんか思って訪問しやあしないだろう?」

「つねにそういう疑問をうける余地のある訪問だってたぶんあるだろうよ、ピップ。そうかもしれんな。だが、ミス・ハヴィシャムを訪問するとなると、あのかたはおまえがなにか望んでいると——つまり、あのかたになにかしてもらえはしないかと、考えてるようにとられるかもしれんよ」

「ぼく、そんなことを考えてないといったらどうだろう」

「それもいいだろう」と、ジョーはいった。「ところで、あのかたはそれを信じなさるかもしれんし、おなじようにまた信じなさらんかもしれん」

　ジョーはわたし同様、いまいったことは正しいんだと信じ、へたにくりかえしていってそれを弱めてはならんと思って、一生けんめいパイプをふかした。

「なあ、ピップ」と、ジョーはその危険をとおりこすやいなや、さっそく言葉をつづけた、「ミス・ハヴィシャムはおまえに手厚いことをしなさったろう。ミス・ハヴィシャムがおまえに手厚いことをしなさったとき、あのかたはわしを呼びもどして、これでおしまいだとおっしゃったんだよ」

「うん、ぼくも聞いたよ」

「おしまい」と、ジョーは非常に力をこめてくりかえした。「それはな、ピップ。つまり、あのかたのお考えじゃ――これで一切合財おしまいだ！――もともどおりになろう！――わしは北へ、おまえは南へ！　別れ別れになろう！　というんだよ」

　わたしもそんなふうに考えたのだった。で、彼もまたそう考えたのかと思うと、とても悲しかった。それで、いっそうそうかもしれないと思われるようになった。

「でも、ジョー」

「うん」

「ぼくはこうして年季奉公の一年目を無事につとめているのに、お弟子入りした日からまだいちどもミス・ハヴィシャムにお礼をいってないし、ごきげん伺いもせず、あのかたのことを忘れないでいるということをお知らせしたこともないんだ」

「そりゃそうだ。ピップ。だが、おまえ、あのかたに四つ組の蹄鉄《かなぐつ》をひとそろいそっくりつくってあげるんでなくちゃ――それもわしの思うにゃ、たとえ蹄鉄が一組そっくりそろったって、肝心の蹄《ひづめ》がひとつもないというんじゃあな――」

「忘れないでいることをお知らせするって、そんな意味じゃないんだよ、ジョー。贈物をさしあげようなんて、思ってるんじゃないんだよ」

しかし、ジョーの頭のなかには贈物のことがはいりこんでしまって、彼はそれをくどくどとくりかえさずにはおかなかった。「それとも」と、彼はいった、「たとえおまえが手伝ってもらって、表玄関につける新しい鎖《くさり》とか――またはなんにでも使えるように、鮫《さめ》頭のねじくぎを一グロスか二グロス――それともあのかたがマッフィン（軽焼きパンのこと――訳者）をやられるときのトースト用のフォークみたいな、ちょっとした小道具とか、それとも小いわしなんか焼かれるときの金網みたいなものを――」

「ぼく、なにも贈物しようだなんて思ってるんじゃないんだよ、ジョー」と、わたしは口をはさんだ。

「まあな」と、ジョーはまるでわたしがことさらそれをいわせたかのように、なおもしちくどく贈物のことをくりかえした。「わしだったら、やらんだろう。いや、けっしてやらんよ。だって、玄関にゃ鎖がもうかかってるんだから、新しい鎖の必要なんかどこにある？　鮫頭のねじくぎは、まちがえられる心配があるよ。トースト用のフォークはしんちゅうなんだから、うまくできっこない。それから、どんな腕ききの職人だって、金網で腕前をみせるわけにはゆかん――金網はなんといっても金網なんだからな」と、ジョーは、まるで病みつきの迷想からわたしをよびさまそうとしているみたいに、その考えをわたしにどこまでも打ちこみながらいった。「そして、おまえがなにをつくろうと思ってもだ。それからおまえがいいといおうがいうまいがだ、けっきょく金網ということになっちまって、どうにも——」

「おい、ジョーったら」と、わたしは彼の上着をつかんで、絶望的に叫んだ、「そんなふうにいわないでおくれよ。ぼく、ミス・ハヴィシャムに贈物しようなんて、ちっとも考えてやしなかったんだから」

「そのとおりだ。ピップ」と、ジョーはいままでずっとそのことをいい争っていたみたいにいった。「わしはおまえにいうがね、それがいいんだよ、ピップ」

「うん。だがね、ジョー。ぼくがいいたかったのは、いまは仕事がどっちかというとひまだするから、もしあんたがあした半休《はんどん》にしてくれたら、町へいって、ミス・エステ——ハヴィシャムをおたずねしようかと思うってことだよ」

「あのかたの名は」と、ジョーはまじめくさっていった、「エスタヴィシャムじゃないよ、ピップ。改名なさったらしらんこったが」

「わかってるよ、わかってるよ。つい口がすべったんだ。で、あんた、どう思う?」

かいつまんでいうと、ジョーはもしわたしがいいと思うなら、いいと思うというのだった。しかし、彼はわたしに、もしあいそよくむかえられなかったり、わたしの訪問がなんのたくみもない、ただ受けた好意に感謝するためだけの訪問として、将来もくりかえすようにいわれなかったとしたら、この試みの旅は二どとくりかえさないということを、ことさら念をいれて約束させた。わたしは、この条件をきっとまもると約束した。

ところで、ジョーはオーリックという名の渡り職人を週給でやとっていた。彼は、自分の洗礼名はドルジっていうんだといいふらしていたが、これは嘘にきまっている。恐ろしく強情なやつで、この点自分では勘違いなんかけっしてしていないんだが、なあに村の連中なんかにわかるもんかと小ばかにして、ことさらそんな名をいいふらしていたものだろうと思う。彼は肩幅がひろく、手足にしまりがなく、色の浅黒い、非常に力のある男だった。けっして急いだことがなく、いつもだらしなく前こごみにうつ向いていた。わざわざ仕事にむかうような様子はいちどだって見せたことはなく、いつもほんの偶然にはいってきたというように、うつ向きながら、ぐずりぐずりはいってくるのだった。「陽気な船員亭」へ食事をしにでかけるときでも、夜帰っていくときでも、まるでカインかさまよえるユダヤ人みたいに、どこへゆくのかもわからず、またもどってくるつもりなんかないように、うつ向きながら、ぐずりぐずり出ていった。彼は沼地の水門番のところに泊まっていて、仕事日には、その隠れ家から、両手をポケットにつっこみ、弁当包みを首にだらしなくゆわえつけ、背中にぶらぶらさせながら、うつ向いてぐずりぐずりやってきた。日曜日には、たいてい一日中水門の上に寝ころがるか、牧草の山か納屋《なや》によりかかって、たたずんでいるかした。歩くときには、いつでも目を地にふせて、うつ向きながら、のっそりのっそり歩いた。ひとからことばをかけられたり、またはなにかの拍子で眼をあげなくてはならないときには、いつでもむっとしたように、また当惑したように、見あげるのだった。まるで、自分が考えごととしていなかったら、それこそ奇妙な、ろくでもないことだと思いこみ、それしか考えていないようだった。

このむっつり屋の渡り職人は、わたしをきらっていた。わたしがまだずっと小さくて臆病だったころ、彼は、鍛冶場の暗いすみっこには悪魔が住んでいて、自分はその悪魔をよく知ってるとか、七年にいちどは、生きている男の子で火をおこさなくちゃならんとか、おまえは薪《まき》代りになるものと考えていたほうがいいぞ、だとかいうことを、わたしに思いこませた。わたしがジョーのお弟子になったとき、オーリックはわたしが彼にとってかわるかもしれないという疑惑を強めたらしかった。とにかく、かれはわたしをいっそうひどくきらうようになった。といっても、彼が公然敵意をしめすようなことをいったとか、したとかいうのではない。わたしはただ、彼がいつでも火花をわたしのほうへとばすようにして打つことや、わたしがクレムさまをうたうときには、彼がいつでも調子っぱずれの声をだすことに気づいただけだった。

あくる日、わたしがジョーに半休《はんどん》のことをいったとき、ドルジ・オーリックもそこにいて、仕事をしていた。ちょうどそのとき、彼とジョーはふたりして焼けた鉄をたたいていたし、わたしは鞴《ふいご》をふいていたので、オーリックはなにもいわなかった。だが、やがて鎚《つち》によりかかりながら、こういった。

「親方！　まさか親方あ、わしたちのうちの一方だけをえこひいきなさりやしますまいね？　もし年下のピップが半休もらえるもんなら、年上のオーリックにだっておんなじようにしてくださいよ」彼はまだ二十五ぐらいだったと思うが、たいてい自分を年寄りのようにいっていた。

「だって、半休なんかもらって、いったいどうしようっていうんだ？」と、ジョーはいった。

「わしが半休をどうするかってんですかい？　いったいあいつは半休をどうするんです？　わしゃあいつとおんなじにつかってみせまさあ」

「ピップはな、町へいこうっていうんだぜ」と、ジョーはいった。

「じゃ、年上のオーリックはね、わしだって町へいきますよ」と、このあっぱれご仁《じん》はやりかえした。「二人だって町へいくこたあできますよ。町へいくにゃ、なにもひとりにかぎったこたありますまい」

「怒るなあよせ」と、ジョーはいった。

「怒《おこ》ろうと怒るまいと、こっちの勝手でさあ」と、オーリックはうなるようにいった。「どいつもこいつも町行き、町行きだ！　さあ、親方あ！　この店じゃ、えこひいきはまっぴらごめんですぞ。男らしくやんなさい！」

親方は職人がもっときげんのなおるまでとりあわなかったので、オーリックはかまどのところへとんでいって、まっ赤に焼けた鉄棒を引きだし、それでわたしの胴っ腹をつき抜こうとするように、それをわたしにつきつけ、わたしの頭のまわりにふりまわして、鉄床《かなしき》の上にのせ、鎚で力いっぱいたたいた——まるでそれがわたしで、とび散る火花が噴き出したわたしの血かなんぞのように——自分の身が熱くなり、鉄が冷《さ》めてしまうまで、たたいて、たたいて、たたき抜くと、また鎚によりかかって、こういった。

「さあ、親方！」

「おまえもう、大丈夫か？」と、ジョーはたずねた。

「ええ！　大丈夫でさあ」と、粗暴な年上のオーリックはいった。

「じゃ、おまえはだいたいみんなに負けずに仕事をやってるから」と、ジョーはいった、「みんな半休《はんどん》にしてやろう」

それまで姉は中庭にいて、話の聞こえるところに立っていたが——彼女はスパイをやったり、盗み聞きしたりすることにかけては、恐ろしいほど無遠慮だった——これを聞くと、さっそく窓からのぞきこんだ。

「あんたらしいわ、おばかさん！」彼女はジョーにむかっていった。「あんなずう体ばかりでかくてなまけ者の大男どもに半休をやるなんて、そんなふうに給料をむだにしてしまうなんて、ほんとにあんたはお金持ですよ。わたしがあいつの親方だったらいいのに！」

「おめえさんは、できりゃみんなの親方になりたいんだろう」オーリックはみにくく歯をむき出しながらいった。

（「あれにかまうな」と、ジョーがいった）

「わたしゃどんなあほうやごろつきにだって、負けやしませんからね」姉はしだいにものすごく激昂《げっこう》していきながら、やりかえした。「おまえさんの親方に負けるようじゃ、あほうの相手にゃなれませんよ。おまえさんの親方ときたら、あほうどもの間抜け殿さまなんだからね。それから、おまえさんの相手になれんようなら、わたしゃごろつきどもの相手にゃなれませんよ。おまえなんか、この国とフランスでいちばん極悪人の人相をした、いちばん性悪なごろつきなんだから。そうなんだよ！」

「薄ぎたないじゃあじゃあ馬のガージャリ婆《ばば》あ！」と、職人はほえたてた。「じゃあじゃあ馬がごろつきの眼ききだっていうんなら、おめえさんはさだめし立派な眼ききだろうよ」

（「あれにかまうなといったら！」ジョーはいった）

「なんだって？」と、姉は叫んで、金切り声をあげはじめた。「なんだって？　ピップ、あのオーリックのやつはわたしになんといったい？　わたしの主人がそばにつっ立ってるのに、あいつはわたしをなんと呼んだんだい？　おう！　おう！　おう！」彼女は、金切り声で、一言一言、そうわめいた。ちょっと姉についていっておかなくてはならないが――これはなにも姉ひとりにかぎったわけではなく、わたしがいままで見てきたかんしゃくもちの女は、どれもこれもみんなそうだ――かんしゃくはけっして彼女の言いわけにはならなかったということである。なぜなら、彼女はしらずしらずかんしゃくをおこしてしまうというのではなくて、自分でそれを知りつつ、わざと非常に骨を折って、むりやりかんしゃくをおこし、そして規則的に、段階をおって、めちゃくちゃに激怒してくるのだったからである。「わたしを守ると誓ったこの卑怯者のいるまえで、あいつはわたしをなんといって呼んだんです？　おう！　このわたしをつかまえて！　おう！」

「うぬ！　う！　う！　う！」と、職人は歯を食いしばってうなった。「もしもてめえがおれのかかあだったら、おれがつかまえてやるんだに！　てめえをポンプの下にひっつかまえておいて、なんといって呼ぶか、きさまののどから押しだしてやらあ！」

（「あれにかまうなといったらかまうな！」とジョーがいった）

「おう！　あんなことを吐《こ》く！」と、姉は両手を打ち合わせ、金切り声をしぼりながら叫んだ――これが彼女のつぎの段階なのである。「わたしにむかって、あんな悪態を吐く！　あのオーリックのやつが！　わたしの家で！　主人のあるわたしに！　わたしの主人は、知らん顔してつっ立ってる！　おう！　おう！」ここで、姉は発作的に手を打ち合わせたり、金切り声をしぼったりしたすえ、手で胸や膝をたたき、帽子を投げとばし、髪の毛を引きむしった。これが、彼女の逆上への最後の段階である。それまでに完全に激怒して、見事満願成就した姉は、狂気のように入口にむかって突進した。が、運よくわたしは入口に錠をおろしておいた。

なんども口をはさんで止めたにもかかわらず、すっかり無視されたみじめなジョーとして、このさい職人のまえに立ちはだかって、自分とミセス・ジョーのあいだになんのつもりで出しゃばるのか、男だったらかかってこい！　とでるよりほかにどうすることができたろう？　年上のオーリックは、こうなった以上、かかってゆくよりほかないと感じて、すぐさま防御の構えをとった。そこで、ふたりは焼けたり、焦げたりしたエプロンをはずしもせずに、さながら両虎《りょうこ》のようにつかみあった。だが、この近所界隈《かいわい》で、ジョーにたいして長いこと対抗できる男がたとえいたとしても、わたしはそんな男にいちどもあったことがなかった。オーリックは、まるで青白い顔をした年若い紳士ほどもなく、たちまち炭ほこりのなかにぶっ倒され、そのまま、そこから急いで出てこようとはしなかった。そこで、ジョーは入口の錠をはずして、窓のところに気を失ってたおれている（だが、そのまえに格闘をちゃんと見ていると思うが）姉をだきあげ、家のなかへだいてきて寝かした。そして、息を吹き返すがいいとすすめてみたが、姉はじたばたあばれて、両手でジョーの髪をひきむしるだけだった。だが、やがて大騒動のあとにかならずやってくる、ふしぎな静けさと沈黙がおとずれた。そこで、わたしは、こうした暴風雨《あらし》のあとの凪《なぎ》にいつでも覚えるあの漠《ばく》とした感じ——つまり、きょうは日曜日で、だれかが死んだんだ、という——をいだきながら、二階へいって、服をかえた。

　二階からおりてきてみると、ジョーとオーリックは騒ぎのあったような様子はすこしも見せずに、そうじをしていた。だが、オーリックの片方の鼻の穴に長い切り傷ができていて、それがまたあんまり見よいものでも、飾りになるものでもなかった。陽気な船員亭からビールが一本とどけられて、ふたりはいかにも和やかに、かわるがわるそれを飲んでいた。この暴風雨のあとの凪は、ジョーをいやにしんみりさせ、瞑想的《めいそうてき》にした。彼はわたしのあとから通りへ出てきて、わたしのためにと、別れしなにこういった。「あばれまくったり、あばれやんだりよ、ピップ——世のなかって、こうしたもんだよ」

わたしがどんなにばかげた感動に胸をおどらせながら（というのは、わたしたちは大人にあっては真剣な感情も、それが少年となると、きわめてこっけいなものに思うからである）、ふたたびミス・ハヴィシャムの屋敷へむかったかは、ここでは問題でない。また、ついに呼び鈴を鳴らす決心がつくまで、なんど門のまえをいったりきたりしたかも、問題ではない。さらに、呼び鈴を鳴らさず立ち去ったものかどうかと、どんなに思案したかということや、もしも時間がわたしの自由になるのだったら、自分はきっとまたくるように立ち去ったにちがいないということも、問題ではない。

ミス・サラ・ポケットが門のところへ出てきた。エステラの姿は見えなかった。

「あら、どうしたの？　あんた、またきたのね？」と、ミス・ポケットはいった。「なんのご用？」

わたしがただミス・ハヴィシャムのごきげんをうかがいにきただけですというと、彼女はわたしを追いかえしたものかどうか思案しているらしかった。しかし、へたに責任をとるのもいやだったとみえて、わたしをなかにいれて、間もなくもどってきて「お上がんなさい」という言葉を、きびしい調子でつたえた。

なにもかももとどおりで、ちっとも変わっていなかった。ミス・ハヴィシャムはひとりぼっちだった。

「おや！」と、わたしにじっと眼をすえながらいった。「なにもほしいというんではないだろうね！　なんにもあげませんよ」

「いいえ、とんでもありません。ぼくはただ自分が年季奉公をよく勤めているということを、それからあなたにいつもとても感謝しているということを、知っていただきたかっただけです」

「そら、そら！」と、またしてもあのいらいらした手の指。「ときおりきなさい――おまえの誕生日にくるがいい。――おや！」と、とつぜん彼女は椅子《いす》ごとわたしのほうへふりむいて、叫んだ。「おまえ、エステラを捜してるんだろう？　ええ？」

わたしは――じっさい、エステラはいないかと見まわしていたのだった――そして、彼女も元気でしょうかと、口ごもりながらいった。

「外国です」と、ミス・ハヴィシャムはいった。「貴婦人になるように、教育をうけてるんだよ。手などとどきっこありません。まえよりずっときれいです。見る人がみんなほれぼれしてるんだよ。あの娘《こ》を失ってしまったという気がおしかい？」

彼女はこの最後の言葉を非常に悪意にみちたうれしそうな調子でいって、とつぜんぞっとするほど気味悪く笑いだしたので、わたしはなんといっていいかわからなかったが、彼女はもう帰りなさいといって、わたしが思案する手数をはぶいてくれた。あのくるみの殻みたいな面相をしたサラがぴッしゃり門を閉じたとき、わたしは自分の家庭や職業や、その他ありとあらゆることが、いままでにないほどつまらないものに思われた。わたしがあんな思いつきから得たことは、けっきょくこれだけだった。

わたしが浮かぬ顔をして商店の窓をのぞき、もし自分が紳士だったら何を買うだろうかなどと考えながら、大通りをぶらぶら歩いているとき、思いがけなくウォプスルさんが、ひょっこり本屋から出てきた。ウォプスルさんは、「ジョージ・バーンウェル」の感傷的な悲劇（ジョージ・リロウ一六九三年―一七三九年――の書いた悲劇の名。ジョージ・バーンウェルという年季奉公人が、ミルウッドという娼婦に誘惑されて堕落し、ついに盗みをして、商人の叔父を殺すという筋である――訳者）を手にしていた。いまからいっしょに茶を飲むことになっているパンブルチュックの頭上に、この悲劇のなかの文句をひとつのこらずつみ上げてやろうという腹で、たったいま六ペンスの金をはりこんだところだった。彼は、わたしの姿を見つけるやいなや、そいつを読んで聞かせてやるようにと、神さまがとくべつの神意をもって、年季奉公人を自分のところへおくってくださったんだと考えたらしかった。彼はわたしをつかまえて、これからパンブルチュックの客間へいっしょに出かけよう、といってきかなかった。どうせ家へかえってみたところで、みじめなことはわかりきっていたし、夜は暗く、道は物寂しかったしするので、どんな道連れでも、ないよりましだと思って、しいて拒みはしなかった。で、わたしたちは、ちょうど街路や商店に燈火《あかり》のつくころ、パンブルチュックの家へはいっていった。

　わたしはよそで「ジョージ・バーンウェル」の上演を手伝ったことがないので、いつもどのくらい時間がかかるものかわからない。だが、いまでもはっきりおぼえているが、あの晩は九時半までもかかり、ニューゲートの場までやったときには、彼は、それまでの恥っさらしの生涯にもなかったほど、のろくなってしまったので、この調子だと、けっきょく絞首台の場までいきつきはしないだろう、と思われたくらいだった。彼がまだ花盛りにとつぜん打ち切られるということに不平をいうとしたら、少々虫がよすぎるじゃないかと、わたしは思った。だいたい彼は、そもそものはじめっから、葉っぱの一枚一枚まで、薹《とう》がたっていたのである。ところが、それだとまるで薹なんかたってなかったみたいに思われてしまう。といっても、それはほんの長さと退屈の問題である。わたしが腹のたったのは、この物語全体を、なんの罪もないこのわたしといっしょにしてしまったことである。じっさいまたわたしは、バーンウェルがはじめて身をあやまったときには、ほんとに申しわけない気がした。わたしをにらみつけるパンブルチュックの怒れる眼《まなこ》は、そんなことをしでかしたといって、それほどわたしを責めつけたのだった。ウォプスルもまた、わたしを極悪人に見せかけようとして苦心した。凶暴でしかも涙もろいわたしは、情状酌量の余地なんかみじんもないような事情で、自分の叔父を殺害することにされた。ミルウッドは、いつもきまってわたしを議論でやっつけた。主人の娘がちょっとでもわたしに気があるとしたら、それはまったく気ちがい沙汰にすぎないとされた。あの宿命的な朝の、わたしのあえぐような、一刻一刻を引きのばす狐疑逡巡《こぎしゅんじゅん》のふるまいは、全体として気弱いわたしの性格に似つかわしいもので、それ以上弁護の値打なんかないものとされた。わたしがめでたく絞首刑に処せられ、ウォプスルさんが本を閉じてしまってからも、パンブルチュックはなおもわたしをにらみつけ、わたしのほうに首をふりながら、こういうのだった。「これにこりるんだ。いいか、これにこりるんだぞ！」まるでわたしが自分の近親のものを――わたしがだれか近親のものを説き伏せて、心弱くもわたしの恩人になる気にさせたとして、その近親の恩人を殺害しようとたくらんでいたことは、かくれもない天下周知の事実ででもあるかのように。

すっかりおわって、ウォプスルさんといっしょに帰途についたときには、もうまっ暗になっていた。町を出はずれると、ひどい霧だった。霧は濃くて、じっとり湿っていた。通行税門のランプは、まるで汚点《しみ》みたいに、うすぼんやり光っていて、いつもの場所とはすっかりちがったところにあるような気がした。霧にうつったランプの光は、なにか固いもののように見えた。わたしたちはこれに気づいて、風がかわると、わたしたちの沼地のある点から霧がはれるのはどうしたわけだろう、と話しあっていた。ちょうどそのとき、通行税門の建物の陰にうつむいて立っている男に出あった。

「やあ！」と、わたしたちは立ちどまって、いった。「そこにいるのはオーリックじゃないか？」

「ああ！」と、彼はうつむいて出てきながらいった。「だれか連れがあるかと思って、ちょっと立ってたところだ」

「おそいじゃないか」と、わたしはいった。

オーリックは、いかにも彼らしくこたえた。「それがどうだってんだ？　おめえだって、おそいじゃないか」

「わたしたちはな」ウォプスルさんはいまさきの朗読で得意になっていった、「わたしたちはな、オーリックさん、知的な夕べをすごしていたんですよ」

オーリックは、そんなことならなにもいうがものはないというように、ぶつぶついった。わたしたちは、いっしょになって歩いた。わたしは間もなく彼に、町をあっちこっちぶらつきながら半休《はんどん》をすごしたのか、とたずねた。

「うん」と、彼はいった。「すっかりだ。おれは、おめえのあとから町へいったよ。おめえを見かけなかったが、おめえのすぐあとだったにちがいない。それはそうと、また大砲が鳴ってるぞ」

「監獄船でか？」と、わたしはいった。

「そうだ！　また鳥が籠《かご》からとび出したんだ。大砲は、暗くなりかかった時分から鳴ってるんだ。すぐまた聞こえるぜ」

「じっさい、まだ何ヤードもいかないうちに、あの忘れもしない轟音《ごうおん》が、霧のために弱められながら、どーんと響いてきて、まるで脱獄囚を追いかけ、威嚇《いかく》するように、川岸の低い平地を、重重しく響きをたてて走りさった。

「ずらかるにゃ、もってこいの晩だ」と、オーリックがいった。「こんな晩にとび立った籠の鳥を撃ち落とすこたあむずかしいな」

これは、わたしにはいろんなことを連想させる話題だったので、わたしは黙ってそのことを考えていた。今晩のあの悲劇において、恩を仇《あだ》でかえされた叔父たるウォプスルさんは、キャンバーウェルのわが庭園《にわ》における瞑想を声高にはじめた。オーリックは、両手をポケットにつっこんだまま、わたしのわきをうつむきながら、のっそり、のっそり歩いていた。まっ暗なうえ、ひどくしめって、ぬかっていたので、ものすごくはねがあがった。ときどき、合図の大砲の轟音がふいにどーんと響いてきて、また川の流れにそって、気むずかしげに鳴り響いていった。わたしは、ずっと黙りこくって、ひとり考えに沈んでいた。ウォプスルさんは、キャンバーウェルではやさしく死んでゆき、ボスワース・フィールドではものすごく勇敢で、グラストンベリでは恐ろしい苦悩を見せた。オーリックは、ときどき、「ぶったたけ、ぶったたけ、クレームさーま！　強いやつにゃちりんとひとつ、クレームさーま！」とうなった。彼は酒を飲んでいたらしかったが、しかし酔っぱらってはいなかった。

こうして、わたしたちは村へきた。道は、陽気な船員亭《てい》のまえを通っていたが、わたしたちはそこで、船員亭のドアが――もう十一時だというのに――あけっ放しになっており、見なれぬ燈火《あかり》があわただしくついたり消えたりしながら、右往左往していて、混乱状態におちいっているのを見て、びっくりした。ウォプスルさんは、どうしたのか様子を聞いて見ようと（恐らく囚人がつかまったんだろう、くらいに思って）、ちょっと立ちよったが、すぐまたあわててとびだしてきた。

「ピップ」と、彼は立ちどまりもせずにいった。「おまえの家で、なんか間違いがあったんだよ。みんな駆けろ！」

「どうしたんです？」と、わたしは彼に追いつきながらたずねた。オーリックもまた、わたしとならんで追いついた。

「はっきりはわからないんだ。ジョー・ガージャリが留守の間に、家へ何者か押しいったらしいんだ。囚人どもだろうっていうんだが。だれか襲われて、けがしたんだ」

わたしたちは、あんまりはやく走ったので、それ以上口をきくことができなかった。家《うち》の台所へはいるまでは、いちども立ちどまらなかった。台所は人間でいっぱいだった。村中の人間が、そこや中庭につめかけていた。外科医もいたし、ジョーもいた。女のひとたちもひとかたまりいた。みんな台所の真中の床の上にうずくまっていた。用のないひとたちは、わたしを見ると後ろへさがった。そこで、わたしは、ジョーの妻であるかぎり、もはや二どとあばれまわることのないように運命づけられたわたしの姉に気づいた——彼女は床板の上に気をうしなって、身動きもせずよこたわっていた。その床板の上で、彼女は火のほうに顔をむけていたあいだに、だれともわからぬものの手によって、後頭部にものすごい一撃をくわえられて、昏倒《こんとう》したのだった。

第十六章

ジョージ・バーンウェルのことで頭がいっぱいになっていたわたしは、最初、この姉にたいする加害事件に自分がなにか関係していたにちがいない、いずれにせよ、彼女の世話になっている人間なことを知らぬもののない近い身内として、自分こそ当然だれよりもいちばん嫌疑《けんぎ》をうける人間なんだ、と信ずるような気持ちになった。しかし、あくる朝になって、もっと明るい光に照らしてて、問題をもういちど考えなおすようになり、それから周囲でさかんに論議されるのを聞いてからは、もっとちがった見方をするようになった。この見方のほうが理屈にあっていた。

ジョーは、八時十五分すぎから十時十五分まえまで、船員亭でたばこをすっていた。彼がそこにいるあいだに、ミセス・ジョーは台所の入口に立っていて、帰り道ののら仕事の雇い人と「お休み」と晩のあいさつをかわした。その男は、彼女を見かけたのは何時ごろかといわれても、九時まえだったにちがいないというだけで、それ以上はっきりいうことはできなかった（彼は、そうしようとして、すっかり混乱してしまった）。ジョーは十時五分まえに家へ帰っていって、彼女が床の上に打ち倒されているのを発見し、すぐさま助けをもとめたのだった。そのときストーブの火はひどく燃えきってはいなかったし、ローソクの心もあまり長くはなっていなかった。だが、ローソクの火は吹き消されていた。

家のうちにはなにひとつ、どこにも盗まれたものはなかった。また、ローソク――ローソクはドアと姉とのあいだのテーブルの上においてあって、彼女が火のほうに顔をむけていて、打たれたとき、彼女の後ろにあったのだ――の火が吹き消されていたということと、彼女がたおれて血を流したということをのぞいては、台所はすこしも取り乱されてはいなかった。だが、その現場には、注目すべき証拠品がひとつあった。彼女はなにか重い鈍器のようなもので、頭部と背骨を殴打されたのだった。そして、殴打されて、うつぶせに昏倒《こんとう》した彼女に、なにか重いものが非常な力で投げつけられたのだった。ジョーが彼女をだき上げたとき、床の上の彼女のそばに、やすりで引き切られた囚人の足枷《あしかせ》がひとつあった。

ジョーは鍛冶屋の眼でそれをしらべて見て、これは相当まえに引き切られたものだ、と断言した。騒ぎは監獄船までつたわって、そこから足枷をしらべにひとがやってきたが、そのひとたちもやっぱりジョーとおなじ意見だった。彼らは、この足枷はたしかに監獄船のものだったにちがいない、しかし、いつ監獄船から出てきたものかわからない、といった。それから、この足枷はゆうべ逃亡したふたりの囚人がはめていたものでないことはわかっている。その脱獄囚のひとりはもうつかまったが、足枷はつけたままだった、ともいった。

自分の知っていることだけははっきりわかっていたので、ここでわたしは自分で判断してみた。この足枷がわたしのあの囚人の足枷――彼が沼地でやすりでひいていたあの足枷――だということは疑うよちがない。だが、彼がそれをこんなふうに使用したとは考えられなかった。というのは、ほかのふたりのどちらかひとりがこれを手にいれて、こんな残虐行為に使用したのだと信じていたからである。つまりオーリックか、でなかったら、あのやすりをわたしに見せた見知らぬ男かである。

ところで、オーリックだが、彼はわたしたちが通行税門のところで会ったときいったとおり、町へ出かけたのである。彼の姿は、昨晩中、町のあっちこっちで見かけられた。方々の居酒屋で、いろんな人間といっしょにいるところを見かけられている。そして、わたしやウォプスルさんといっしょに帰ってきたのである。あの喧嘩《けんか》のこと以外には、彼にとって不利なことはひとつもない。ところが、わたしの姉とくると、彼ばかりでなく、自分の周囲のものなら、だれかれの見さかいもなく、一万べんも喧嘩をしているのである。それから、あの見知らぬ男だが、もし彼が二枚の札《さつ》をとりもどしにかえってきたとしても、事のおこるきづかいはないのである。姉はそれを返すつもりでいたからである。それに、口論なんかじっさい起りはしなかった。加害者はそっとだしぬけにはいってきたので、彼女はふりむくひまもないうちに、なぐり倒されたのである。

いかに知らないこととはいえ、この武器がわたしから出たのだと考えると、恐ろしくなった。でも、それ以外に考えようがなかった。わたしを金縛りにしている子供時代のあの呪縛《じゅばく》をいよいよ断ちきって、すっかりジョーに話してしまったものかどうかと、わたしはとつおいつ思案にくれながら、口にいえないほど思いなやんだ。その後何カ月かのあいだ、毎日この問題に、けっきょく否定的な解答をあたえては、また翌朝になると、それをむしかえして、議論してみるのだった。この事は、とどのつまり、こういうことになった——つまり、この秘密は非常に古いもので、いまではすっかりわたしの内部にはいりこみ、わたしの一部になってしまっている、いまさらそれをむしりとることはできなくなっている、というのである。この秘密は、こんなにひどい災いのもととなった以上、もしジョーがそれを信じたら、彼をいままで以上にわたしから引きはなしてしまう危険があるという恐怖のほかに、さらにもうひとつの恐怖がわたしの口を閉ざしたのだった。それは、ジョーはこの話を信じないで、途方もなく大きな犬や、ヴィール・カツレツといっしょに、それもばかげた作り話だというだろう、ということだった。しかし、わたしが自分にたいして一時のがれをやったのはもちろんである。――いったいわたしはなにか事がおこった場合、いつも正と邪のあいだを、ふらふら、ふらつきはしなかったろうか？――そして、もしもこういうことがもういちどもちあがって、加害者を発見する助けとなるような新しい機会を生みだしたら、そのときこそ、すっかり打ち明けてしまおうと決心した。

一、二週間というものは、巡査やロンドン警察の刑事たち――というのは、これはいまは廃止になった赤胴衣警官の時代に起こったことだからである――が、家のあたりに張りこんでいて、こんなとき官憲がやるものと話に聞いたり、本で読んだりしていたところと、似たりよったりのことをした。彼らは間違っていることがわかりきっている人間を何人も捕えてみたり、まるで見当ちがいな考えに頭をくぎづけにして、周囲の事情から考えをひきだすかわりに、周囲の事情をその考えにむりやりこじつけようと努力したりした。それからまた彼らは、界隈の人々をすっかり感嘆させたほどのしたり顔と、いかにも用心深い様子をして、船員亭の入口に張りこんだ。そして、神秘不可思議なやり口で、酒をものにした。それは、犯人をものにするときとほとんどおなじくらい不可思議千万な手口だった。といっても、全然おなじだったわけではない。犯人をものにすることは、ついにできなかったからである。

官憲が引きあげていってからも、姉は非常な重態で、長いこと寝ていた。彼女の視力がくるってしまって、いろんなものがいくつにもなって見えるので、本物のコーヒー茶碗やブドー酒のコップをつかむかわりに、幻のコーヒー茶碗やブドー酒のコップをつかもうとした。聴力も非常な障害をうけ、記憶力も同様、口のほうにいたっては、いったいなにをいっているのか、さっぱりわからなかった。人手をかりて階下《した》へおりられるようになってからも、口でつたえられないことを書いてつたえるように、いつもわたしの石板を彼女のそばにおいてやらなくてはならなかった。彼女は（文字がおそろしくへただったばかりでなく）、綴りのほうでも、ただ無頓着《むとんちゃく》といった程度のものではなかったし、それを読むジョーがまた、ただの無頓着といったくらいの、生やさしい程度の読みかたではなかったので、ふたりのあいだには、恐ろしい紛糾がたえず生まれ、わたしはそれを解くようにと、しょっちゅう呼びつけられた。メジシン（薬）のかわりに、マトン（羊肉）をやったり、ジョーをティー（茶）、ベーコンをベーカー（パン屋）ととっちがえることは、わたしのおかした間違いのうちでも、いちばんやさしいほうだった。

しかし、彼女は気質が非常によくなり、とてもしんぼうづよくなった。手足を動かすのにぶるぶるふるえてとまらないのは、彼女のふつうの状態となった。二、三カ月たってから、よく両手で頭をかかえて、そのまま陰鬱《いんうつ》な精神的錯乱をおこし、一週間ぶっつづけにそうしていたりした。彼女を看護してくれる適当なひとが見つからないで困っていたが、思いがけない事情がわたしたちを助けてくれた。ウォプスルさんの大伯母《おば》さんが、まえから宿癖のようになっていたその生活をついに清算して（つまり永遠の眠りについて）、ビディがわたしたちの家族のひとりとなってくれたのである。

ビディがこの世の全財産をいれた小さな斑《ぶち》入りの箱をかかえてやってきて、家の祝福となってくれたのは、ミセス・ジョーがふたたび台所へ姿を見せるようになってから、一月ほどたってからだったろう。とりわけ彼女は、ジョーにとって祝福となった。というのは、このなつかしい男は、妻の変りはてた姿をたえず見て、非常に悲嘆にくれ、晩など、彼女の看護をしながらも、ときどき涙にぬれた青い眼をわたしのほうにむけては、「あんなに立派な姿の女だったのになあ、ピップ！」と、口ぐせのようにいっていたからである。ビディは、すぐから、まるで彼女を子供の時分から研究していたかのように上手に世話してくれたので、ジョーはまえよりもずっと静かになった生活を、いくぶんでも楽しむことができるようになり、ときどきは気晴らしに、陽気な船員亭へでかけるようになった。これは彼にとっていいことだった。いかにも警察のやりそうなことだが、刑事連はみんな、多少とも気の毒なジョーに嫌疑《けんぎ》をかけていて（ジョーはそんなことはまるで知らなかったが）、こんな腹黒い男にぶっつかったことは、いままでいちどもなかったということに、ひとりのこらず意見が一致していたからである。

ビディがこの新しい仕事でまずあげた最初の勝利は、いままでわたしを完全になやましつづけていた、ある難問題を解決したことだった。わたしはなんとかしてそれを解こうと思って、さんざん苦労したが、ついに解きえないでいたのだった。それはこうである。

わたしの姉は、奇妙なTの字みたいな格好をした文字を、なんどもなんども石板の上にのたくっては、なにかとくに望んでいるように、それにむかってわたしたちの注意を、やっきになってひいていた。わたしは、タールからトーストパンや盥《タブ》にいたるまで、およそTの字ではじまるもので、もちだせるものはみんなもちだしてみたが、だめだった。ついに、その記号が槌《つち》に似ていることに気がついて、姉の耳もとで「槌、槌」とさかんに呼ぶと、姉はテーブルをげんこつでたたきだして、条件づきで同意しているみたいな様子を見せた。そこで、わたしは家にある槌という槌を、かわるがわる、全部もってきてみたが、やはりだめだった。それから、松葉杖《づえ》の格好がだいたいおんなじことから、それに気づいて、村でそれを借りだして、自信たっぷり姉のまえにもちだした。ところが、それを見た姉は、ものすごい勢いで首をふったので、わたしたちは、こんなにこわされて弱りきっている姉の首が、はずれてしまいはせぬかと、はらはらしたほどだった。

ビディが自分の気持ちを非常に早くのみこんでくれることが姉にわかると、またぞろこのふしぎな記号が、石板の上に現われはじめた。ビディは、じーっとそれを見つめ、わたしの説明を聞き、姉をじーっと見、それから、ジョー（彼はいつも石板にJという文字であらわされていた）をじーっと見てから、鍛冶場《かじば》へかけていった。ジョーとわたしも、すぐそのあとから走っていった。「それにきまってるわ！」と、ビディは勝ち誇った顔をして叫んだ。「あんたがた、わからないの？　あのひとのことよ」

なるほど、オーリックだ！　彼女は彼の名前を忘れてしまって、ただ彼のふる鉄槌《つち》で彼をあらわすことしかできなかったのである。わたしたちは彼に台所へきてもらいたいわけを話した。すると、彼はゆっくり鉄槌をおき、腕で額をふき、またエプロンでもういちど、額をふいてから、膝を浮浪人みたいに奇妙にだらしなくまげ（これは彼の非常な特徴だった）、うつむきながらでてきた。

正直にいって、わたしは姉が彼を非難するものと思っていたので、それとはちがった結果を見てがっかりした。彼女は彼と仲良しになりたいという、非常な熱望を面にあらわし、ついに彼がつれてこられたのを見て、とてもうれしそうな様子をし、なにか飲物を彼にやりたいという手振りをした。そして彼がこのようにむかえられたことをよろこんでくれるということをぜひともたしかめたいかのように、彼の顔を見つめ、彼と和解したいという希望を一生けんめいに見せた、彼女のあらゆる仕草のうちには、ちょうどきびしい主人にたいする子供の態度に見られるような、謙虚になってきげんをとりむすんでいるような様子が見えた。その日からというもの、彼女はほとんど毎日のように、鉄槌《つち》の図を石板にかき、オーリックは前かがみになりながらはいってきて、わたしと同様なんのことかさっぱりわからんというように、彼女のまえにむっつりつっ立っていた。

第十七章

わたしは、なんのへんてつもない、きまりきった徒弟生活にはいっていた。村境いや沼地の外へ出るというような、とくべつ変わったことといっては、わたしの誕生日がやってきて、ミス・ハヴィシャムの屋敷をまた訪問したことぐらいのものだった。ミス・サラ・ポケットは、あいかわらず門の係りをやっており、ミス・ハヴィシャムも、このまえのときとちっとも変わらなかった。彼女はエステラについて、言葉こそ多少ちがっていたが、おんなじような意味のことをいった。面会はほんの数分でおわった。わたしが帰りかけると、彼女はわたしに一ギニーくれて、またこんどの誕生日にきなさいといった。これは毎年の習慣となったと、ついでにここでいっておこう。最初わたしはそのお金を辞退しようとしたが、その結果は彼女を非常に怒《おこ》らしてしまって、もっとたくさんもらいたいのかと聞かれた。それからというもの、わたしはよろこんでいただくことにした。

暗くしてある部屋《へや》の黄色っぽい燈火《あかり》、化粧テーブルの鏡のわきの椅子《いす》に腰かけている、色あせた幽霊のような姿、この退屈な古い屋敷は、あまりにも変化しないので、時計がとまってしまった結果、このふしぎな屋敷では「時」までがとまってしまい、わたしも、屋敷の外のあらゆるものも、だんだん年とっているのに、屋敷の「時」だけは、ぱったり静止したままであるような気がした。わたしが記憶しているところでも、またじっさいにも、日の光はいちどもこの屋敷にはいったことがなかったのである。それはわたしを困惑させ、それに影響されて、わたしは心中ではあいかわらず自分の修業をきらい、自分の家を恥じていた。

だが、しらずしらずのうちに、わたしはビディが変わったことに気づいた。彼女の靴《くつ》のかかとは高くなり、髪はつやつやしくきれいになり、手はいつ見てもさっぱりしていた。彼女は美しくはなかった——彼女はあたりまえの人間で、エステラのようになりえなかった——が、愉快で、健康で、やさしい気まえだった。彼女がわたしたちといっしょになってからまだ一年とたたないある晩（いまでもおぼえているが、それは彼女の喪がやっと明けたばかりのことだった）、わたしは、彼女はふしぎに考えぶかい、注意ぶかい眼、非常にきれいで、非常に善良な眼をしていると、ひそかに思った。

それは、わたしがそれまでこつこつやっていた仕事から眼をあげて——ひとつの策として、同時に両方面から上達しようとして、ある本のページを書きとっていたのである——ビディがわたしのやる仕事をじっとながめているのを見たことからだった。わたしはペンをおいた。ビディも縫物を手にしたまま止めた。

「ビディ」と、わたしはいった、「あんた、どうしてそんなにうまくやれるんかなあ？　ぼくがよほどのばかか、それともあんたが非常にりこうなのか、どっちかなんだね」

「なにをわたしがうまくやってくというの？　わたし、わからないわ」と、彼女はにっこりしながらこたえた。

彼女は家事をいっさいきりまわしていた。しかも、驚くばかりに巧みにである。しかし、わたしのいうのはそのことではなかった。わたしがいおうとしていたことが、そのためいよいよ驚嘆に値したのではあるが。

「ビディ」と、わたしはいった、「あんたはぼくのおぼえることはなんでもおぼえ、いつもぼくにおくれないようにしてるが、どうしてそんなにうまくやれるんだい？」わたしは、自分の知識がすこし自慢になりかけていたところだった。というのは、誕生日の一ギニーはそのために使ったし、自分の小遣銭《こづかいせん》も大方そのためにとっておいたからである。いま思うと、わたしがおぼえたわずかばかりの知識は、その代価が非常に高価についたことはたしかである。

「あんたこそどうしてうまくやれるのか、わたしのほうからおたずねしたいくらいよ」と、彼女はいった。

「そんなことあるもんか。だって、ぼくが晩に鍛冶場から帰ってくるなりそれにとりかかることは、だれだって知ってることだが、あんたはちっともそれにとりかかりはしないんだもの」

「わたしきっと——風邪《かぜ》でもひくように——ひろうんでしょうよ」と、ビディは静かにいった。そして、針をうごかした。

わたしは、木の椅子によっかかって自分の考えを追いながら、首を一方にかしげて縫物をしているビディを見ているうちに、彼女がふしぎな娘のように思われてきた。彼女は、わたしたちの職業上の言葉でも、いろんな種類の仕事の名まえでも、さまざまな道具の名まえでも、おなじようにすっかり知っていることを、そのとき思いだしたからである。つまり、ひと口にいうと、ビディはわたしの知ってることはなんでも知っていたのである。理論的には、彼女はすでにわたしとおなじくらい、いや、わたし以上に立派な鍛冶屋だったのである。

「ビディ」と、わたしはいった、「あんたは、あらゆる機会をのがさないで利用するひとなんだね。あんたはここへくるまでは、いちども知る機会なんかなかったのに、なんていろんなことを知ってるんだろう!」

ビディはちょっとわたしを見てから、また縫物をつづけた。「でも、わたし、あんたの最初の先生じゃなかったかしら?」彼女は縫いながらいった。

「ビディ!」と、わたしはびっくりして叫んだ。「どうしたんだ、あんた泣いてるじゃないの!」

「いいえ、泣いてなんかいないわ」と、ビディは眼をあげて、笑いながらいった。「どうしてまたそんなこと考えたの?」

彼女の縫物の上に光りながら落ちたひとしずくの涙でなくて、なにがわたしにそんなことを考えさせることができたろう? わたしは、ウォプスルさんの大伯母さんが痼疾《こしっ》のようになっていたあのだらしない生活――あるひとたちがそれをすててくれたらほんとにありがたいのにと思われる、あのだらしない生活ぶり――を見事に克服して、永遠の眠りにはいるまで、彼女がいやしい奴隷みたいに、どんなに過労な仕事をやらされていたかを思いうかべながら、黙然としてすわっていた。わたしは、彼女があのみじめな小さい店と、騒々しい、みじめな小さい夜学校のなかで、いつもひきずりまわしたり、背負ったりしてやらねばならぬ、なにひとつできないみじめな老女をかかえながら、いつもそれにとりかこまれていたあの絶望的な境遇を思いうかべた。わたしは、そういったままならぬころでさえ、ビディのうちには、いま伸びつつあるものがひそんでいたにちがいない、なぜなら、わたしは、はじめて不安と不満を感じたとき、当然のこととして彼女の助けをもとめたのだから——と思った。ビディはもう涙は流さずに、静かに針をはこびながらすわっていた。わたしは彼女を見ながら、こうしたことをいろいろ考えている間に、おそらく自分はビディに十分感謝していなかったんじゃないだろうかという考えが、ふと胸にうかんだ。自分はあまりによそよそしすぎたかもしれない、もっと彼女に打ち明けて、彼女を引きたててやるべきだったろう（もっとも、わたしは考えに沈みながらも、このとおりの言葉を心のなかでいったのではなかったが）。

「そうだ、ビディ」と、わたしはこんなに考えてからいった、「あんたはぼくの最初の先生だったよ。それも、ぼくたちがこんなふうに、この台所でいっしょになるなんて、夢にも思わなかったときにねえ」

「ああ、おかわいそうに！」と、ビディはこたえた。彼女は、「おかわいそうに」という言葉を、姉の身にうつし、すぐたちあがって、いそいそと彼女をもっと楽にしてやった。それは、いかにも献身的な彼女らしいことだった。「それは、悲しいことだけど、ほんとうよ！」

「ねえ！」と、わたしはいった、「ぼくたちは、以前のようにもっといっしょに話しあうようにしなくっちゃいかんね。それから、ぼくは、まえのようにもっとあんたに相談したいんだ。こんどの日曜日に、沼地へいって、静かに話そうじゃないか。ねえ、ビディ、ゆっくりお話しようよ」

いまは、姉をひとりでほっておくということはけっしてなかった。しかし、つぎの日曜日の午後には、ジョーがよろこんで姉の世話をひきうけたので、ビディとわたしはいっしょに出かけた。もう夏で、美しいお天気だった。村や教会や墓地をとおりすぎて、沼地に出、動いている船の帆が見えだすと、わたしはいつものように、この風景をミス・ハヴィシャムやエステラとむすびつけて考えはじめた。わたしたちは、川岸へでて、土手に腰をおろした。水はわたしたちの足もとでぴちゃぴちゃいっていて、そのためかえっていっそう静寂になった。そこで、わたしは、これこそビディに自分の心の奥底を打ち明けるのに、いかにもふさわしい時と場所だと考えた。

「ビディ」と、わたしは彼女に秘密を守るという約束をさせてから、いった、「ぼくはねえ、紳士になりたいんだよ」

「まあ、わたしだったらならないわよ！」と、彼女はこたえた。「そんなことしたって、つまんないと思うわ」

「ビディ」と、わたしはすこしきびしい調子でいった、「ぼく、紳士になりたいというとくべつの理由があるんだよ」

「あんたがいちばんごぞんじだわ、ピップ。でも、いまのままのほうが幸福だと思わないこと？」

「ビディ」と、わたしはいらいらしながら叫んだ、「ぼくは、いまのままじゃちっとも幸福じゃないんだ。ぼくはぼくの職業にも、ぼくの生活にも、うんざりしてるんだ。ぼくは、弟子《でし》入りしてから、どちらも好きになったことなんか、いちどだってないんだ。ばかいっちゃいかんよ」

「わたし、ばかだったの？」と、ビディは静かに眉をあげながらいった。「ごめんなさいね。わたし、そんなつもりじゃなかったのよ。わたし、あんたがぐあいよくやって、愉快になることばかりねがってるのよ」

「じゃ、あそこだとぼくはけっして愉快にならんだろうし、またなることもできない――ただみじめなだけだってことを、はっきりとわかっておくれよ、ビディ！　いまのような生活とはすっかりちがった生活をおくるんでなくっちゃ」

「それは残念なことだわ」ビディは悲しそうに、首をふっていった。

　ところで、わたしもまたそのことを、なんども残念に思っていたことと て、ビディに彼女の感情とわたし自身の感情を言葉にだしていわれると、たえまない自分自身との奇妙な争いのため、やるせない気持ちになったわたしは、困惑と悲痛の涙をあぶなく流しそうな気持ちになった。わたしは彼女に、あんたのいうとおりだ、非常に残念なことだということは自分もよくわかっている、だが、どうすることもできないんだ、と話した。

「もしぼくが落ち着くことができて」と、わたしは手のとどくところにある短い草を、ひっこ抜きながらいった――ちょうど、いつかわたしが自分の髪から、自分の感情をひっこ抜いて、酒造場の塀《へい》にそれを足で蹴りこんだときのように――「もしぼくが落ち着くことができて、せめて小さかったときの半分も鍛冶場が好きになれたら、そのほうがぼくのためにずっとよかったろうということは、ぼくにもわかっているんだ。もしそうだったら、あんただって、ジョーだって、ぼくだって、なにひとつ不足はなかったろう。ぼくの年季があけたら、ジョーとぼくはいっしょに組んで仕事をやったろう。ぼくは大きくなって、あんたといっしょにさえなったかもしれない。ぼくたちは、美しく晴れた日曜日など、全然ちがった人間として、この土手の上に腰をおろしたかもしれない。ぼく、あんたに釣合わないことないんだろう、ねえ、ビディ？」

ビディは走っている船を見ながら、ため息をついた。そして、こちらへふりむいていった。

「そうよ、わたし、あんまり気むずかしいほうではないのよ」それは、どうにもお世辞とはうけとれなかった。でも、彼女が良い意味でいっていることはわかっていた。

「そうするかわりに」と、わたしはさらに草を引っこ抜いて、葉っぱを一つ二つ嚙みながら、いった、「ぼくがどんな様子かごらん。不満で、不愉快で、それから――いったいぼくが粗野でいやしいからって、それがぼくになんだろう――もしだれもそんなことをぼくにいうものがなかったら！」

ビディはふいにわたしのほうに顔をふりむけて、いままで走っている船を見ていたよりもずっと注意ぶかく、わたしを見た。

「そんなことというなんて、あたってもいなければ、あまり礼儀正しいことでもないのね」と、また眼を船のほうへむけながらいった。「いったいだれがそんなことといったの？」

わたしはろうばいした。どうなることかもはっきり見さだめないで、うっかり口をすべらしたからである。しかし、いってしまった以上、いまさらごまかすわけにはいかないので、わたしはこたえた。「ミス・ハヴィシャムのお屋敷にいた、美しい若い女のひとだよ。あのひとは、いままで見ただれよりも美しいんだ。ぼくはあのひとを非常にしたってるんだ。で、あのひとのために、紳士になりたいと思うんだよ」こう気ちがいじみた告白をしてしまうと、わたしはひきちぎった草を川の中へ投げこんだ。まるで、いっそ自分もそれといっしょに、とびこみたいとでも思っているように。

「あんたが紳士になりたいってのは、そのひとを見かえしてやるためなの、それともそのひとを自分のものにするためなの?」ビディはちょっと黙っていてから、こうたずねた。
「ぼくにはわからないんだ」と、わたしはふさぎこんでいった。
「というのはね、もしそのひとを見かえしてやるためだったら」と、ビディはつづけた、「そのひとのいうことなんか、ちっとも気にかけないでいるほうが、もっといい、もっと独立的なやりかただと、わたし思うの――でも、あんたがいちばんよくごぞんじよ。それから、もしそのひとを自分のものにするためだったら――わたし、そのひとは、自分のものにする値打のないひとだと思うの――でも、あんたがいちばんごぞんじよ」

それは、わたしがなんどもなんども考えたとおりだった。そして、その瞬間、自分にはっきりわかっていたことだった。とはいえ、最もすぐれた、最も聡明《そうめい》な人間でさえ、毎日おちいっているあのふしぎな矛盾を、眩惑《げんわく》された哀れな田舎者にすぎないわたしに、どうして避けることができたろうか?

「そりゃそのとおりかもしれん」と、わたしはビディにいった。「でも、ぼくあのひとをとてもしたっているんだよ」

つまり、わたしはここまでくると、うつぶせになって、両方のこめかみの髪毛をしっかりつかんで、かきむしったのだった。そうしながらも、わたしの心がこんなに狂い、こんなに間違ったものに注がれていることは、まさに狂気の沙汰だということ、こんなばか者にくっついている罰として、自分の顔を髪の毛でつりあげて、小石の上にたたきつけてやったら、さぞかしいい気味だろうということも、はっきりわかっていた。

ビディはほんとうに賢い娘だった。で、それ以上わたしに理屈をいわないようにした。彼女は、わたしの手の上に彼女の手——それは仕事であれてはいたが、心持ちよい手だった——を一つ一つのせて、それをそっとわたしの髪からはなさした。それから、なぐさめなだめるように、わたしの肩をやさしくなでた。そうされながら、わたしは袖に顔をうずめて、すこしばかり泣いた——ちょうどあの酒造場の庭でやったように——、そして、自分はだれかに、それともみんなのものに、非常に残酷な目にあわされているのだというふうに、漠然《ばくぜん》と感じた。が、どちらかは、わからなかった。「わたし、ひとつうれしいことがあるのよ」と、ビディはいった、「それはね、ピップ、あんたがわたしに心の中を打ち明けられるような気持ちになってくれたことなの。それから、もうひとつうれしいことは、わたしは秘密を守るものと安心して信じていていいと、あんたが思ってくださることよ。もしあんたの最初の先生が（まあ！　なんて哀れな先生だったんでしょう！　自分自身教えられる必要があったのに！）もしいまあんたの先生だったら、どんな教訓を教えてあげたらいいかわかってるでしょう。でも、それは、とても困難なことだろうと思うわ。それに、あんたはもう先生を追いこしてしまったんですから、いまはなんの役にもたたないわけね」そういって、ビディはわたしのために静かにため息をつきながら、土手からたち上がった。そして、生き生きとした楽しげな声にかわっていった。「もすこし先へ歩きましょうか、それとも帰りましょうか？」

「ビディ」と叫んでわたしは立ち上がり、片腕を彼女の首にまわして彼女にキスした、「ぼく、なんでもあんたに打ち明けるよ」

「あんたが紳士になるまではね」と、ビディはいった。

「ぼくけっしてならないってことわってるじゃないか。だから、いつもだよ。なにかあんたに話す必要があるっていうわけじゃないけどね。だって、あんたはぼくの知ってることはなんでも知ってるんだから――ぼくいつかの晩、家であんたにそういったろう？」

「ああ！」と、ビディは向こうの船のほうを見ながら、小さな声でささやいた。そして、またまえの楽しげな調子にかえっていった。「もすこし先へ歩きましょうか、それとも帰んなさる？」

わたしは、もすこし先へ歩いていこうと、ビディにいった。そして、歩いていった。夏の日の午後は和らいで、夏の夕べとなっていた。それは、とても美しい夕べだった。わたしは、このような環境にいるほうが、時計がことごとくとまっている部屋で、ローソクの光に照らされ、エステラにさげすまれながら、乞食遊びをやるよりは、けっきょく自分にとって、いっそう自然で、いっそう健全なことではないだろうかと思うようになった。もし自分がいろんな思い出や気まぐれといっしょに、エステラを忘れさることができ、自分のやらねばならぬことを楽しみ、それに固執し、それにせいぜい耐える決意をして、仕事にむかうことができたら、それこそどんなにいいことだろうか？　と思った。もしいまビディのかわりにエステラがわたしのそばにいたら、エステラはきっとわたしをみじめにするだろうということを、自分はほんとに知っていないのかどうか？　わたしは自問してみた。わたしは、自分がそのことをはっきり知っていることを、みとめないわけにはいかなかった。そして、わたしは自分にいった。「ピップ、おまえは、なんてばかなんだ！」

わたしたちは、歩きながらいろんな話をした。ビディのいうことは、なんでも正しいように思われた。ビディは、人をさげすんだり、気まぐれだったり、または、今日と明日でまるで別人になったりすることは、けっしてなかった。彼女が、わたしに苦痛をあたえたら、彼女はそれを苦痛に思うだけで、それを喜んだりなどけっしてしなかった。わたしの胸を傷つけるくらいなら、むしろ彼女自身の胸を傷つけたであろう。では、わたしがふたりのうちで、彼女のほうをずっと好きにならなかったのは、いったいどうしたわけだろうか？

「ビディ」と、家路にむかいながら、わたしはいった、「あんたがぼくを正してくれることができたら、うれしいんだがなあ」

「ほんとに、そうできたらねえ！」と、ビディはいった。

「もしぼくがあんたを愛するようになれさえしたら――あんたのように古いなじみに、こんなにあけすけにいっても、気にしはすまいね？」

「まあ、そんなことちっともよ！」と、ビディはいった。「わたしのことなど、かまわないでよ」

「もしぼくがそうすることさえできたら、それこそぼくにとってはなによりなんだが」

「でも、あんた、けっしてそうなりっこないわよ」と、ビディはいった。

もし数時間まえにこんなことをいいあったのだったら知らぬこと、あの夕暮れには、それほどありえないことのようには思えなかった。だから、わたしは、そうはっきりはいいきれないよ、といった。しかし、ビディは、わたしはそういえてよといった。しかも、いかにもきっぱりとそういいきった。わたしは、心のなかで彼女のいうことは正しいと信じたが、それでも、彼女がそのことをそんなに確信しているのに、いささか気を悪くした。

わたしたちは、墓地の近くで土手を横ぎって、水門のそばの踏み段を越えなくてはならなかった。すると、水門から、それとも藺のなかからか、または泥のなかからか（どんよりした彼に、いかにもふさわしいことだが）、年上のオーリックがとびだした。

「よお！」と、彼はうなるようにいった、「あんたたちふたり、どこへいくんかね？」

「家へいかなくて、どこへいくもんかね？」

「じゃ」と彼はいった、「見送ってやらんとしたら、呪われやがれだな！」

この呪われやがれ！　というのは、彼がなんでも仮定していう場合に好んでつかう懲罰だった。彼は、わたしの知ってるかぎり、それになにもはっきりした意味をつけないで、ちょうど自分の本名だとふれこんでいるあの名のように、ひとびとを侮辱し、なにかしら意地悪くやっつけるような意味をつたえるために、つかっているだけのことだった。わたしは小さかったころ、もし彼がわたしを直接呪うとしたら、彼はきっと鋭くとがって、曲がった鉤《かぎ》で呪うだろう、と思いこんでいたのだった。

ビディは彼がいっしょに道連れになることに、ひどく反対して、わたしにそっとささやいた。

「いっしょにこさしちゃだめよ。わたし、あの人きらいなんだから」

わたしも彼を好きではなかったので、ありがたいが、見送ってもらわなくともいいんだ、と無遠慮にいってやった。彼はそういわれると、ほえるような笑い声をたてて、あとになった。しかし、すこしおくれて後ろから、うつむきながらついてきた。

姉がなにひとついいえないでいるあの残虐な加害事件に彼が関係しているものと、ビディは疑っているかどうか知りたかったので、わたしは、彼女になぜあいつをきらうんだ、とたずねた。

「おお！」と、彼女はうつむきながら後からついてくる彼を肩ごしに見かえしながらこたえた、「だってあのひと――わたしを好いてるらしいのよ」

「あいつ、あんたを好いてるって、あんたにいったのかい？」と、わたしは憤然としてたずねた。

「いいえ」と、ビディはまた肩ごしにふりむきながらいった。「あのひと、いちどもそんなこといったことはないの。でも、あのひと、わたしと眼があうと、いつでもわたしの気をひこうとして、おどって見せるようにするのよ」

この愛着の証拠がどんなに新奇で、風変りなものであったにせよ、わたしはその解釈が正確なことをすこしも疑わなかった。不敵にも彼女に愛慕をよせる年上のオーリックに、わたしは激しい怒りを感じた。まるで、わたし自身侮蔑《ぶべつ》されたみたいに怒れたのだった。

「でも、そんなこと、あんたにはどっちでもいいことなのよ」と、彼女は落ち着いていった。

「そりゃそうだ。ぼくにはどっちでもいいことだ。ただ、そんなことぼくは好かないんだ。そんなこと、ぼくみとめるわけにゃいかないんだ」

「わたしだってそうよ」と、ビディはいった。「でも、それだって、あんたにはどっちだっていいことなのよ」

「そのとおりだ」と、わたしはいった。「だが、ぼくははっきりいうがね、もしやつがあんたの承知の上であんたにおどって見せるとしたら、ぼくあんたにあまり感心しはしないんだろうよ」

その晩から、わたしはオーリックに眼をつけていた。そして、彼がビディにおどって見せるような機会があると、いつも機先を制してそれをぶちこわしてやった。姉がとつぜん彼を好きになったため、彼はジョーの家にすっかり根をおろしていた。でなかったら、わたしはなんとかしてやつを首にさしてしまったろう。彼はわたしのこの親切な魂胆《こんたん》を知っていて、その返礼をしたのだった。これは、のちになってわかったことだが。

さて、それまでは、わたしの心もそれほど混乱してはいなかった。ところが、こんどは、ビディはエステラなんかよりはるかにすぐれており、自分が生まれついている、この素朴で、正直な労働生活は、すこしも恥ずべきものではなく、自分に自尊と幸福の十分な手段をあたえてくれる、ということが、ときどきはっきり確信されることがあったので、心の混乱は何万倍にも深刻にされたのだった。そんなとき、わたしは愛するジョーや、鍛冶場からはなれる気持ちはすっかりなくなり、自分はジョーのパートナーとなり、ビディといっしょになれるように、立派に成人しているのだ、と最後的に断定するのだった——すると、なにかしらハヴィシャム時代の呪うべき思い出が、さながら破滅的な飛び道具かなんぞのように、とつぜんわたしの上におちかかってきて、わたしの心をばらばらに打ちくだいてしまうのだった。ばらばらに打ちくだかれた心をひろいあつめるのには、長いことかかった。まだすっかり寄せあつめないうちに、たとえば、ミス・ハヴィシャムはけっきょくわたしの年季があけたら、わたしをお金持にしてくれるかもしれないなどというような、ちょっとした気迷いのため、四方八方にとびちらされてしまうということが、しばしばだった。

たとえ年季があけてしまったとしても、わたしはいぜんとして困惑のどん底に放りこまれていたことだろう。だが、これからお話するように、年季はあけてしまうことなく、そのまえに終りとなったのである。

第十八章

徒弟生活ももう四年目の、ある土曜日の晩のことだった。陽気な船員亭の暖炉の火のまわりには、ひとかたまりのひとがあつまって、ウォプスルさんが、大きな声で新聞を読むのをじっと聞いていた。わたしもそのひとりだった。

非常な評判になった殺人事件があって、ウォプスルさんは、眉毛まで血にひたっていた。彼は新聞の記事のうちにあらわれる恐ろしい形容詞にであうごとに、うなり声をあげ、公判廷におけるすべての証人になりすました。犠牲者となっては、「もうだめだ」と、幽かな声でうめいたり、殺人者となっては、「仕返しだぞ」と、凶暴にほえたてたりした。彼はまた、土地のお医者さんを辛辣《しんらつ》にまねて、医学上の証言をした。あるいはまた、なぐる音を聞いたという年寄りの税門番となっては、この証人の精神能力が疑われるほど中風病みらしく、ひいひい泣いたり、がたがたふるえたりした。いったんウォプスルさんの手にかかると、検死官はさながらアセンズのタイモンとなり、廷丁はコリオレーナスと化した。彼はすっかりいい気持ちになり、わたしたちもみんないい気持ちになり、とても愉快だった。こうした打ちくつろいだいい気持ちで、わたしたちはまさに故意の殺人であるという判決にたっした。

そのときになって、はじめてわたしは、向い側の長椅子の高い背によっかかって見物している、見知らぬ紳士に気づいた。彼の顔には、さげすむような表情がうかんでいた。彼は、みんなの顔をながめまわしながら、その大きな人差し指の腹を嚙《か》んだ。

「なるほど!」と、その見知らぬひとは、読みおわったウォプスルさんにむかっていった。「あんたはご自分の満足のいくように、すっかり決着させたようですな?」

みんなは、はっとして、まるで彼が殺人犯であるかのように、いっせいに見あげた。彼は、みんなを冷然と、皮肉そうに見おろした。

「もちろん、有罪、ですな?」と、彼はいった。「はっきりいいたまえ。さあ!」

「失礼だが」と、ウォプスルさんはこたえた、「どなたかぞんじあげませんが、わたしはあえて、有罪と断定しますよ」すると、わたしたちも勇気が出て、みんなそのとおりだ、とささやきあった。

「あんたがそういわれることはわかっていますよ」と、見知らぬ紳士はいった。「そういわれるだろうということは、わかってましたよ。わしはそういったでしょう? だが、ひとつあんたにお聞きするが、いったいあんたは、イギリスの法律では、すべての人間はちゃんと証明されるまで――つまり有罪であることが証明されるまでは、無罪であると考えられていることをご承知ですかな、それともご承知ないのですかな?」

「失礼ですが」ウォプスルさんはこたえようとした、「わたし自身イギリス人として、わたしは――」

「さあ、さあ!」と、見知らぬひとは彼にむかって人差し指を嚙みながら、いった。「問題をごまかしてはいけない。あんたはそれをご承知か、それともご承知ないかだ。いったいどちらなんです?」

彼は弱い者いじめでもやる尋問的な態度で、頭を一方にかしげ、体《からだ》を反対のほうに曲げながら立っていた。そして人差し指をまた嚙もうとして、ちゃんと目星をつけてるみたいに——それをウォプスルさん目がけて投げつけるようにした。

「さあ！」と、彼はいった。「あんたはそのことをご承知なんですか、それともご承知ないのですか？」

「むろん知っておりますよ」ウォプスルさんはこたえた。

「むろんあんたはご承知だ。じゃ、なぜそうと最初からおっしゃらなかったんです！　さて、こんどは別のことを質問しますぞ」まるでそうする権利があるかのように、ウォプスルさんをつかまえながらいった。「あんたはそれらの証人は、まだだれひとり反対尋問をうけとらんということをご承知ですかな？」

「わたしはただ——」と、ウォプスルさんがいいかけると、見知らぬひとは彼をさえぎった。

「なんですって？　あんたはその質問に、然《しか》りとも否ともこたえられないんですか？　じゃ、もういちどやって見ましょう」また人差し指を彼にむかって投げつけながら、「わたしのいうことをよく聞きなさい。あんたはこれらの証人がまだだれひとり反対尋問をうけていないということをご承知ですか、それともご承知ないのですか？　さあ、わたしはあんたからたったひと言聞けばいい。然りか、否か？」

ウォプスルさんはためらった。そこで、わたしたちは、みんな彼をいささか見くびりはじめた。

「さあ、さあ！」と、見知らぬひとはいった。「わしがお助けしてあげよう。あんたにゃ手助けなんかしてあげる値打はないんだが、まあ助けてあげよう。あんたが手にもっている新聞を見なさい。なんです、それは?」

「これがなにかですって?」と、ウォプスルさんはまごまごして、それを見ながらくりかえした。

「それは」と、見知らぬひとは恐ろしく皮肉たっぷりに、うさん臭そうにつづけていった、「あんたがいま読んでいた印刷した新聞ですかな?」

「もちろんそうです」

「もちろんそうだ、と。そこで、その新聞を見て、つぎのようなことが明白に書いてあるかどうかいってごらんなさい。つまり、被告はその新聞にむかって、自分は自分の法律顧問たちから、弁護をいっさい保留するようにさしずされている、といったということがです」

「そりゃ、いま読んだばかりですよ」と、ウォプスルさんは抗弁した。

「なにを読んだばかりか、そんなことはどうでもよい。わしはなにもあんたに、あんたはいまなにを読んだばかりかなどと質問しているんじゃない。あんたはお好きなら、主の祈祷をさかさまに読んでいてもかまわん——たぶんいままでそうやっていたかもしれんが、新聞を見なさい。いや、そうじゃない、きみ。欄の上のほうじゃない。きみはもっとよくわかってるんだろう。下のほうですよ、下のほうです」(わたしたちはみんな、ウォプスルさんはまるでごまかしだらけだなと考えはじめた)「どうです? 見つかりましたかな?」

「やあ、ありました」と、ウォプスルさんはいった。

「さあ、そこの文をご自分の眼で読んで、被告は彼の法律顧問たちから、弁護をいっさい保留するようにさしずされましたと、とくにかたったと、はっきりのべてあるかどうか、いって見なさ

「そのとおりの文句じゃありませんよ」ウォプスルさんはこたえた、「そのとおりの文句じゃあありませんよ」

「そのとおりの文句じゃない!」と、見知らぬひとはにがにがしげにくりかえした。「そのとおりの内容かね?」

「そりゃそうです」と、ウォプスルさんはいった。

「そりゃそうです」と、見知らぬひとは右手を証人ウォプスルのほうにつきつけ、一座のものを見まわしながら、くりかえした。「ところで、こんどはあなたがたにおたずねするが、そういう文句を眼のまえにおきながら、同胞にたいし、弁護もゆるさずに、有罪の判決を下したのち、枕《まくら》を高くして眠ることのできるあの男の良心にたいし、あなたがたはいったいなんといわれますかな?」

わたしたちはみんな、ウォプスルさんはいままでみんなの思っていたような人間ではなかったのだ、いまその化けの皮がはげかかったのだと、考えるようになった。

「ところで、いいですか、そのおなじ男がですよ」と、見知らぬひとは、ウォプスルさんにむかって、指をいやというほど投げつけながら、つづけた。「そのおなじ男がです、この裁判に陪審員として招集されるかもしれんのです。そして、こんなにあかっ恥をかきながら、自分はわれらの主君国王陛下と刑事被告人のあいだにたって、事件をよく正しく裁《さば》くであろう、そして、確たる証拠にもとづいて、正しい判決をあたえるであろうと、ゆうゆうと宣誓をし、そのあとで、自分の家族のふところにかえって、枕を高くして安らかに眠るかもしれんのですよ」

わたしたちはみんな、気の毒に、ウォプスルさんはあんまり極端になりすぎたんだ、まだ間にあううちに、そんな無茶な生活ぶりはやめちまったほうがいいのだ、とつくづく考えた。

見知らぬひとは、争うべからざる権威の持主であるという様子と、なにかしらわたしたちみんなの秘密を知っていて、もしそれをばくろしようと思えば、だれにでもいやというほどさらけだしてやることができるんだぞと、いわんばかりの態度をして、長椅子の高い背をはなれ、長椅子と長椅子とのあいだの暖炉のまえのところにやってきて、左手をポケットにつっこみ、右手の人差し指を嚙みながら、そこにつったっていた。

「わしが聞いてきたところによると」と、彼は自分のまえにすっかりちぢみあがっているわたしたちを見まわしながらいった、「あんたがたのうちに、ジョセフ――またはジョー――ガージャリという名の鍛冶屋さんがいるはずだが。どなたですかな？」

「わたしですが」と、ジョーはいった。

見知らぬ紳士はジョーを手招きしたので、ジョーは席をたって彼のほうへいった。

「あんたのところにゃ」と、見知らぬひとはつづけた、「ふつうピップという名でとおっている奉公人がおりましょうが？　いまここにおりますかな？」

「ぼくです！」と、わたしは叫んだ。

見知らぬひとのほうでは、わたしがわからなかったが、わたしのほうでは、この紳士は二どめにミス・ハヴィシャムの屋敷へいったとき、階段のところで出会った紳士だと、すぐわかった。わたしは彼が長椅子の背ごしに見おろしているのを見た刹那《せつな》、それとわかったのである。そして、わたしの肩に片手をのせている彼とま正面に向かいあったいま、わたしはまた彼の巨大な頭、浅黒い顔、深くくぼんだ眼、ぼさぼさした黒い眉毛、大きな時計の鎖、あごひげや頰《ほお》ひげのどす黒い点々、それから彼の大きな手の香料入り石鹸《せっけん》の匂いまで、いちいちこまかく照合して見た。

「わしはあんたがたふたりと内々でお話したいんだがね」彼はわたしをゆっくりながめてから、いった。「すこしばかり暇がかかるだろう。いっそあんたがたのお住居へいったほうがいいかもしれん。わしのお話することを、ここで先走っていうことはやりたくない。あんたがたは、お友だちには、あとから好きなだけもらしなさるがいいだろうし、いやなら、もらさないでいなさるがいいだろう。それは、わしの知ったことじゃない」

びっくりして黙りこくっているなかを、わたしたち三人は、船員亭から出て、おなじようにびっくりして黙りこくったまま、歩いて帰った。歩きながら、見知らぬ紳士はわたしをときどき見、そして、ときどき指の腹を嚙んだ。家に近づいたとき、ジョーは、これは厳粛な正式の場合だと、ばくぜんとながら考えて、先きまわりして表のドアをあけた。わたしたちの話は、一本のローソクでかすかに照らされている、いちばん上等の客間でおこなわれた。

まず、見知らぬ紳士はテーブルにむかって腰をおろし、ローソクを自分のほうに引きよせて、手帳の書きこみに眼をとおした。それから手帳をしまいこんで、ローソクをすこしわきによせ、そのまわりの暗闇をのぞきこむようにして、ジョーとわたしを、どっちがだれかたしかめるみたいに見た。

「わしの名まえは」と、彼はいった、「ジャガーズといって、ロンドンの弁護士です。名まえはそうとう知られておる。そこで、あんたがたと取りきめなくちゃならん、妙な要件があるんですがね。はじめにおことわりしとくが、これはわしの発意じゃないということです。もしわしに相談があったんなら、わしはこちらへうかがったりなんかしなかったろう。ところが、なにも相談がなかったので、こちらへまいったわけです。わしはただ、他人の機密の代理人として、やらねばならんことをやるだけです。それ以下でもなければ、それ以上でもない」

彼のすわっているところからは、わたしたちがあまりよく見えなかったので、彼は立ちあがって、片足を椅子の背にかけて、それによりかかった。そのため、一方の足は椅子の上にあり、もう一方の足は床の上にあった。

「さて、ジョセフ・ガージャリさん、わしはあんたから、あんたのお弟子《でし》のこの若者を解いてやろうという申し出をもってきておるんですがね。あんたはこの若者が要求したら、彼のためにその年季証文を破棄されることに異議はありますまいな？　そうするからといって、なにか要求はしますまいな？」

「ピップのじゃまにならないようにするのに、なにか要求するなんて、滅相もない」と、ジョーは眼をみはっていった。

「滅相もないとは結構なお言葉だが、かんじんな要点をはずれている」ジャガーズさんはこたえた。「問題は、あんたがなにか希望なさるかどうかということだ。で、なにか希望なさるかね？」

「そのおこたえとしては」ジョーはきびしい調子でこたえた、「いたしません」

わたしには、ジャガーズさんがジョーを、欲を知らぬあほうとでも考えたように、ちらっと一瞥したような気がした。しかし、わたしは息もつけないほどの好奇心と驚愕《きょうがく》のため、すっかり動転していたので、それをたしかめるどころではなかった。

「よろしい」と、ジャガーズさんはいった。「いまあんたが認められたことをよく思いだしてみて、すぐさまそれから外《はず》れようなんてしないようになさい」

「だれが外れようとしてるんですかね？」と、ジョーがやりかえした。

「別にだれもそうしようとしてるとはいわない。それはそうと、あんたは犬を飼っていますかね？」

「ええ、一匹飼っておりますが」

「じゃ、ほら吹き犬も結構なもんだが、鎹犬《かすがいいぬ》のほうがいちだん上だってことを、よく覚えとくんだね。そいつをよく覚えときなさいよ」と、ジャガーズさんはくりかえして、両眼を閉じ、まるでジョーのなにかをゆるすみたいに、彼のほうにうなずいて見せた。「そこで、話がこの若者にもどるが。わしがお伝えしなくちゃならんことは、この若者がばく大な遺産を相続する見込みをもっているということです」

ジョーとわたしは息をのんで、たがいに顔を見あわせた。

「わしはこの若者に」と、ジャガーズさんは横向きのままわたしにむかって指を投げつけるようにしていった。「彼は立派な財産をそっくり譲りうけることになるだろうということを、伝えるようにいいつかっておるのです。それから、もうひとつ、彼がすぐさまこの生活環境とこの土地をはなれて、紳士として教育される――つまり、大身代を相続する若者として教育されることを、その財産の現所有者は希望しているということです」

わたしの夢想が実現したのだ。冷やかな現実が、わたしの途方もない空想をとび越えてしまったのだ。ミス・ハヴィシャムは、わたしをすばらしい大金持にしようとしているのだ。

「さて、ピップ君」と、弁護士はつづけていった、「これからさきの話は、きみにむかっていうことだがね。まず最初にわかっておいてもらいたいことは、わしに指図しているそのひとは、きみにいつもピップという名まえでいてほしいと要求していることだ。おそらくきみは、大身代を相続するというきみの見込みに、こんなやさしい条件がくっつくことに異議はいうまい。だが、万一きみに異議があるなら、いまのうちにそういわなくちゃならん」

わたしの心臓はあんまり早く鼓動し、わたしの耳はがんがん鳴っていたので、ぼくにはなんにも異存がありません、とどもりながらいうのがやっとだった。

「そりゃそうだろう！　そこで、きみに第二にわかっておいてもらいたいことは、きみのその寛大な恩恵者の名まえだがね。これは、そのひとが打ち明けたいと思うまでは、深い秘密のままにしておくということだ。そのひととしては、直接自分の口からきみに名まえを明かしたい意向であるということは、わしからいうことができる。いつ、どこで、その意向が果たされるか、そいつはわしにはわからんし、またこだれにもわからんことだ。それは、いまから何年か後のことかもしれん。ところで、きみにはっきりわかっとってもらわなくちゃならんことは、このことについてせんさくしてみたり、あるいは、わしにたいするきみのいっさいの通信のなかで、どんな人間をも、たとえどんなにばくぜんとでも、その人だろうとほのめかしたり、当推量したりすることは、かたく禁じられているということだ。もしきみ自身の胸のうちに、疑惑があるなら、それはきみ自身の胸のなかにしまいこんでおくがいい。なぜこんなに禁ずるかという理由は、全然問題じゃない。それは、きわめて強い、きわめて重大な理由であるかもしれんし、あるいはまた、ほんの気まぐれであるかもしれん。いずれにせよ、それはきみのせんさくすべきことじゃない。きみがそれを承知し、義務としてそれを厳守するということが、あとに残ったただひとつの条件だ。わしがそのひとからいいつかったことは、それだけだ。わしはそのひとの指図をうけているのであって、それ以外のことでは、そのひとにたいしてなにも責任はないのだ。そのひとというのは、きみが財産を譲り渡される見込みのひとのことで、この秘密を知っているのは、ただそのひととわしだけだ。これだってまた、そんな金持になるための条件としては、たいしてむずかしいことじゃない。だが、もしきみになにかそれにたいする異議があるんなら、いまのうちにいってもらわなくちゃならん。はっきりいいたまえ」

わたしは、もういちど、ぼくにはなにも異議がありませんと、やっとのことでどもりどもりいった。

「そりゃ、まさにそうあるべきことだ！　さあ、ピップ君、これで約定はすんだ」彼はわたしをピップ君とよんで、すこしわたしに近づきはじめたが、それでもまだ、例の弱い者いじめみたいな、うさん臭い様子をすてることができなかった。そして、あいかわらず話しながらも、ときどき、もしわしがいおうと思いさえすりゃ、おまえの恥になるようないろんなことをいってやることができるんだぞ、といわんばかりに、両眼を閉じ、わたしを目がけて指を投げつけるようにしたりした。

「あとは取極めのほんの細目だ。わしは『財産相続の見込み』という言葉をなんどもつかったが、しかしきみがただそういう見込みをあたえられたばかりじゃないってことは、きみにもわかるだろう。きみがきみにふさわしい教育をうけたり、生活をしたりするのにありあまるほどの金が、すでにわしの手にはいっているのだ。どうかわしをきみの保護者と思ってもらいたい。いや、いや！」と、わたしが感謝しようとしたので、「さっそくいってしまうがね、わしはちゃんと報酬をうけているんだ。でなかったら、こんなまねなんかするもんじゃない。きみはきみの新しい地位にしたがって、もっと立派な教育をうけなくちゃならんし、それからきみは、その有利な地位にただちにつくことが大切であり、かつ必要であることをよく知ってくれる、と、こうわしは考えているんだがね」

わたしは、いつもそうなるようにあこがれておりました、といった。

「きみがなににあこがれておったかということは、問題じゃないんだよ、ピップ君」と、彼はこたえた。「よぶんなことはいっちゃいかん。もしきみが現在そうなるようにあこがれているんなら、それで十分だ。きみの返事は、さっそく喜んでだれか適当な先生につく、というのかね？そうなのかね？」

わたしは、はい、そのとおりです、と口ごもりながらいった。

「よしっ。そこで、きみの気持ちを聞いて見なくちゃならんのだが。いいかな、わしはきみの気持ちなんか聞くことは賢明なことじゃないと考えてるんだよ。だが、わしはそうしろといわれてるから聞くがね。きみにはだれかこれぞと思う先生があるのかね？」

わたしは、ビディとウォプスルさんの大伯母《おば》さん以外に、先生というものは知らなかったので、いいえ、ありません、とこたえた。

「わしがちょっと知っている先生があって、そのひとはちょうど格好の先生だと思うんだが」と、ジャガーズさんはいった。「まちがえちゃいかんが、わしはなにもそのひとを推薦するわけじゃないよ。わしはけっしてひとを推薦したりなんかしないんだからね。わしのいう紳士というのは、マシュー・ポケットというかたなんだ」

ああ！　その名はすぐわかった。ミス・ハヴィシャムの親戚《しんせき》のかただ。キャミラさん夫妻が話していたあのマシューだ。ミス・ハヴィシャムが花嫁の衣装をつけたまま、婚礼のテーブルの上に死んでよこたわるとき、彼女の枕もとにすわるはずの、あのマシューだ。

「きみ、その名まえを知ってるのかね？」と、ジャガーズさんは抜け目のない眼つきでわたしを見、それから両眼をぴったり閉じてわたしの返事を待った。

わたしは、その名まえを聞いたことがありますとこたえた。

「ほほう！　聞いたことがあるんか！　だが、問題は、それについてきみはどういうか？　ということだ」

わたしはあなたのご推薦を大へんありがたく思います、といった、いや、むしろいおうとした。

「いや、いや、きみ！」と、彼はその巨大な頭をゆっくりとふりながら、さえぎった。「気を落ち着けたまえ！」

わたしは、気を落ち着けることなしに、また推薦していただいて、大へんありがとうございます、といいかけた――

「だめ、だめ、きみ！」と、彼は頭をふって、同時に顔をしかめたり、笑ったりしながら、わたしをさえぎった。「だめ、だめ、だめ！　なかなかうまいことをいったが、しかし、それじゃだめだ。そんなことで、このわしをとっちめるにゃ、きみはまだ年が若すぎる。推薦という言葉はあたらんよ、ピップ君。もっとほかの言葉をいってみたまえ」

そこでわたしは、マシュー・ポケットさんの名まえをおっしゃっていただいて、大へんありがとうございます、といいなおした。

「それならまあ近い！」と、ジャガーズさんは叫んだ。

——それから、よろこんでそのかたにお習いしてみます、とわたしはいいそえた。

「よしっ。きみはあのかたの家へいって、習ってみるがよかろう。きみのため、その準備をしてあげよう。きみはまず最初に、ロンドンにいるその息子さんに会えるだろう。ところで、いつロンドンへくるかね？」

わたしは（身じろぎもせずにつっ立ったまま見ているジョーのほうへ、ちらっと眼をむけながら）、すぐいけると思います、とこたえた。

「まず第一に」と、ジャガーズさんはいった、「きみは上京するため服を新調しなくちゃならん。そりゃ、労働服じゃまずいんだ。来週のきょうとしようか。金がいるだろう。二十ギニーおいていこうかな？」

彼はいとも平然と長い財布《さいふ》をとりだし、二十ギニーだけかぞえてテーブルの上におき、それをわたしのほうへ押してよこした。このときはじめて彼は、片足を椅子からおろした。金を押してよこすと、椅子によこっちょに腰かけて、財布をぶらぶらさせながら、ジョーをじろじろ見た。

「ジョセフ・ガージャリ君！　あんた、すっかり唖然《あぜん》としてしまってるようだね？」

「そうです！」ジョーはおそろしくきっぱりといった。

「あんたは自分のためにはなにも望まない、というわけだったが、おぼえてますね？」

「そういうわけでした」と、ジョーはいった。「そして、そういうわけです。それから、いつでもそのとおりです」

「だが、どうかね」と、ジャガーズさんは財布をぶらぶらさせながらいった。「もしわしがあんたに、償《つぐな》いとして贈物をさしあげるようにいいつかっているとしたら、どうかね？」

「いったいなんのための償いなんですかね？」と、ジョーは強い調子で聞きかえした。

「彼が勤めをやめるためのですよ」

ジョーは、まるで女のようにやさしく片手をわたしの肩にかけた。その後わたしは彼のことを、力とやさしさをかねそなえていて、男ひとりをたたきつぶすこともできれば、卵の殻《から》をそっとさすることもできる、蒸気鎚《つち》のようだと、なんども思った。「ピップが勤めから解かれて、名誉と幸運をえるために出かけることは、とても口にはいわれんほど、心底から嬉しいことです。ですが、この可愛い子を――わたしの鍛冶場へきてくれた――わたしのいちばんの親友をなくするわたしの気持ちを、お金で償うことができるなどと、もしあんたがお考えになるんなら――」

おお、なつかしい、なつかしいジョー、ぼくはあんたをこんなにも平気ですてさろうとしているのに！　こんなにも恩知らずになろうとしているのに！　あんたの筋骨たくましい腕で両の眼をおおい、あんたの幅ひろい胸を波うたせながら、消えいるようなかすかな声でいった、あんたの姿が、こういうまも、まざまざと見えてくる。おお、善良で、誠実で、やさしく、なつかしいジョー、ぼくはぼくの腕を愛《いと》しそうににぎっていたあんたの手の震えを、まるで天使の翼ののきのように、いまも神々《こうごう》しく感じている！

だが、あのとき、わたしはジョーを力づけたのだった。わが将来の幸運の迷路に迷いこんだわたしは、わたしたちがともにつれだって歩いた小道を後《あと》もどりすることはできなかった。わたしはジョーに元気をだしてくれ、わたしたちは（彼がいったように）いちばんの親友だったんだから。そして（これはわたしがいったのだが）いつまでもそうなのだから、といってたのんだ。ジョーはわたしの腕から手をはなし、その手首で両の眼をえぐりとろうとしているみたいに、こすりつづけた。が、ひと言もいいはしなかった。

ジャガーズさんは、まるでジョーは村の痴呆《ちほう》で、わたしはそのお守り役だとでも思ってるようなふうに、この様子をながめていた。それがすむと、いつの間にかぶらぶら振るのをやめた財布の重みを、手ではかるようにしながら、いった。

「さあ、ジョセフ・ガージャリ君。きみに警告するが、これが最後の機会ですぞ。わしは中途半端なことはしない。わしはきみにあげるように贈物をことずかっとるが、もしそれをうけとられるおつもりなら、そうおっしゃい。そしたら、それはあんたのものになる。反対に、もしあんたが――」ここまでいいかけた彼は、ジョーがふいに凶暴な拳闘家みたいな身振りをして、彼のまわりをぐるぐる歩きだしたので、ぎょっとして、口をつぐんだ。

「わしの考えはこうだ」と、ジョーは叫んだ。「もしもおまえさんが、牛いじめや熊いじめみたいなまねをしにわしの家へこられたんなら、出てこい！　つまり、もしおまえさんが男一匹なら、かかってこい！　つまり、わしは本気でこういってるんですぞ！」

わたしはジョーをわきへひっぱっていった。すると、彼はすぐおとなしくなって、非常にやさしく、そして、たまたまかかりあいになってるものには、ていねいな好意的警告となるように、自分は自分の家で、牛いじめや穴熊《あなぐま》いじめのまねをされて、だまっているわけにはいかないと、わたしにいっただけだった。ジャガーズさんは、ジョーが示威運動をはじめたとたんに立ちあがって、入口近くまで引きさがっていった。二どとはいってくるような気配《けはい》はすこしも見せずに、彼はそこで別れの言葉をのべた。それは、こうであった。

「ピップ君、きみがここを立つのが一刻も早ければ早いほどいいと思うぞ――きみは紳士になるんだからな。来週のきょうとしよう。その間に、きみにわしの住所を刷ったのをとどけてあげよう。きみはロンドンの乗合馬車発着所で貸馬車にのって、まっすぐにわしの家へくればいい。間違えちゃいかんが、わしは自分に委託された義務について、かれこれ意見はさしはさまん。わしは報酬をうけとってやってるだけのことだ。そのことをはっきりわかっといてもらおう！　いいかな！」

彼は、わたしたちふたりにむかって指を投げつけていたが、すぐ出ていった。もしジョーを危険な男だと考えなかったら、いつまでもそうしていたかもしれないと思うが。

わたしはふっとあることを思いついて、貸馬車をまたせておいた船員亭のほうへ歩いてゆく彼を、後から追いかけた。

「すみませんが、ジャガーズさん」

「やあ！」と、彼はふりむいていった。「どうしたんだ？」

「ジャガーズさん、ぼくはあなたのお指図どおりにして、まちがいないようにしたいと思うんです。で、おたずねしたほうがいいと思ったんです。ぼくここをたつまえに、ここで知っているあるかたに、お別れのあいさつしてもさしつかえないんでしょうか？」

「むろんさしつかえない」と、彼はわたしがなにをいってるのか、のみこめないというような顔つきをしていった。

「村だけのことじゃなくて、あの町のことをいってるんですが」

「ないさ」と、彼はいった。「ちっともさしつかえない」

　わたしは彼にお礼をいって、家へ走って帰った。すると、ジョーは表の入口に錠をおろし、いちばんの客間から引きはらって、台所の暖炉のまえにすわって、膝に手をおきながら、燃えている炭火にじっと見いっていた。わたしもまた暖炉のまえにすわって、炭火をじっと見つめたまま、しばらくのあいだなんにもいわなかった。

　姉は、彼女の炉隅《ろずみ》のクッションつきの椅子に腰かけていた。ビディは炉のまえにすわって、針仕事をしていた。ジョーはビディのつぎにすわり、わたしはジョーのつぎの姉の向い側にすわっていた。わたしは、炭火を見ていればいるほど、ますますジョーの顔を見ることができなくなった。沈黙が長くつづけばつづくほど、わたしはいよいよ話すことができないような気持ちになるばかりだった。

　とうとう、わたしは口をきった。「ジョー、ビディにもう話してくれたかい?」

「いいや、まだだ。おまえが話すのをまってたんだ、ピップ」と、ジョーはあいかわらず火に見いったまま、両の膝《ひざ》をしっかりつかみながらこたえた。まるで、膝がどこかへ抜けていってしまおうとしているという情報を、ひそかにうけとったかのように。

「かえってあんたにいってもらったほうがいいんだよ、ジョー」

「そうか、じゃ、いうが、ピップはお金持の紳士なんだ」と、ジョーはいった。「神さまがピップをお恵みくださいますように?」

　ビディは縫物をとりおとして、わたしを見た。ジョーは膝をつかんで、わたしを見つめた。わたしはふたりを見た。ちょっとしてから、ふたりはほんとにおめでとうと祝ってくれた。しかし、ふたりの祝いの言葉のうちには、なにかしら悲しげな気配があったので、わたしはすこし気にさわった。

わたしは、自分の友人たちは自分の恩恵者についてなにごとも知ったり、いったりしてはならない重大な義務をもっているということを、ビディに（それから、ビディをとおしてジョーに）強く感じさせようとした。そのうちには、なにもかもいっさいわかるときがくるだろう、だが、それまでは、わたしがふしぎな恩恵によって大財産の相続予定者とされたということ以外には、なにごとも語ってはならない、とわたしはいった。ビディはまた針仕事をはじめながら、考えぶかそうに火のほうへうなずいて見せて、十分気をつけましょう、と、いった。ジョーは、やはり膝をつかまえたまま、「よし、よし、わしもおなじように、うんと気をつけようよ、ピップ」といった。そして、ふたりはまたお祝いをいって、わたしが紳士になるなんて、なんてすばらしいことだろうと、くどくどいったので、なんだかいやあな気がした。

それから、ビディはこの出来事をすこしでもわたしの姉にわからせようとして、さんざん骨をおった。しかしどんなにひいき目に見ても、その骨折りは完全に失敗したといわねばならぬ。姉は、笑って、なんどもなんどもうなずいて見せ、ビディのいった「ピップ」とか、「財産」とかいう言葉をくりかえした。だが、それらの言葉が選挙の標語以上の意味をもっていたかどうか、怪しいものである。そして、彼女の精神状態を、これ以上暗く見せてくれるものはなかったであろう。

ジョーとビディがまた愉快そうに気楽になるにつれて、わたしはすっかり陰気になった。こんなことは、じっさいぶっつかって見なかったら、とうてい信じられなかったろう。自分の幸運に不満だったというわけではむろんありえない。だが、わたしがそれとはっきり気づかずに、自分自身に不満であったろうということは、ありそうなことである。

　ともあれ、ふたりが、わたしのいってしまうことや、わたしがいなくなったらどうしようか、などと話しあっているとき、わたしは片肘を膝に立て、それに頰杖《ほおづえ》つきながら、じっと火に見いっていた。そして、彼らのひとりが、あまりに楽しそうでもなく、わたしのほうを見ているのに気づくごとに（彼らは——ことにビディは——なんども、なんどもわたしを見たのだった）、わたしは腹立たしくなった——まるで、彼らがわたしになにかしら疑惑をかけているような気がして。彼らが言葉にもそぶりにも、そんな様子をけっして見せなかったことは、神もごぞんじなのだが。

　そうしたとき、わたしはよく立ち上がっては、戸口から外をのぞいて見た。わたしたちの台所の戸口は、夜はすぐ表にむかって開き、夏の夜は、部屋の換気をよくするために、開けっ放しになっていたからである。そして、眼をあげてながめるみ空の星をすら、自分がいままで生活してきたこれらのいろんな粗野なものの上にきらめくなんて、なんという哀れな、いやしい星なんだろうと考えた。

「土曜日の晩だね」と、わたしはパンとチーズとビールの夕餉《ゆうげ》の食卓についたとき、いった。「もうあと五日で、その日の前の日になる！　五日なんて、すぐたってしまう！」

「そうだよ、ピップ」と、ジョーはビールのジョッキのなかで、うつろな声をひびかせながら、いった。「すぐたってしまうよ」

「ええ、すぐよ、すぐだわ」と、ビディはいった。

「ぼく、考えたんだがね、ジョー。ぼく月曜日に町へいって服を注文するとき、自分がそこへいってそこで着るか、またはパンブルチュックさんとこへ届けてくれるように、仕立屋にいっておこうと思うんだ。この村でみんなにじろじろ見られたら、とても不愉快だろうからね」

「ハッブルさん夫婦だって、おまえが新しい紳士の服を着たところを見たいと思うだろうがね、ピップ」ジョーは、左手の手のひらでチーズをのせた自分のパンを一生けんめい切りながら、まるでわたしたちがパン切れをくらべあったころを思いだしているように、まだ口をつけないわたしの食物をちらっと見て、いった。「ウォプスルさんだってそうだ。それから、陽気な船員亭の主人だって、見せてやったらよろこぶんだろうがなあ」

「それが、ぼくいやなんだよ、ジョー。みんなはやりきれないくらい騒ぎたてるんだろうからね——粗野で、下品な、騒ぎかたをやるんだろうからね」

「うん、そりゃそうだな、ピップ！」と、ジョーはいった。「もしおまえがやりきれないっていうんなら——」

姉の皿《さら》をもってすわっていたビディは、ここでわたしにたずねた。「あんた、ガージャリさんや、あんたの姉さんやわたしに、いつあんたの姿を見せてくださるか、考えてみた？　あんた、わたしたちにあんたの様子見せてくださるんでしょう？」

「ビディ」わたしはいささかむっとして、こたえた。「あんたはあんまり気が早すぎるから、とてもついていかれないよ」

(「この娘《こ》はいつでも早かったよ」と、ジョーはいった)

「もしあんたがもうちょっとまってくれたら、ぼく、いつか晩に——たぶん出かけるまえの晩に──服を包んでここへもってこようっていうところだったんだのに」

ビディは、それからはなんにもいわなかった。わたしはきげんよく彼女をゆるして、それからすぐ彼女やジョーと心から「お休み」のあいさつをかわして、寝室へ上っていった。自分の小さい部屋へはいってから、わたしは腰をおろして、この小さな、粗末な部屋ともいよいよ永久に別れて、もっと身分の高いものになるんだと思いながら、長いことながめた。そこには、やはり生き生きとした若い日の思い出があって、こうした瞬間でさえ、わたしの心は、その部屋と、わたしがこれからいこうとしているもっと立派な部屋とのあいだに、すっかり引きさかれて、混乱してしまった。それはちょうど、いままでもたびたび鍛冶場とミス・ハヴィシャムのお屋敷、ビディとエステラとのあいだに引きさかれたのと、ちっともちがわなかった。

太陽は一日中、わたしの屋根裏部屋の屋根を強く照らしていたので、部屋は暖かかった。窓をあけて、外を見ながらたたずんでいると、ジョーが下の暗い戸口のところへふらっと出てきて、表を一、二回いったりきたりするのが見えた。それから、ビディが出てきて、彼のところへパイプをもっていって、それに火をつけてやるのが見えた。彼がこんなに夜晩くたばこをすうなんて、かつてないことだった。だから、わたしには、ジョーがなにかの理由で慰めをもとめているのだな、と思われた。

彼は間もなくわたしのすぐ下の入口のところへきて、たばこをすいながら立っていた。ビディもまたそこにたたずんで、静かに彼に話しかけていた。わたしには、彼らがわたしのことを話しているということがわかった。というのは、彼らがふたりとも、わたしの名まえをいかにもいとしそうに、いちどならず口にするのが聞こえたからである。たとえもっと聞こえたとしても、わたしは盗みぎきはしなかったろう。で、窓ぎわから体《からだ》をひっこめて、輝かしい幸運の第一夜がいまだかつて知らないほどの孤独な夜であることを、非常に悲しく、またふしぎに感じながら、寝台のそばにある、たったひとつのわたしの椅子に腰をおろした。

開いた窓のほうを見ると、ジョーのパイプから上るかるやかな輪が、窓辺にただよっているのが見えた。わたしにはそれが、ジョーからの祝福――わたしに押しつけられもせず、わたしの眼のまえに見せびらかされもせず、ただわたしたちふたりがともにした空気にいっぱいしみとおっている祝福――であるような気がしてならなかった。わたしは、燈火《あかり》を消して、床の中にもぐりこんだ。それはいまは、不安な床となってしまった。もはやわたしはこの床の中で、二どと昔のようにぐっすり熟睡することはできなかった。

第十九章

朝は、わたしの生活の前途を非常に変えてしまい、ほとんどおなじものとは思えないくらいに輝かしいものとした。いちばん重苦しく心を圧したのは、まだ出発の日まで六日もあるということだった。というのは、それまでにロンドンになにごとか起こって、わたしがそこへ着いたときには、すっかりだめになっているか、または跡かたもなく消えてしまっているかもしれないという不安を、忘れることができなかったからである。

ジョーとビディに、近づきつつあるわたしたちの別れの日のことを話すと、非常に同情してくれ、愛想《あいそ》よくしてくれた。でも、彼らは、わたしがもちだすときにだけ、それにふれるだけだった。朝食がすんでから、ジョーはいちばんの客間の戸棚のなかからわたしの年季証書をとりだしてきて、火に投げこんだ。わたしは、自由になったことを感じた。解放された新しい気持ちをいっぱいに感じながら、ジョーといっしょに教会へいった。そして、牧師さんは、もし事情をすっかり知ったなら、富める者と天国についてのあの文句を読みはしないだろうに、と思った。

　早めに夕食がすんだので、さっそく沼地に別れをつげ、きっぱり手を切ってこようと思ってひとりでぶらぶら外へでた。教会を通りすぎたとき、わたしは（朝の礼拝のときにも感じたように）一生のあいだ、くる日曜日もくる日曜日もここへきて、ついには名もなく低い緑の塚《つか》の下によこたわらねばならぬ運命をもった、哀れなひとびとにたいし、崇高な惻隠《そくいん》の情を感じた。わたしは、近いうちに彼らのためになにかしてやろうと、心のうちで誓った。そして、村人たちに、ロースト・ビーフと、プラム・プディングと、強ビール三合と、それから謙譲の美徳一ガロンを、ひとりのこらずふるまってやろうという、計画の荒筋を立ててみた。

　もしわたしが、いつか墓のあいだをびっこをひきひき歩いていたあの脱走者との関係を、いままでもたびたび、なにかしら慚愧《ざんき》に似た気持ちで思いだしていたとすれば、この墓地からあの重罪人の足枷《あしかせ》と印《しるし》をつけ、ぼろぼろの服を着、がたがたふるえていたあの哀れな人間のことが、まざまざと思いだされた、この日曜日のわたしの気持ちは、どんなであったろうか！　だが、それはとっくの昔におこったことで、彼はきっと遠い国へ追放されたにちがいない。わたしにとっては、もはや死せる人間である。そればかりか、じっさい死んでしまっているかもしれない！　こうわたしは考えて、心をなぐさめた。

　じめじめしたこの低地も、もう二どと見ないのだ。堤も水門も、もう二どと見ることはないであろう。それから、あの草を食《は》む牛の群れも――その鈍重なそぶりにも、いっそう慇懃《いんぎん》な様子が感じられ、こちらをふりかえるのも、こんな大遺産の相続予定者をできるだけ長く見たいためであるように思われたが――もはや二どと見ることはないであろう。わが少年時代の単調な友よ、さらば！　わが行く手は、ロンドンであり、偉大なるものの世界である！　鍛冶屋の仕事やおまえたちではないのだ！　わたしは古い砲台への道を、歓喜に胸をおどらせながらすすんだ。そして、そこへ寝ころんで、ミス・ハヴィシャムは自分をエステラといっしょにさせるつもりでいるんじゃないだろうかという問題を考えながら、いつか眠ってしまった。

眼をさますと、ジョーがわたしのそばにたばこをすっていたので、びっくりした。わたしが眼をあけると、彼は愉快そうににっこり笑いかけて、こういった。

「これが最後だから、ひとつあとをつけてやれと思ったんだよ、ピップ」

「よくきてくれたねえ、ジョー、ぼくとても嬉しいよ」

「ありがとう、ピップ」

「これは信じていてくれていいが、ぼくはねえ、ジョー」わたしは握手がすんでからいった、「あんたをけっして忘れはせんよ」

「そうとも、そうとも！」と、ジョーは愉快な調子でいった。「わしは、そのことは安心してるよ。むろんだよ。なあ、おまえ！　ほんとうに、そいつを確信するにゃ、ただ心んなかですっかりそいつをのみこみさえすりゃいいんだよ。だが、そいつをすっかりのみこむにゃ、すこおし暇がかかったんだよ。なにしろ、かわりようがあんまりだしぬけだったからねえ」

ジョーがわたしのことをすっかり安心しきっていることが、わたしにはなぜかしらあまり愉快でなかった。わたしは彼になにか感動を面《おもて》にあらわすか、または、「さすがはピップだぞ」とでもいってもらいたかった。そこでわたしは、ジョーがいった最初のことについてはなんにもいわないで、ただ彼がいった第二のことについて、なるほどこの知らせはとつぜんにおとずれたが、しかし、自分はいつも紳士になりたいと思っていて、もし自分が紳士になったら、なにをしようかと、なんどもなんども想像していたんだ、といった。

「ほんとうかい？」と、ジョーはいった。「驚いたなあ！」

「ここでいっしょに勉強やっていたあいだに」と、わたしはいった、「あんたがもうすこし進んでおかなかったのは、いまとなってみると、残念なことだったねえ」

「さあ、どうかなあ」と、ジョーはこたえた。「わしは恐ろしいほど愚図でね。自分の商売のことしかわからないんだ。わしがこんなに愚図だったのは、いつでも残念なことだったよ。だがな、まえに――ちょうど一年まえのきょうよ――そんなことなんともなかったとおんなじように、きょうはもう残念でもなんでもないんだ。わかるだろう！」

わたしはまた、もし自分が財産を相続して、ジョーのためになにかしてやるようになった場合、ジョーに立派な身分になるための資格がもっとできていたら、はるかにぐあいがいいだろうが、というつもりでそういったのだった。ところが、ジョーにはわたしの腹などはてんで通じないらしいので、むしろビディにそういっておこうと思った。

そこで、家へ帰って茶をすますと、わたしはビディを小道のそばにある家《うち》の小さな庭園にさそいだした。そして、彼女を元気づけるように、自分は彼女をけっして忘れはしないだろうということを、それとなくほのめかしてから、ひとつ聞いてもらいたいたのみがあるんだが、ときりだした。

「それはね、ビディ」と、わたしはいった、「あんたにちょっとした機会も見のがさないようにして、すこしジョーを助けてやってもらいたい、ということなんだ」

「あのひとを、どう助けるの？」と、ビディはじっと瞬《まばた》きもせずにたずねた。

「つまりだ！　ジョーはほんとにいい男なんだが——じっさいぼくは、あんないい男はいままでなかったと思うよ！——そりゃそのとおりなんだが、しかしあることとなると、まるで駄目なんだ。たとえば、勉強とか行儀作法となるとね」

わたしは話しながら、ビディを見ていた。しかし、彼女は、わたしがそういったとき、眼を非常に大きくみはったが、わたしのほうは見なかった。

「あら、あのひとの行儀作法！　じゃ、あのひとの行儀作法はいけないっておっしゃるの？」と、ビディは黒すぐりの葉をひとつつかみながら、ききかえした。

「そりゃね、ビディ、ここならむろんあれで結構なんだけどね——」

「あら！　ここだとあれで結構なの？」と、ビディは手にもった葉っぱをしげしげと見ながら、口をはさんだ。

「しまいまでお聞きよ——だが、たとえぼくがジョーをもっと立派な社会にうつしてやろうとしてもだ——ぼくは財産がすっかり手にはいったら、あのひとを立派な社会にうつしてやろうと思っているんだよ——あれだと、あのひとにけっしてそぐわないと思うんだ」

「でも、そんなこと、あのひとにはちゃんとわかってると思わないこと？」

この質問には、じっさい癪《しゃく》にさわったので（こんな質問をうけるなんて、およそ思いもよらなかったからである)、わたしはかみつくようにいった。「ビディ、あんた、なにをいってるの?」

ビディは手にした葉っぱを両手でこなごなにすりつぶしてから——その後、黒すぐりのにおいをかぐごとに、いつもきっと小道のそばの小さな庭園でのあの夕べを思いおこした——いった。

「あのひとだって、誇りをもってるかもしれないわ。あんた、そのこといちども考えてごらんになったことなかったの?」

「誇り?」わたしはけいべつするように、力をいれてくりかえした。

「ええ! 誇りには、いろいろあるのよ」ビディはまともにわたしを見て、首をふりながらいった。「誇りって、ひといろだけじゃないのよ——」

「それで? なぜ途中で切るのよ?」と、わたしはいった。

「ひといろだけじゃないの」と、ビディはつづけた。「あのひとは誇りをもっていて、あのひとがみたす力があり、そして、立派に敬虔《けいけん》な気持ちでみたしている地位から、自分を引きはなすことを、だれにもゆるさないかもしれないわよ。ほんとのことというと、わたし、そうだと思うの。わたしがそんなことというのは、大胆すぎるかもしれないけど。だって、あのひとのことは、わたしなんかより、あんたのほうがずっとよくわかってらっしゃるんですものね」

「ビディ」と、わたしはいった、「ぼくはあんたにそんなとこがあるのを知って、とても残念だよ。あんたにそんなとこがあるなんて、ぼくには思いがけないことだ。あんた羨《うらや》ましいんだろう、ビディ。そして妬《ねた》んでるんだろう。あんたは、ぼくが幸運な身になったことが不満なんだ。そして、それを現わさずにはおれないんだ」

「もしあんたがそんなふうにお考えになる勇気がおありになるんでしたら」と、ビディはこたえ

「そうおっしゃるがいいわ。そんなことをお考えになる勇気がおありんなるんでしたら、ななんどでも、なんどでも、くりかえしおっしゃい」

「たといあんたがそんなふうになる勇気があったにしても」と、わたしは高潔な、超然とした調子でいった、「それをぼくにおしつけないでくれ。そんなことを見るなんて、じつに残念千万だ。それは――それは人間性の悪い一面なんだよ。ぼくは、ぼくが出かけてしまったあと、あんたにどんなちょっとした機会も見のがさないで、愛するジョーをすこしでもよくしてやってもらいたいと、あんたにたのむつもりだった。だが、こうなった以上、もうなんにもたのみはしないよ。あんたのうちにそんなとこを見るなんて、ぼくはまったく残念至極だよ、ビディ」と、わたしはくりかえした。「それは――それは人間性の悪い一面なんだ」

「あんたがわたしをお叱りになろうが、おほめになろうが」と、かわいそうなビディはいった、「わたしはここで、いつでも自分にできるかぎりのことはしますから、それだけは安心なさってください。それから、あんたがわたしをどう思ってお立ちになろうとも、わたしがあんたをお忘れしないってことには、ちっともかわりはないことよ。でも、紳士は不公平であってはいけないわ」ビディは顔をそむけながらいった。

わたしはもういちど、それは人間性の悪い一面だということを、熱心にくりかえした、(その後わたしは、だれにあてはめるかということを別にすれば、このことは正しいことだと思う理由に、ぶつかったのだった)。そして、ビディからはなれて、小道のほうへ歩いていった。ビディは家のなかへはいっていった。わたしは庭園の門から抜けだして、夕飯ごろまでがっかりした気持ちでぶらぶら散歩した。自分の輝かしい幸運の第二夜が、第一夜とおなじように、寂しい、不満なものであることが、また非常に悲しく、かつふしぎに感じられた。

だが、朝はふたたびわたしの考えを明るくしてくれた。わたしは、ビディにも寛大な気持ちで接し、例の話はやめにした。わたしは自分のもっているいちばん上等の服を着て、店がいまやっと開いたばかりという早い時刻に町へいき、仕立屋のトラップさんのまえに現われた。トラップさんは、店の背後にある居間で朝食の最中だった。彼は、わたしのためにわざわざ店先へ出てくることもないと考えて、わたしを自分のところへ呼びよせた。

「よお！」と、トラップさんは、よくきたねというような、紋切り型の調子でいった。「お元気かな？　で、なんの用かね？」

トラップさんは、ほかほかの巻パンを羽根布団のように三つうすく切り、バタをその毛布のなかにもぐりこませて、それをすっぽりかこうところだった。彼は裕福な老独身者で、開いた窓からは、裕福な小さい庭園と果樹園が見られた。炉のわきの壁には、つくりつけの裕福な鉄製の金庫があって、そのなかには、山ほどの財宝が袋につめてしまいこまれているにちがいなかった。

「トラップさん」と、わたしはいった、「こんなことをお話するのは、自慢してるようでどうも不愉快ですが、じつはぼく大きな財産を相続することになったんです」

トラップさんの顔つきがさっと変わった。彼は、布団のなかのバタのことなど打ち忘れて、寝台のわきから立ち上がり、テーブル・クロスで指をぬぐいながら叫んだ。「そいつあ、おどろきましたなあ！」

「ぼくは、ロンドンにいるぼくの後見人のところへ出かけようと思ってるんです」と、わたしはいって、何気ないふりして、ポケットからギニー金貨を二、三枚とりだしながら、それを見た。

「それで、着ていくように、はやりの服を一着ほしいんです。ぼくそのお金をお払いしようと思うんです」といって、わたしはこうつけくわえた。「現金でね」――そうでもいわないと、彼はきっと作るようなふりしかしないだろうと思ったからである。

「まあ、あんたさん」と、トラップさんはうやうやしく体をこごめて、両腕を開き、なれなれしく外側からわたしの両肘にふれながら、いった。「そんなことをいって、わたしの気持ちを傷つけないようにしてくださいよ。心からお祝い申しあげます。すみませんが、店のほうへおいでをねがいましょうか？」

トラップさんのところの小僧というのは、あの界隈《かいわい》でいちばんの図々しい小僧だった。わたしが奥へはいったとき、彼は店のそうじをしていて、わたしにほこりを掃《は》きかけて嬉しがっていた。わたしがトラップさんといっしょに店へ出てきたときも、まだ掃いていて、三千世界のどんな鍛冶屋《かじや》にもひけはとらんということを見せつけるためらしく、ほうきであらゆるすみずみ、あらゆる品物をぶったたいていた。

「静かにせんか」と、トラップさんはおそろしくきびしい調子でいった。「でないと、わしがおまえの頭をたたき落としてやるぞ！　すみませんが、どうぞおかけなすって。さて、これは」と、トラップさんは布の巻いたのをひとつおろして、光沢《つや》がよく見えるようにその下へ手をいれて、まるで水でも流すみたいに、布を帳場台の上へさらさらっとひろげながら、いった、「とても上等のお品でございます。これならおすすめできると思いますよ。なにしろ、特別上等のお品でございますからね。ですが、もっとほかのもごらんにおいれしましょう。おい、四番を出して！」（ぞっとするほどきびしくにらみつけながら、小僧にいった。この悪党がわたしをそれで

さっとはらうとか、またはなにかほかになれなれしい様子を見せたりしそうな危険を予見したように）

　トラップさんは、小僧が四番の生地を帳場台の上において、安全な距離まで引きさがるまで、彼から眼をはなさなかった。そして、こんどは五番と八番をもってくるように命じた。「それから、ここでいたずらなんかしちゃならんぞ」と、トラップさんはいった。「でないと、死ぬまで後悔することになるぞ、この悪党小僧めが！」

　それから、トラップさんは四番の生地の上に体をかがめこんで、それを夏着用の明るい生地として、目下貴族や紳士がたのあいだに非常に流行している生地、すぐれた同郷人（もし同郷人などとお呼びしてもよろしければ）が着てくださったと思えば、まことに光栄至極である生地――そういう生地として、敬意をこめた自信といったものをもってわたしに推薦した。そうしてから、「おい、五番と八番をもってくるのかこないのか、宿無しめ？」と、トラップさんは小僧にむかっていった。「それとも、きさまなんか表へ蹴《け》とばして、わしが自分でもってこようか？」

　わたしは、トラップさんに助けてもらって、服の生地をえらび、寸法をとりにまた居間へはいった。わたしの寸法は、彼にはちゃんとわかっていて、まえにはそれですっかり満足していたんだが、こんどは、「いえ、こういう場合になりますと、あなた、あれではよろしゅうございません――あれではまるでいけません」と、弁解していったからである。そこで、トラップさんは居間でわたしをはかったり、計算したりして、寸法をとった。まるでわたしが所領地で、彼はこの上もなく精密な測量師ででもあるかのように、山ほどの面倒な骨折りをやったので、わたしは、服ぐらいではとても彼の苦心にむくいることはできないだろうと思った。ついに寸法をとりおわって、品物は木曜日の晩パンブルチュックさんのところへお届けしますと約束すると、彼は居間の錠に手をかけながら、いった。「むろん、ロンドンの紳士がたが田舎《いなか》の仕立屋ごときをごひいきくださるなんていうことは、ふつうにはできないことはよおく承知しておりますが、もし万一ご同郷のよしみで、ときおりお引立ていただけましたら、たいへん幸せだとぞんじます。さようなら、ありがとうございました。——ドアっ！」

この最後の一語は、小僧にむけてたたきつけたものだったが、小僧はなんのことかさっぱりわからなかった。彼の主人が両手でわたしをさするようにして送りだしたとき、わたしは小僧がぶったおれるのを見た。わたしがものすごい金の威力をはっきり知った最初の経験は、それがじっさいにトラップの小僧を仰向けに打ち倒したということだった。

この記念すべき出来事があったあとで、わたしは帽子屋にいったり、靴屋《くつや》にいったり、靴下屋にいったりして、これじゃまるで旅支度をするためにありとあらゆる職業の人間を騒がせたという、あの子守歌のなかにでるハバート伯母《おば》さんの犬みたいだな、と思った。それからまた、乗合馬車の発着所へいって、土曜日の朝七時の車の席の約束をした。わたしは大きな財産を相続することになったと、ゆく先々でいちいち説明しなければならなかったわけではない。だが、わたしがなにかそういったようなことを話すと、相手の商人はかならず注意を大通りの窓のほうにそらすのをやめて、わたしに集中するのだった。必要なものをすっかり注文してしまうと、こんどはパンブルチュックの家のほうへ足をむけた。この紳士の家に近づいていくと、彼が入口のところにたたずんでいるのが見えた。

彼は、おそろしくじりじりしながら、わたしを待っていた。彼は朝早く馬車ででかけて、鍛冶場をおとずれ、ニュースを聞いたのだった。パーンウェル亭の特別室に、わたしのため軽い食事が用意されていて、神聖なわたしがはいっていくと、「通り道をおあけするんだ」と、番頭に命令した。

「やあ、わたしの親友」パンブルチュックさんは彼とわたしと軽い食事だけになると、わたしの両手をとっていった、「あんたの幸運をお祝い申しますよ。まことに当然なことだ、当然な報いだよ！」

これはまさに当をえていた。まことに気のきいたあいさつだな、と思った。

「このわしが」と、パンブルチュックさんはわたしのことがいかにも感嘆にたえぬかのように、しばらく鼻を鳴らしてからいった。「つまらんながら、自分が道具となってこういうめでたいことになったかと思うと、いや、まったく鼻がたかくなるよ」

わたしは、パンブルチュックさんに、そのことについてはなんにもいわないように、またほのめかしたりもしないようにしてもらいたい、といった。

「わしの若い親友」と、パンブルチュックさんはいった、「もしあんたをそうお呼びすることをゆるしてくれるなら――」

わたしは小さな声で「結構ですとも」といった。すると、パンブルチュックさんは、またわたしの両手をとって、彼のチョッキに押しあてた。胸というにはすこし下のほうすぎたが、それでも、いかにも感動的に見えた。「わしの若いお友だち、わしはあんたのお留守中、およばずながら全力をつくしてこのことをジョセフに忘れさせないようにするから、その点ご安心しなさい――ジョセフ！」と、パンブルチュックさんは、哀れみ深い祈るような調子でいった。「ジョセフ!!　ジョセフ!!!」そして、首をふり、頭を軽くたたいて見せて、ジョセフはここが足りないんだという意味をあらわした。

「それはそうと、わしの若いお友だち」と、パンブルチュックさんはいった、「お腹がすいたろう。さぞお疲れのことだろう。さあ、さあ、腰をかけておくれ。これは青豚亭からとりよせたとり肉だよ。こちらもやはり青豚亭からとりよせた牛の舌、この小皿もやっぱり青豚亭からとりよせたものだ。つまらんものだと思うだろうが。それはそうと、いまわしのまえにいるのは」と、パンブルチュックさんは、腰かけたと思うとすぐまた立ちあがっていった、「まだ小さい子供だったときに、いっしょに楽しく遊んだあの子だろうか？　いいだろうかな、わしは、いいだろうかな、わしは？——」

この「いいだろうかな、わしは？」というのは、握手をしてもいいだろうか、という意味だった。わたしが承知すると、彼はすっかり感動した。そして、また腰をおろした。

「ここにブドー酒がある」と、パンブルチュックさんはいった。「さあ、運命の女神に感謝の杯をささげよう。どうぞ、女神がこのように、いつも間違いなく女神の寵児《ちょうじ》をおえらびなさいますように！　だが、わしは」と彼は立ちあがって、いった、「眼のまえにこのひとを見——このひとのために祝杯をあげながら——もういちどわしの気持ちをあらわさずにいることはできん——いいだろうかな、わしは？——いいだろうかな、わしは——？」

よろしゅうございますとも、というと、彼はまたわたしと握手をし、彼のコップをぐっとのみほして、逆さにした。わたしもそれにならった。たといわたしがのみほすまえに逆立ちしていたにしても、ブドー酒はこれ以上早く頭にまわりはしなかったろう。

パンプルチュックさんは、わたしに鳥の右翼《リヴア・ウイング》と牛の舌のいちばん上等の切れをとってくれ（こんどは豚肉のはしっぽのどんじりのところなんか、ひとつも出なかった）、自分のことは、比較的にいって、全然かまわなかった。「ああ！　鳥よ！　鳥よ！」と、パンブルチュックさんは、とつぜん皿のとり肉にむかって呼びかけた、「おまえがまだ小っちゃなひなっ子だったとき、おまえは将来どうなるかちっとも知らなかったろう。おまえは、こうしてこの貧しい屋根の下で、このかたのための食膳にあがろうなどとは、夢にも考えなかったろう――気弱いと笑わば笑え」彼はまた立ち上がりながら、いった。「だが、いいだろうかな、わしは――いいだろうかな、わしは――？」

よろしゅうございます、という形式をくりかえす必要もなくなりだしていたので、彼は返事もまたずに握手した。あんなになんどもなんども握手しながら、わたしのナイフで怪我をしないですんだのはどうしたわけか、わたしにはわからない。

「それから」と、彼はちょっとのあいだ黙って食べたあと、またはじめた、「あんたを手塩にかけて育ててあげる名誉をになった、あんたの姉さん！　あのひとがもはやこの名誉を十分理解することができないのだと思うと、まことに悲しいことだ！　いいだろうかな、わ――」

彼がまたこちらにむかってこようとするのを見てとると、わたしはおし止めていった。

「お姉さんの健康のために乾杯しましょう」

「ああ！」パンブルチュックさんはすっかりたわいなく感嘆しながら、椅子《いす》によりかかって叫んだ。「そこだよ、さすがはあなただ！」（あなたというのはいったいだれのことか、さっぱりわからない。とにかくわたしでなかったことはたしかだし、といって、ほかにはだれもいあわさなかったのである)「そこがあなた、立派な精神というもんじゃよ！　つねに寛容で、つねに愛想がよい。つまらん人間には」と、奴隷《どれい》にひとしきわがパンブルチュックは、まだ口にせぬコップをあわてて下において、またぞろ立ち上がりながらいった、「くどいように思えるかもしれんが、いいだろうかな、わしは——？」

それがすむと、彼は腰をおろして、姉のために乾杯した。「癇癪《かんしゃく》があのひとのきずだということは、けっして忘れてはいかんが」と、パンブルチュックさんはいった、「しかし、わる気だったわけでもないだろう」

この時分には、彼の顔がようやくまっ赤になった。わたしも、顔中酒びたしになったような気がして、ずきずきしていた。

わたしが新調の服を彼の家へ届けるようにいっておいたと話すと、彼はそんなに特別扱いされたことを有頂天になってよろこんだ。村のひとに見られないようにしたい理由を話すと、彼は九天の高さにまで持ち上げて、ほめそやした。彼をのぞいては、わたしの信頼に値する人間なんかひとりもない、ということをほのめかしてから——さっそく、いいだろうかな、わしは——？　それから、彼はわたしたちの子供らしい計算ごっこや、わたしたちがわたしの年期奉公契約をしにいっしょにいったこと、そのほか、要するに、彼がわたしの大のお気に入りで、わたしのまたとない友だちであったことなどを、わたしがおぼえているかどうかと、やさしくたずねた。たといわたしがじっさい口にしたブドー酒の十倍も杯をかさねていたとしても、われわれふたりの関係がそうしたものでは断じてなかったということは、はっきりわかっていたろうと思う。そして、そんな考えは、心の底から蹴とばしたことだろう。それにもかかわらず、自分は彼をいままですっかり誤解していたのだ、彼は賢明で、実際的で、人の好い、素敵な男なんだ、と強く感じたことを覚えている。

　彼はしだいにわたしに非常な信頼をおくようになって、ついには彼自身の商売についてわたしの意見をもとめさえした。そして、この屋敷でおこなわれる穀物の種子の取引きは、もし拡張したら、この界隈《かいわい》ばかりでなく、近郷近在にいまだかつて見ないほどの大合同事業、大独占事業になる見込みがある、と語った。莫大《ばくだい》な財産を生みだすのにたったひとつ欠けているのは、彼の考えによれば、より多くの資本だ、それは、より多くの資本という一句につきる。ところで、彼（つまり、パンブルチュック）の考えによれば、もしもだれかある共同者が、たとえなにもしないで、眠っていてもいいから、ただ資本さえこの事業につぎこんでくれるなら――直接自分で、――または代理人をつかってでもかまわん――とにかく、すきなときにやってきて、帳簿を検査しさえすれば、それでいい――つまり、年二回やってきて、五十パーセントという莫大な利潤をポケットにいれて、もってかえりさえすればいいのだ――それこそ、彼の考えでは、勇気と財産をあわせもつ青年紳士にとって、まさに注目に値する絶好のチャンスであるように思われる。だが、あなたはどうお考えになるか？　自分はあなたにたいして非常な信頼をもっている。で、あなたはいったいどうお考えになるか？　これにたいし、わたしは、自分の意見として、「まあちょっとまっていなさい！」といった。茫漠《ぼうばく》として、しかも明々白々なこの意見は、彼に深刻な感銘をあたえて、それ以後彼はもはや握手してもいいだろうかなんてたずねなどせずに、ぜひとも握手しなければならぬといい――そして、じっさい握手した。

　わたしたちは、ブドー酒をすっかり平げてしまった。パンブルチュックさんは、ジョセフを申し分ないようにさせ（なんに申し分ないようにかは、わたしにはわからなかった）、わたしのためにいつも大いに尽力しよう（どんな尽力をするのか、これもわたしには見当がつかなかった）と、くりかえしくりかえし誓った。彼はまた、「あの子はふつうの少年ではない。わしのいうことに気をつけるがいい、あの子の幸運はけっしてありふれた幸運ではない」と、いつも噂《うわさ》をしていたと、わたしに生まれてはじめて――この秘密をそれまですばらしく上手にかくしぬいていたすえ――打ち明けた。そして、いまから考えるとまったくふしぎだよ、と涙ぐみながら、にっこり笑っていった。わたしも、ほんとにふしぎですね、といった。ついにわたしは戸外に出た。照りつける日光がなにかしらかわった様子にぼんやり感じられた。そして道のことなぞちっとも考えずに、うつらうつらしながら歩いていると、いつのまにか、通行税門のところまできた。

そこで、わたしは大声で呼びかけるパンブルチュックさんの声に我にかえった。彼は太陽がかんかん照りつけている通りのずっと向こうから、わたしに待ってくれと、大げさな身振りをしていた。わたしが立ちどまると、彼は息せき切ってやってきた。

「いかんよ、わしの親友」と、彼は息をついて口がきけるようになるといった。「できることならな、そいつあいかん。あんたにひとつ愛想よく握手してもらわんで、この絶好の機会をみすみすのがしてしまうというわけにはいかんよ。――いいだろうかな、君の多幸を祈る旧友のわしは――？　いいかな、わしは？」

これでわたしたちは、すくなくとも百遍目の握手をした。彼はわたしのまえをゆく若い馬車引きに、憤然として、退《ど》いた、退いた、と命令した。それから、わたしを祝福し、わたしが通りの曲り角をまがるまで、手を打ちふって立っていた。そこで、わたしは、原っぱのなかにはいって、生けがきの下で長いこと昼寝をしてから家路についた。

ロンドンへもっていく荷物といっては、ほんのわずかなものしかなかった。というのは、わたしのわずかばかりの持物のうち、わたしの新しい身分にかなうものといっては、ほとんどなにもなかったからである。それでも、わたしはその日の午後、さっそく荷造りをはじめた。そして、もはや一瞬もぐずぐずしている暇はないというように勝手に空想しながら、明日朝すぐ必要だとわかりきっているものを、気ちがいのようになって荷物につめこんだ。

こうして、火曜日、水曜日、木曜日がすぎさった。金曜日の朝、新調の服を着てミス・ハヴィシャムをお訪ねするため、パンブルチュックさんのところへでかけた。パンブルチュックさんは、わたしの着がえのために、自分の部屋をすっかりあけておいてくれ、とくにそのために使うようにと、きれいなタオルも何本か麗々しく用意してあった。もちろん、わたしは自分の新しい服にいささか失望を感じた。いったい熱烈にまちこがれていた新調の服というものは、服というものが生まれ出てこの方、つねに服の主の期待にいささかはずれるものであったろうと思う。だが、新調の服に着がえてからおよそ小半時もたち、パンブルチュックさんの恐ろしく小さな姿見のまえでありとあらゆるポーズをして、自分の足を見ようと空しく努力したあとには、すこしは体に似合うように思われてきた。その朝は、十マイルほどはなれた近郷の町で市《いち》が立つ日だったので、パンブルチュックさんは不在だった、わたしは彼に出発の時間をくわしく話してなかったので、立つまえにまた彼と握手する気づかいは、まずなかった。当然そうこなくてはならないところだった。そこで、わたしは新調の服に盛装して出かけた。番頭のいるまえをとおりすぎるときには、恐ろしいほど気まりの悪い思いをした。けっきょく自分も日曜日の晴れ着をきたときのジョーのように、こっけいに見えそうな気がしてならなかった。

わたしはいろんな裏通りをとおって、遠まわりしながらミス・ハヴィシャムの屋敷へいった。そして、手袋の指がこわばっていて長いため、窮屈な思いをして呼び鈴を鳴らした。サラ・ポケットが門のところへ現われて、すっかり変わったわたしの様子を見て、ほんとにふらふらとなりながら、あとずさった。彼女のくるみの殻のような顔の色もまた、茶色から青くなったり、黄色くなったりした。

「まあ、あんたなの？」と、彼女はいった。「あんたなの？　まあ、おどろいた！　で、何のご用なんです？」

「ぼく、ロンドンへいくんです、ポケットさん」と、わたしはいった。「それで、ミス・ハヴィシャムにお暇ごいしようと思いまして」

わたしの訪問は、予期されてはいなかった。というのは、彼女は錠をおろしたまま、わたしを中庭にのこしておいて、通してもよいかどうかききにいったからである。彼女は、ちょっとしてからすぐもどってきて、おしまいまでじろじろわたしをながめながら、案内した。

ミス・ハヴィシャムは、長テーブルのおいてある部屋で、鳩杖《はとづえ》によりかかりながら運動していた。部屋には、まえとおなじように燈火《あかり》がついていた。彼女はミス・ポケットがはいっていく音で立ちどまって、ふりかえった。彼女はそのときちょうど、腐った婚礼用の菓子のまえに立っていた。

「いかないで、サラ」と、彼女はいった。「それで、ピップ？」

「ミス・ハヴィシャム、ぼく、明日ロンドンへ出かけます」と、わたしは非常に慎重な口調でいった。「それで、失礼とはぞんじましたが、お別れにうかがったのです」

「えらく派手な様子をしてるんだね、ピップ」と、彼女はまるでわたしの姿をかえてしまった仙女の教母が、最後の仕上げの力を授けているみたいに、その鳩杖でわたしのまわりに円をえがいた。

「このまえお目にかかってから、ぼくは非常に幸運な身分になりました」と、わたしは小声でいった。「ぼくはそのことを非常に感謝しております、ミス・ハヴィシャム！」

「はい、はい！」と、彼女はうろたえている、妬ましげなサラを嬉しそうにながめながら、いった。

「ジャガーズさんに会いましたよ。わたし、そのことについて話を聞きました。で、おまえあしたいくんですね！」

「そうです」

「で、おまえはお金持のひとの養子になったんだね？」

「はい、そうです」

「名まえはいわなかったんだね？」

「はい、うかがってません」

「それで、ジャガーズさんがおまえの後見人になったんだね？」

「はい、そうです」

彼女は、これらの問答がさもさも嬉しくてたまらないという様子だった。サラ・ポケットの嫉妬《しっと》の驚愕にたいする彼女の歓喜は、それほど烈しいものだった。「まあ、ほんとに」と、彼女はつづけた、「おまえの前途は洋々としていますよ。おとなしくして、それにふさわしいようにしなさい——そして、ジャガーズさんの指図によくしたがうがいい」彼女はわたしを見、それからサラを見た。サラの顔色をじっと見すえる彼女の顔には、残酷な微笑がうかんだ。「ごきげんよう、ピップ——おまえ、いつもピップという名まえでいるんですよ、いいですか」

「はい、承知しました」

彼女は手をさしだした。わたしはひざまずいて、それをわたしの唇にあてた。わたしはどんなぐあいにして彼女にお別れしようか、考えていなかったが、その瞬間自然とそうするようになった。彼女はその気味悪い眼を勝利に輝かせながら、サラ・ポケットを見た。こうしてわたしは、うすぼんやりと照らされた部屋の真中の、くもの巣におおわれている、腐った婚礼用の菓子のかたわらに、両手で鳩杖によりかかりながらたたずんでいる、わたしの仙女の教母をあとにしたのである。

サラ・ポケットは、まるでわたしが幽霊で、外へ出るまで見届けねばならないかのように、わたしをつれて下へおりた。彼女はわたしの様子がどうにもがまんできなくて、すっかり狼狽《ろうばい》していた。わたしは、「ポケットさん、さようなら」といったが、彼女はただにらんでいるだけで、まるでうわの空で、わたしがあいさつしても、てんでわからない様子だった。お屋敷を去り、大急ぎでパンブルチュックさんのところへ立ちより、新しい服をぬぎ、それを包みにして手にもち、古服を着て家にかえった——じつをいうと——包みを手にもってはいたが、このほうがずっと楽な気がしながら。

かくて、遅々としてすぎるはずだった六日間は、またたく間に、とぶように過ぎさってしまって、いよいよ「明日」がわたしの顔を、わたしがそれを見るよりも、いっそう厳然と見すえることになった。六晩が五晩に減り、四晩に減り、三晩に減り、二晩に減るにつれて、ジョーやビディといっしょにいることが、ますますありがたく思われた。この最後の晩、わたしは彼らを喜ばすため、新調の服を着こんで、寝るまで盛装していた。今宵を祝う暖かい晩餐は、なくてはならぬ鳥の丸焼によって光彩をそえられた。おまけにフリップ酒（ビールか火酒に鶏卵、香料、砂糖などをいれて暖めた飲物――訳者）までついた。しかし、わたしたちはみんな消沈して、いくら元気をよそおってみても、ちっとも元気がでなかった。

　わたしは小さな手提カバンひとつもって、朝の五時に村をたつことになっていた。ジョーにはひとりで歩いていきたいからといっておいた。そういった腹は、もしジョーとわたしがふたりいっしょに乗合馬車までいくとしたら、ふたりの間の対照が人目に立つだろうというわたしの気持ちから生まれたものだと思う――いや強くそう思われる。わたしは、こういう手はずにしたのには、そんな気持ちは毛頭ないと、自分にいいきかせていた。だが、いよいよ最後の晩になって、自分の小さな部屋にあがっていったとき、わたしはそんな気持ちからきめたんだということを認めざるをえなかった。そして、また下へおりていって、明日朝いっしょに送っていってくれと、ジョーにたのもうかという衝動に襲われた。が、けっきょくそうはしなかった。

　一晩中、わたしの破れがちな夢のうちに、いろんな乗合馬車があらわれたが、どれもこれもロンドンへはいかずに、ちがった方角へいき、輓革《ひきかわ》には犬やら、猫やら、豚やら、人間やらがついていた――だが、馬はいちどもつかなかった。途方もないような旅行の失敗が、夜が明けそめて、鳥が鳴きだすころまで、ずっとつづいた。それから、わたしは起きあがって、すこしばかり着換えをし、外の景色の見おさめをするため、窓ぎわにすわった。そして、外をながめながら、眠りこんだ。

ビディはわたしの朝食の準備をするため、非常に早く起きてくれた。窓ぎわでまだ一時間とは眠らぬうちに、もう昼下がりにちがいないという恐ろしい考えに、はっとおどろいて眼をさますと、台所のかまどの煙の匂いがした。だが、それでも長いあいだ、コーヒー茶碗《ちゃわん》のちりんちりんいう音がきこえて、すっかり用意がととのってしまってからも、長いあいだわたしは下へおりていく決心がつかなかった。けっきょく、わたしは、もう遅いからとビディが呼ぶまで二階にいて、なんどもなんども小さな旅行カバンの錠をかけたり外したり、締《し》め皮をほどいたり、しめたりしていた。

朝食は、味もなにもわからぬうちに、大あわてですました。わたしはまるでちょっと思いついたというように、きびきびした調子で、「さて、と！　もうでかけなくちゃならんらしいな！」といいながら、食卓から立ち上がった。そして、いつもの調子で笑ったり、うなずいたり、ふるえたりしている姉に接吻《せっぷん》し、ビディに接吻し、両腕でジョーの首を抱いた。それから、小さな旅行カバンをもって、外へでた。間もなくうしろでがたがたする音がしたので、ふりかえると、ジョーが一方の古靴をわたしの後ろから投げ、もう一方をビディが投げているのが見えた。これが、彼らの見おさめだった。わたしは立ちどまって帽子をふった。すると、なつかしいジョーはしゃがれ声で、「フーラー！」と叫びながら、彼の強い右腕を頭上高くうち振った。ビディは、エプロンを顔にあてた。

別れは思っていたよりも案外やさしかったと思い、大通りの人目にたつところで、乗合馬車の後ろから古靴を投げられたとしたら、たまらなかった、などと考えながら、さっさと歩いていった。わたしは口笛を吹いて、別れていくことはなんとも思わなかった。だが、村は静まりかえって、非常に平和だった。まるでわたしに広い世界をしめすかのように、淡い霧がおごそかにはれ上がっていた。ここでは、わたしはあまりにも無心で幼かったのに、村のかなたはあまりにも未知な、広漠とした世界だったので、たちまち嗚咽《おえつ》が激しくこみあげてきて、わたしはわっと泣きだした。それは、村端《はず》れの道標《みちしるべ》のかたわらだった。わたしはその上に手をおいていった。「さようなら、ぼくのなつかしい、なつかしい友よ！」

わたしたちはわたしたちの涙をけっして恥じる必要はないということは、神もごぞんじだ。涙こそは、わたしたちの頑《かたく》なな心をおおっていて、人の眼をくらます、土埃りの上に降りそそぐ雨だからだ。泣いてしまうと、わたしの心はまえよりもすなおになった――悲しさはひとしお深まり、自分の忘恩がいっそう痛切に感じられ、そしてわたしはいっそうやさしくなった。もしももっとまえに泣いていたら、わたしはジョーをいっしょにこさせたことだろう。

こうした涙や、静かに歩いている間にまた流れでた涙やらで、わたしの心はすっかり和らげられていたので、馬車にのっていよいよ町をではずれたとき、わたしはこんど馬をかえたら、馬車からおりて、歩いて引きかえし、もう一晩家ですごして、もっとしんみりと別れを告げてはいけないだろうかと、胸が痛くなるほど思案した。馬車は馬をとりかえたが、わたしは決心がつかなかった。このつぎの馬のとりかえのとき、馬車をおりて引きかえすことだってできると考えて、心をなぐさめた。こんな思案にふけっている間にも、道をこちらへやってくる男がジョーそっくりのような気がして、わたしの心臓はとび上がるのだった――ジョーがこんなところにいるはずがないのに！

わたしたちはまた馬をかえた。だが、こんどもまただめだった。いまとなっては、もはや引きかえすにはおそすぎたし、遠すぎもしたので、わたしは旅をつづけた。霧はおごそかにすっかりはれ上がって、世界はわたしのまえにひろびろとよこたわっていた。

以上で、ピップの遺産相続の見込みの第一段階を終わる。

第二十章

わたしたちの町から首都までは、およそ五時間ほどの旅であった。もつれからんだ往来の一本の端は、ロンドンのチープサイドのウッド街にあるクロス・キイズ辺でほぐれているが、わたしの乗った四頭立の乗合馬車がこの端に乗りこんだのは、正午をちょっとまわったころだった。

そのころのわたしたち英国人とくると、自分たちこそはなんでもかんでもいちばんいいものをもってるんだ、そしていちばんすぐれた国民なんだ、もしもそれを疑うようなものがあるなら、それこそ裏切り者である、というふうにきめこんでいた。でなかったら、わたしはロンドンの広大無辺なことにびっくりしながらも、やっぱりこれは醜い、畸形《きけい》な、狭っくるしい、うす汚いところじゃないだろうかという、いくぶんの疑惑をいだいたことだろうと思う。

ジャガーズさんは、アドレスをちゃんととどけてくれてあった。それはリトル・ブリテンで、彼は名刺のそのアドレスのあとに「スミス・フィールドのすぐはずれ、乗合馬車発着所に近し」と書きそえておいてくれた。ところが、油じみた外套《がいとう》に自分の年ほどもたくさんのケープをつけているように思われる貸馬車屋は、まるで五十マイルも先へ乗せていくみたいに、わたしを馬車につみこみ、がちゃがちゃ折りたたみ式になった階段を囲いにして、わたしをなかへ閉じこめた。それから、雨風にさらされ、蠹魚《しみ》にくわれてぼろぼろになった、古い、青豌豆《えんどう》色の被布で飾ってある御者《ぎょしゃ》台に上がりこんだのだが、それがまた長いことかかった。すばらしい馬車で、外側に大きな王冠が六つついており、後ろのほうには馬丁がなん人でもつかまれるところが、ぼろぼろになってついていた。その下には、弥次《やじ》の馬丁がとびのりたいという誘惑にそそのかされるのを防ぐために、耙《まぐわ》そっくりのものが上向きにとりつけてあった。

わたしが馬車の乗り心地をたのしみ、これではまるでわらをかわかす庭のようだ、いやぼろ店そっくりだ、などと考え、いったい御者はまぐさ袋なんかなぜ馬車のなかへいれとくんだろうと、怪しむひまもないうちに、彼は、いまにもとまるかのように、早くもおり支度をはじめた。そして、間もなくわたしたちは、陰気くさい街の事務所のまえにとまった。事務所のドアはあけっぱなしになっていて、「ジャガーズ」と表札がでていた。

「いくら？」と、わたしは御者にきいた。

「一シリング――もっとも、割増してくださるってのなら別ですがね」と、彼はこたえた。

むろんわたしは、割増してやるつもりはないとこたえた。

「じゃ、一シリングというわけだ」と、御者はいった。「悶着《もんちゃく》おこすなあごめんだ。なにしろ、あの人ときているからな！」彼は、ジャガーズさんの表札にむかって、片一方の目を陰気につぶって見せながら、首をふった。

彼が一シリング銀貨をうけとり、やっとのこと御者台にのぼり、（ほっとした様子をして）立ちさってしまうと、わたしは小さな旅行カバンをさげて、表の事務室にはいっていって、ジャガーズさんはいらっしゃいますか、とたずねた。

「おりませんが」と、書記がこたえた。「いまちょうど法廷へいってるところです。ピップさんですかね？」

わたしは、そうです、とこたえた。

「ジャガーズさんは、あのかたの部屋でお待ちくださるようにって、いいおいていかれましたよ。ちょうどいま事件があるもんで、どのくらいかかるかとも、おっしゃいませんでした。しかし、あのかたにとっちゃ時間がなにより貴重ですから、やむをえない以上に長くかかるわけはないはずです」

書記は、こういいながら、わたしを奥の部屋に案内した。そこには、別珍織《べっちんおり》の服と半ズボンをつけた、片眼の紳士がいた。新聞を丹念に読んでいたところをじゃまされた彼は、袖口《そでぐち》で鼻をふいた。

「外へ出て待っていなよ、マイク」と、書記はいった。

わたしは、おじゃまではないでしょうか、といいかけた――すると、書記は、遠慮えしゃくもなくこの紳士を外へ押しだして、後ろから毛皮の帽子を投げてやり、わたしをひとりのこして立ちさった。

ジャガーズさんの部屋は、天窓から明りをとっているだけで、おそろしく陰気臭い部屋だった。その天窓は、ぶちわられた頭みたいに、奇妙につくろわれていて、引きゆがんだ隣家は、まるでみんな体をねじむけて、そこからわたしをのぞきこんでるように見えた。部屋には、思ったほどたくさんの書類はなかった。そして、たとえば、さびたピストルとか、鞘《さや》におさまった剣とか、いくつかの奇妙な様子の箱や包み、それから棚の上の、ひどくむくんで、鼻のあたりがひきつっている恐ろしい顔の鋳型——など、およそ思いもかけないものがいくつかあった。ジャガーズさん自身の背の高い椅子は、ものすごく黒い馬の毛でできており、まわりにはしんちゅうの鋲《びょう》がいく列も打ってあって、まるで棺箱みたいだった。彼がこの椅子によっかかりながら、訴訟依頼人にむかって人差し指を嚙んでいる様子が眼に見えるような気がした。ごく小さい部屋なので、訴訟依頼人たちは、いつも壁に背をくっつけているらしい。壁は、ことにジャガーズさんの椅子の正面にあたるところが、肩ですれて油じみていたからである。わたしはまた、自分がそれと知らずに追いだすことになったあの片眼の紳士が、壁をこするようにして足をひきずりながら出ていったことを思いだした。

わたしは、ジャガーズさんの椅子に向かいあっている訴訟依頼人の椅子に腰をおろして、この家の陰気な雰囲気にすっかり気をうばわれた。そしてあの書記が、彼の主人とおなじように、他人の弱点を知っているような様子をしていたのを思いだした。いったい二階には何人くらい書記がいるんだろうか？　彼らはみんなおんなじように、同胞にたいして、われわれはきみたちの弱みをちゃんとつかんでるんだぞ、と主張するだろうか？　部屋中にひろがっている妙ながらくたは、どんないわれ因縁《いんねん》をもっているんだろう、どうしてまたここへはいりこんだんだろう？　あの二つのむくんだ顔は、ジャガーズさんの家族のものの顔じゃないだろうか？　もし彼が不幸にもこんなみっともない顔つきをした身内をふたりももっているとしたら、家《うち》にしまっておかないで、あんな埃りだらけのところにのっけておき、煤《すす》や蝿《はえ》のとまるにまかせておくのはどうしたわけだろう？　もちろん、わたしはロンドンの夏の日を経験したことはなかったし、それに、精も根もつきはてたような暑い空気と、ありとあらゆるものの上に厚くおいた埃りや砂に、すっかり意気消沈していたのかもしれない。それはともかく、わたしはジャガーズさんのむっとする重苦しい部屋で、いろんなことを怪しみながら待っていたが、しまいにはジャガーズさんの椅子の上の棚においてある二つの鋳型が、どうにもがまんできなくなって、とうとう立ちあがって、外へ出た。

待っている間にちょっと外の空気をすってきますから、と書記にいうと、彼は角を曲がっていらっしゃい、そしたらスミス・フィールドへ出ますよ、といってくれた。そこで、わたしはスミス・フィールド（訳注一）へ出てみた。汚物や脂肪や血や泡でよごれきった、この恥ずべき広場は、わたしの体にねっとりと粘りつくような気がした。で、わたしはそれをすりおとすように、そこを曲がった街路へ全速力でかけこんだ。この街路に立つと、セントポール寺院の広大な黒い円屋根《ドーム》が、恐ろしい石造の建物の背後から、わたしにむかって大きくふくれだしているのが見えた。そこにいたひとは、この恐ろしい石造の建物は、ニューゲート監獄（訳注二）だといった。監獄の壁にそっていくと、車の騒音を消すように、道路にわらがしきつめてあった。それと、それから、火酒やビールのにおいをぷんぷんさせながら、その辺にたたずんでいるたくさんの人間の数からみて、わたしはいま裁判がおこなわれているんだなと思った。

訳注一、シティーの西北にあって、十二世紀ごろから大市場としてもちいられ、中世の騎士道が盛んだった時代には、ここの草地で騎士のトーナメント（試合）がおこなわれた。また宗教上の犯人の火刑場としてもちいられた。後、家畜市場となり、隣のセント・バーソロミュー寺院の例祭には、バーソロミュー市がたって大にぎわいをした。本書の書かれた（一八六〇——六一年）より数年前の一八五五年に、家畜市場は他に移り、バーソロミュー市《いち》もやめになった。

訳注二、ニューゲートは、旧ロンドン市城壁の西の主要門。十二世紀から監獄としてもちいられ、一九〇二年に取りこわされた。一七八九年から公開刑場がこの監獄の門前にうつされた。公開の絞首刑のときは、ものすごい人出で、大騒ぎを演じた。ディケンズは、一八四九年、これを非難する公開状を発表したほどである。一八六八年になって、はじめて公開の絞首刑は廃止された。

わたしがここであたりを見まわしていると、ものすごく薄汚い様子をし、少々酔っぱらっている裁判所の門衛が、わたしになかへはいって裁判を見たくはないか、とたずねた。そして、半クラウンだしたら、仮髪《かつら》をつけ、法官服をまとった高等法院長がすっかり見られる、いちばん前列の席を世話してやろう、といった。それから、その恐ろしい名士のことをまるでろう人形かなんぞのように話して、じきまた一シリング半に負けて見せてやろうといった。約束があるからといってこの申し出をことわると、彼は親切にもわたしをとある中庭へつれこんで、絞首台のしまってあるところや、公開の笞刑《ちけい》がおこなわれる場所を見せ、それから罪人が出てきて絞首刑にされる「債務者の門」を見せた。そして、明後日の朝八時に、「やつらが四人」、その門から出てきて、一列にならばされて殺されるんだといって、その恐るべき門にたいする興味をあおりたてた。これはじつに恐ろしいことで、おかげでわたしはロンドンがすっかりいやになった。ことにこの高等法院長の見世物師が（帽子から靴にいたるまで、それどころかハンケチまでも）すっかり黴《かび》だらけの、もとは他人のものだということが明瞭にわかる服装をしていたので、なおさらそんな気持ちになった。この服は、彼が死刑執行人から安い値段で買いとったのだろう、とわたしはひそかに思った。こんな様子だったので、一シリングやって彼から逃げだしていいことをしたと思った。

わたしは事務所に立ちよって、ジャガーズさんはもどられたか、たずねてみた。そして、まだもどっていないことを知ると、またぶらぶらと外へ出た。こんどは、リトル・ブリテンへ足をのばして、バーソロミュー寺院の境内へはいった。そこで、ほかにもわたしとおなじようにジャガーズさんを待っている連中があることに気づいた。秘密くさい様子をした男がふたり、境内にぶらぶらしていて、いっしょに話をしながら、考え深そうに舗石の割れ目に靴をはめこんでみたりしていた。彼らが最初にわたしのそばを通りすぎたとき、そのうちのひとりが相手に、「もしそれができるもんなら、ジャガーズがやるよ」と、いった。すみっこのほうに、男が三人、女が二人、ひとかたまりになってたたずんでいた。女のひとりは、肩掛けを顔にあてて泣いていた。もうひとりの女は、自分の肩掛けをその女の肩にかけてやりながら、「ジャガーズ さんはあのひとを弁護していてくださるんですよ、ミーリア。それ以上になにが望めます？」といった。わたしが境内をぶらついているあいだに、赤い眼をした小柄なユダヤ人が、もうひとりの小柄なユダヤ人といっしょにはいってきた。赤い眼のユダヤ人は、つれのユダヤ人を使いにやった。使いの留守のあいだ、えらく興奮しやすいこの男は、街灯柱の下で心配のあまり、「おお、ジャガース、ジャガース、ジャガース、ジャガース！　ほかのやつらは、みんなキャッグ・マースだ！　わしゃどうしたってジャガースだ！」と、気がふれたように口走りながら、ジック踊りをやっていた。わたしの後見人の評判にたいするこれらの証拠は、わたしに非常な感銘をあたえ、いまさらのように賛嘆し、感嘆するようになった。

　バーソロミュー寺院の境内の鉄の門のところで、リトル・ブリテンをながめていると、とうとうジャガーズさんが街路をよこぎってこちらへやってくるのが見えた。それと同時に、彼をまっていた他の連中も彼の姿を見つけて、そちらへどっと殺到していった。ジャガーズさんは、わたしの肩に手をかけ、わたしにはひとこともいわずに、ならんでいっしょに歩かせながら、ぞろぞろついてくる他の連中にむかって話した。

　まず最初に、彼は例の二人の秘密ありげな男に話しかけた。

「ところで、わしはいまきみたちになにもいうことはないんだ」と、ジャガーズさんは彼らに指を投げつけながらいった。「わかってる以上に知りたいとも思わん。結果は、運否《うんぷ》てんぷだな。わしゃはじめから、こりゃ運否てんぷだっていったろう。ウェミックに金をはらったかな？」

「わたしたちゃ、けさ、ようやく金をこしらえましたんで」と、一方の男がおとなしくいった。もうひとりの男は、ジャガーズさんの顔をじろじろ見つめていた。

「わしはなにもきみに、金をいつつくったとか、どこでつくったとか、いったい金をつくったかどうかなんてことを聞いてやしない。ウェミックは金をうけとったのか？」

「はい、さようです」ふたりともいっしょにいった。

「そうか、じゃ、よろしい。いってもよし。もう用はないんだ！」と、ジャガーズさんは手をふって、ふたりともいっしょに後にさがらせた。「わしにひとことでもいうと、事件を投げだしてしまうぞ」

「あの、ジャガーズさん、わたしたちゃ考えたんですがね——」一方の男が帽子をぬぎながらはじめた。

「それこそ、きみたちのしちゃならんことだと、いっといたじゃないか」と、ジャガーズさんはいった。「わたしたちゃ考えました、と！　このわしがきみたちにかわって考えてやってるんだ。それでたくさんだ。きみたちに用事があったら、どこできみたちを見つけたらいいか、ちゃんとわかっとる。わしはきみたちに見つけてなんかもらいたくない。もう用はなし。ひとことだって聞くのはごめんだ」

　ジャガーズさんが手をふって後ろへさがれというと、ふたりの男はたがいに顔を見あわせていたが、おとなしくあとになって、二どと話しかけはしなかった。

「さて、おまえさんたちだが！」ジャガーズさんはとつぜん立ちどまって、肩掛けをかけたふたりの女のほうへふりむいて、いった。「おや！　アミーリアじゃないか？」——三人の男たちは遠慮して、彼女たちからはなれた。

「さようでございます、ジャガーズさん」

「ところで、おまえは」ジャガーズさんはやりかえした、「わしがこいといわん以上、ここへはこないことに、またきてはならんことになってるのをおぼえとるかね？」

「ええ、おぼえておりますとも！」女たちはいっしょに叫んだ。「ほんとに、そのことはようくおぼえております！」

「じゃ、なぜやってくるんだ？」

「わたしのビルは？」泣いているほうの女が哀願した。「これが最後だよ。ビルは確かな人間の手にはいってることを、おまえさんたちゃ知らんかしらんが、わしはちゃんと知っとる。で、もしおまえさんたちがビルのことをくよくよ心配してここへやってくるなら、わしはおまえのビルにもおまえにも、見せしめになるように、ひとつビルを指の股《また》から落としてやる。おまえさん、ウェミックに支払いしたかな！」

「ええ、いたしましたとも！　一文のこらず！」

「よろしい。じゃ、もうすっかり用事がすんだわけだ。もしひと言でも口をきくなら——たったひと言でもだ——すぐさまウェミックに金をつっ返させてやる」

この恐ろしい威嚇《いかく》にあって、ふたりの女たちはあわててあとになった。あとにはただ、例の興奮しやすいユダヤ人がひとりいるだけだった。彼はもうなんどもジャガーズさんの上着の裾《すそ》をとって、唇にあてていた。

「わしはこんな男を知らんが」と、ジャガーズさんはものすごくたたきつけるような調子でいった。「こいつ、いったいなんの用事があるんだろう！」

「ジャガースたん！　ハブラハム・ラサラスの兄でごだいます！」

「だれのこった？」と、ジャガーズさんはいった。「上着をはなせったら！」

願いの主は上着の裾をはなすまえに、もういちど唇にあててこたえた。「ハブラハム・ラサラスでごだいます。銀の皿のことで嫌疑をうけておりますんてす」

「おそい、おそい」と、ジャガーズさんはいった。「わしはもう反対側に立ってるんだ」

「聖なる神にかけて、ジャガースたん――」と、わたしの興奮しやすい知人は青くなって叫んだ。「ハブラハム・ラサラスの反対側に立つだなんて、おっしゃらないでくだたい」

「もう立っているんだ」と、ジャガーズさんはいった。「さあ、それでしまいだ。どいた、どいた！」

「ジャガースたん！　ちょっくらおまちくだたい。わたしの従弟《いとこ》がとんな条件でもいいからといって、たったいまウェミックたんのところへいったところです。ジャガースたん！　ほんのちょっくらてす！　もしあなたが、お金で反対側から買収されてもいいっていうお気持ちがごだいましたら――どんな高い値段でもかまいまてん――金に糸目はつけまてん――ジャガースたん――ジャガ――」

わたしの後見人は、この哀願者を冷然とはねつけてしまったので、彼は舗道の上で、まるで舗道がまっ赤に焼けてるみたいにおどっていた。それ以上じゃまにはいられずに、わたしたちは表口の事務所についた。するとそこには、書記と別珍の服を着、毛皮の帽子をかむった例の男がいた。

「マイクですよ」と、書記は腰掛けからおりて、打ち明け話をするような様子でジャガーズさんに近づきながらいった。

「ほう！」と、ジャガーズさんは、まるでベルの引きひもをひっぱってるコック・ロビン物語のなかの雄牛みたいに、額の真中の髪をひっぱっている例の男にむかっていった。「おまえ、きょう午後ひとりつれてくるってわけだったな。どうした？」

「どうしたって、ジャガーズさん」マイクは生まれつき風邪《かぜ》でもひいている人間みたいな声をだしてこたえた。「さんざんっぱら骨をおったあげく、やっと間にあいそうな男をひとりめっけましたよ」

「で、そいつはなにを証言しようっていうんだ？」

「そりゃ、ジャガーズさん」と、マイクはこんどは毛皮の帽子で鼻を拭き拭きいった。「まず、だいたい、なんでも証言いたしますだよ」

　ジャガーズさんはだしぬけに猛烈に怒りだした。「きさま、ここでそんな口をたたいたら、ほかのものの見せしめに、小っぴどい目にあわせてやると、ちゃんといっといたじゃないか」彼は胆をつぶしている依頼人に人差し指を投げつけながらいった。「このろくでなしの悪党め、よくもこのわしにむかってそんなことをぬけぬけといえたな！」

　依頼人は、びっくり仰天しながらも、いったいどんな悪いことをしたのかさっぱりわからんらしく、困惑した様子をしていた。

「とんちきめ！」と、書記は彼を肘でつつきながら小声でいった。「薄のろめ！　そんなこと、面とむかっていうやつがあるか？」

「この糞《くそ》どじめ！」と、わたしの後見人は非常にきびしい調子でいった。「もういちどだけきいてやるが、いったいそのおまえがつれてきた男というのは、なんの証言をしようっていうんだ？」

　マイクは、その顔からなにか教訓を学びとろうとしてるみたいに、わたしの後見人をまじまじと見ながら、ゆっくりこたえた。「人物についても、それから事件の晩にそいつといっしょにおって、一晩中そいつから離れなかったってこともです」

「いいか、気をつけてこたえるんだぞ。で、その男はなにをしてる人間なんだ?」

マイクは自分の帽子を見、床を見、天井を見、書記を見、わたしをさえ見てから、やっとおどおどしながらこたえた。「わしたちゃやつをその――あれに仕立てて――」すると、わたしの後見人はだしぬけに大喝した。

「なに? なにをしようだって?」

(「とんちきめ!」と、書記はまた肘でつっつきながらいった)

「立派なパイ屋の装《なり》をしてますんで。菓子屋のようなもんでございますだ」

「ここへきているのか?」わたしの後見人はたずねた。

「あの角をまがったところの」と、マイクはいった、「入口の上がり段に腰かけさしときましただ」

「あの窓のところをつれてとおってみせろ」

その窓というのは、事務所の窓だった。わたしたちは三人ともその窓のところへいって、網戸の後ろに立った。すると、間もなく依頼人が、白リンネルの短い服を着、紙製の帽子をかむった、残忍な顔つきの背高《せいたか》のっぽの男をつれて、いかにも偶然に通りかかったような様子をして通りすぎた。この飾りけのない菓子屋は少々酔っぱらっており、治《なお》りかかりの片方の黒痣《あざ》の眼は、紫色になっていて、それを白粉でかくしていた。

「あいつに、証人をすぐどこかへつれていってしまえといえ」と、わたしの後見人はうんざりしたように書記にむかっていった。「そうして、いったいどういう了見であんな人間をつれてきたか、聞きただして見ろ」

わたしの後見人は、それからわたしを自分の部屋へつれていって、つっ立ったまま、箱入りのサンドウィッチとポケット型のシェリーびんで昼食をやりながら(彼は自分のサンドウィッチを、まるでいじめつけているようにして食べた)、わたしのために、どんなふうに取り計らっておいてくれたか話してくれた。バーナーズ・インにいるポケットさんの息子の部屋に寝台がとどけてあるから、そこへいって、月曜日まで彼の息子といっしょにいるように、月曜日には彼といっしょに彼の父親を訪問して、気がむくかどうか様子を見るように、ということだった。それから、わたしに給与される金額も教えてくれ――それはたくさんな額だった――さらに、いろんな服やそのほか当然必要な品物を、ここで買ったらいいといって、わたしの後見人の引出しのひとつから、商人の名刺をとりだしてくれた。「ピップ君、いまにわかるが、きみの信用は大したものだよ」と、わたしの後見人はいった。彼はいそいでシェリーを一口のんだが、そのシェリーの壜はまるで一樽《たる》全部ほどのにおいがした。「しかし、わしはこうしてきみの勘定書《つけ》をちゃんとチェックして、きみが使いすぎて借金なんかしたら、小言をいってやることができるんだ。もちろんきみはなんとかかとかして失策をしでかすだろう。だが、そいつはわしの責任じゃない」

こういかにも心強い意見を聞かされて、ちょっと思案したあと、わたしは馬車をよぶことができようかとたずねた。すると、彼は、すぐ近くだから、わざわざそんなことをすることはない、よかったらウェミックに案内させよう、といった。

それで、隣室にいる例の書記がウェミックだということがわかった。ウェミックの留守のあいだ、彼のかわりをするようにもうひとり書記が二階から呼ばれた。で、わたしは後見人と握手してから、ウェミックについて街へでた。またひとかたまりの人間が外にぶらぶらしていたが、ウェミックは、「だめ、だめ、あのかたは、あんたがたのだれともひと言だって話しゃせんよ」と、冷やかに、だがきっぱりといって、彼らのあいだをとおりぬけた。そして、わたしたちはじき彼らからのがれて、ならんで歩いた。

第二十一章

わたしは、歩きながら、ウェミックさんというのは日向《ひなた》で見たらどんな様子をしているだろうかと、じろじろ見てみた。彼はどちらかというと、背のひくい、角ばった、無表情な顔をした、かさかさに干《ひ》からびたような男だった。顔は、まるで先の鈍《なま》くらなのみで下手くそに彫られたような表情をしていた。のみの痕は、いくつかついていた。それは材料がもっとやわらかで、道具がもっとよかったら、えくぼになったかもしれないが、そうでないため、ほんのちょっとへこんでいるだけだった。のみは、彼の鼻も、ひとつきれいにしてやれと、おなじように三、四遍やってみたものの、あとをきれいにならすことも忘れて、そのままやめてしまったのだった。彼のシャツがすれて傷《いた》んでいるところから判断して、独り者だなと思った。彼はたくさんのひとに先立たれたらしい様子だった。というのは、骨壺ののっているお墓に婦人としだれ柳をあらわしたブローチのほかに、形見の指輪を四つもはめていたからである。それからまた、時計の鎖には指輪や印形がいくつもつるしてあって、まるで亡き友人たちの形見でうずまってるみたいだった。

彼は、きらきら光る眼——小さい、鋭い、黒い眼——と、薄くてひろい、汚点《しみ》のついた唇をしていた。彼はこれらの眼や唇を、たしかもう四、五十年はつけているように見うけられた。

「すると、いままでロンドンにいらしたことはなかったんですな？」と、ウェミックさんはわたしにいった。

「そうです」

「わたしだって、ここがはじめてのこともありましたよ」と、ウェミックさんはいった。「いまから思うと、妙な気がしますよ！」

「いまではすっかりおなじみなんでしょう？」

「もちろん」と、ウェミックさんはいった。「ロンドンの遣《や》り口なら、なんだってわかってますよ」

「非常に悪いところでしょうか？」わたしはそれを知りたいというよりも、なにかいうために、こうたずねた。

「ロンドンにゃ、あんたをだましたり、盗んだり、殺したりする人間がいますよ。しかしまた、あんたのためにそんなことをやる人間だって、いたるところにごろごろしてます」

「もしおたがいのあいだに悪感情でもあったらでしょう」わたしはちょっと話をやわらげようと思って、いった。

「さあ。悪感情なんてことは、わたしゃあんまりぞんじませんがね」と、ウェミックさんはこたえた。「悪感情だなんて、たいしてあるものじゃありません。やつらは、得になりさえすりゃ、やるんですよ」

「それじゃいっそう悪いじゃないですか」

「そうお思いですか？」と、ウェミックさんはこたえた。「わたしは、どっちだっておんなじこ

った と思いますがね」

　彼は帽子をあみだにかぶって、まるで町には自分の注意をひく権利のあるものはひとつもないというふうに、いかにも打ち解けない顔つきをして、前方をまっすぐに見ながら歩いた。彼の口はまるで郵便ポストそっくりの口だったので、機械的に微笑しているように見えた。それは機械的にそう見えるだけで、微笑なんかちっともしているんじゃないということがまだわからないうちに、もうホルボン・ヒルの端へきていた。

「マシュー・ポケットさんはどこにお住いか、ごぞんじですか？」わたしはたずねた。

「ええ、知ってます」といって、彼はその方角へ頤《あご》をしゃくって見せた。「ロンドンの西のハマスミスです」

「遠いんですか？」

「そう！　五マイルくらいありますかな」

「あのかたをごぞんじですか？」

「こりゃどうも、あんたはなかなか大した尋問家ですな！」と、ウェミックさんは、わが意をえたりというように、わたしを見ながらいった。「ええ、知ってます。わたしはあのかたをようく知ってますよ！」

　彼がこういったときの語調には、まあまあ仕方がないといったような、または小ばかにしたような気配が感じられたので、わたしは気が滅入ってしまった。そういった文句にたいし、なにか力になるべき注釈は浮かんでないものかと、彼の無表情な顔を横眼でながめている間に、彼はさあきました、バーナーズ・インです、といった。そういわれても、滅入りこんだ気持ちはちっともほがらかになれなかった。わたしはまた、バーナーズ・インというのは、てっきりバーナード氏の経営しているホテルのことで、それにくらべたら、青豚亭のごときはほんの居酒屋にすぎないのだろうと想像していたのである。ところがいま見ると、バーナードというのは、肉体をはなれた霊魂か、それとも作り話かなんぞで、彼の宿屋というのは、雄ねこどものクラブにでもするように、鼻もちならんほど悪臭ふんぷんたるすみっこにぎゅうぎゅうと押しこんだ、みすぼらしい、見るからにうすぎたない建物のかたまりにすぎなかった。

わたしたちは耳門《くぐりもん》をくぐって、この安息所にはいった。そして、通路をぬけて、まるで平らな墓場みたいに見える陰気臭い、小さい四角な広場へ吐きだされた。その広場の木や、すずめや、ねこや、家（およそ五、六軒の）は、かつて見たこともないほど陰気なものだった。これらの家はいく組かの部屋に分れていて、その窓には、いろんな程度に荒廃した鎧戸《よろいど》やカーテン、いびつになった植木鉢、こわれたガラスがあり、埃りだらけになって腐朽している様子や、みじめなやりくり算段をしている様子が、ありありと見られた。一方、「貸間」、「貸間」、「貸間」の札が、ありとあらゆる空間《あきま》からわたしをにらんでいた。まるで新しくここへやってくるみじめな人間なんかひとりもないので、バーナードは現在の居住者たちがしだいに自殺し、彼らの死体が砂利石の下に不浄なやりかたで埋められるのを見ながら、いきりたつ復讐《ふくしゅう》心を徐々に和らげているみたいだった。バーナードのこのわびしい創造物は、煤《すす》と煙のかび臭い喪服をすっぽりとまとい、頭に灰をかぶって、ただの塵埃《ごみ》溜《だ》めとして、懺悔《ざんげ》と屈辱の時をすごしていた。以上は、わたしの視覚に映じたことである。一方、ほったらかしにされた屋根や穴蔵でのかさかさの腐朽やじめじめの腐朽、ありとあらゆる沈黙の腐朽――ねずみや二十日《はつか》ねずみ、南京虫、それにすぐ近くの馬車屋のうまやの腐朽――それらの臭気がかすかにわたしの嗅覚を刺激して、「バーナードの雑炊《ぞうすい》をめしあがれ」とうめいていた。

わたしの大遺産相続の期待は、このように、まず最初にあまりにも不満足な形で実現されたので、わたしはおどろいてウェミックさんの顔を見た。「ああ！」と、彼はわたしの気持ちを勘ちがいしていった。「こんなに引っこんでいると、田舎がおもいだされましょう。わたしだってそうです」

彼はわたしを一方のすみっこにつれていき、それから階段を上って――この階段は徐々にくずれて鋸屑《おがくず》のようになっているように思えた。そして近いうちに、階上の居住者たちは、ドアからのぞいて見て、いつの間にか階段がなくなって、階下《した》へおりていくことができなくなっていることに気づくだろう、とわたしは思った――いちばんてっぺんの一組の部屋に案内した。ドアには、ポケット二世の表札があり、郵便受けには「すぐもどる」という張り紙がしてあった。

「あのかたは、あんたがこんなに早く見えるとは思わなかったんですよ」と、ウェミックさんは説明した。「もうわたしにご用はございますまい？」

「ええ、ございません、ありがとうございました」と、わたしはいった。

「わたしは現金をあずかってますので」と、ウェミックさんはいった、「わたしたちはきっとたびたびおあいすることになりましょう。さようなら」

「さようなら」

わたしは手を差しだした。ウェミックさんは、まるでわたしがなにかほしがってるとでも思ったように、わたしの手をながめた。それから、わたしを見、考えなおしてこういった。

「なるほど！　そうですね。あなたはいつも握手をなさるんですな？」

わたしは、握手はロンドンではすたれているにちがいないと思って、ちょっとまごついたが、そうです、とこたえた。

「そんなことはすっかり忘れてしまってましたよ！」と、ウェミックさんはいった――「最後のときは別ですがね。いや、お近づきになれて、ほんとにゆかいです。さようなら！」

握手をして彼が立ちさると、わたしは階段の窓をあけた。とたんに、危うく首を刎《は》ねられそうになった。紐がくさっていて、窓がギロチンのようにさっと落ちてきたからである。幸いと落ちかたがあんまり早かったので、わたしはまだ首をださないうちだった。こうして生命《いのち》びろいしたあと、わたしはまるで皮でもかぶったようにたまっている窓の埃りをすかして、旅館の様子をぼーっと見るだけで満足して、これはたしかにロンドンを買いかぶりすぎたなと、ひとりごとをいいながら、うら悲しい気持ちになって、外をながめてたたずんでいた。

ポケット二世君の「すぐ」という観念は、わたしの「すぐ」という観念とはちがっていた。というのは、わたしは半刻《はんとき》あまりも外をながめ、窓のひとつひとつのガラスの埃りに自分の名をなんども書いて、もうすこしで気が狂《ふ》れそうになったとき、やっと階段に足音がしてきたからである。やがて、わたしの眼のまえに帽子があらわれ、首があらわれ、えり巻きがあらわれ、チョッキとズボンと靴があらわれ、ついにわたしとほぼおなじ身分の社会の一員があらわれた。彼は、両脇《りょうわき》に紙包みをかかえ、一方の手にいちごのかごをもって、はあはあ、息を切らしていた。

「ピップ君ですね？」と、彼はいった。

「ポケット君ですか？」と、わたしはいった。

「これは、これは!」と、彼は叫んだ。「ほんとに失敬しちゃった。でも、きみの地方からひるにつく馬車があることがわかってたので、きっとそれでこられるだろうと思ってたんです。じつをいうと、ぼくはきみのために外出してたんですよ——弁解してるわけじゃないがね——田舎《いなか》からきたら、食事のあとで果物がほしいだろうと思ってね。コヴェント・ガードン市場へいいのを買いにいってたんです」

ある理由で、わたしは自分の眼が顔からとびだしそうな気がした。どぎまぎしながら、彼の親切に感謝したわたしは、夢ではないかと思った。

「おや、おや!」と、ポケット二世君はいった。「ドアのやつ、なかなか動きゃしない!」

紙包みを両脇にかかえたまま、ドアとねじあって、果物をたちまちジャムみたいにしてしまいそうだったので、わたしは紙包みをもちましょうといった。彼は気持ちよくにっこり笑って、それを手ばなし、まるで野獣でも相手にしているようにドアと格闘した。ついにドアがふいにぱっと開いたので、彼はよろよろとわたしにぶっつかり、わたしはわたしで、よろよろと向こう側のドアにぶっつかった。そして、わたしたちはいっしょになって笑った。それでもなおわたしは、自分の眼が顔からとびだしてしまうにちがいない、これはまさしく夢にちがいない、と思った。

「さあ、はいりたまえ」と、ポケット二世君はいった。「お先に失敬。いやにがらんとしているが、月曜日までなんとかうまく時間をつぶしてくれたまえ。ぼくの父はね、きみは父よりかぼくといっしょのほうが明日一日をゆかいにすごすことができるだろう、それにきみはロンドンをぶらついてみたいかもしれん、とこう考えたんだ。ぼくは、よろこんできみにロンドンを案内しますよ。ところで、われわれの料理なんだが、きっと悪くはないだろうと思う。なにしろ、ここのコーヒー店からとどけられるんだからね。それも、(これはことわっておかなくちゃならんと思うが)きみがはらうことになっているんだ。ジャガーズさんの指図なんでね。部屋はけっしてすばらしいものじゃない。ぼくは食いしろを自分でかせがなくちゃならんのでね。父にゃぼくにくれるものってなにひとつないし、たとえあったって、もらいたくないからね。これが居間です——椅子やテーブルやカーペットは、家の不用品をもってきたので、こういうありさまだ。テーブル掛けやスプーンや薬味入れなんかは、コーヒー店からきみのとしてきたものなんだから、ぼくのものだなんて考えちゃいけない。こっちはぼくの小さい寝室だ。いささかかび臭いが、だいたいバーナードの旅館自体がかび臭いんだから、しかたがない。これが、きみの寝室だ。家具は、こんどわざわざ金をだして借りたものですよ。これで間にあうだろう。もしなにかほしいものがあったら、ぼくがいってとってきてあげる。部屋はひっこんだところだから、ぼくたちゃふたりっきりだ。しかし、喧嘩《けんか》なんかすることはないだろう。だが、やあ、こりゃ失敬。きみに果物をもたせっきりだったね。さあ、その包みをくれたまえ。まったくお恥かしいしだいだ」

わたしがポケット二世君と向かいあって立って、包みを一つ二つと手わたししていたとき、わたしの眼に浮かんだにちがいない、びっくりした表情が彼の眼にいりこむのが見えた。彼は、たじたじとあとずさりしながら、いった。

「おやっ、きみはあそこでうろついてた少年じゃないか!」

「そしてきみは」と、わたしはいった、「あの青白い顔の小紳士だね」

第二十二章

青白い顔の小紳士とわたしは、バーナード旅館のなかで、たがいに顔を見あわせながら、つったっていたが、やがて大声で噴《ふ》きだした。「なあんだ、きみだったのか！」と、彼はいった。「なあんだ、きみだったのか！」と、わたしはいった。それから、またあらためてたがいに顔を見あわせて、笑った。

「それはそうと」と、青白い小紳士は、きげんよく手を差しのべながらいった。「もうすっかりすんじまったんだね。あんなにきみを打ちのめしちゃったことを許してくれるなら、ほんとに寛大なしだいだ」

この言葉から推して、ハーバート・ポケット君は（ハーバートというのが、青白い小紳士の名だったのである）、彼の意図とじっさいを混同してしまっているな、とわたしは思った。しかし、わたしは謙遜《けんそん》な返事をして、熱心に握手した。

「あのころきみはまだ幸運をつかんじゃいなかったんだね？」と、ハーバート・ポケットはいった。

「そうなんだ」と、わたしはいった。

「そう、そう」と、彼は同意した。「ついこのごろそうなったんだと聞いたっけ。あのころ、ぼくもいささか幸運をねらってたんだ」

「ほんとうかい？」

「ほんとうだ。ミス・ハヴィシャムはぼくが好きになれるかどうか知ろうと思って、ぼくを呼びよせたんだ。だが、好きになれなかった――いずれにせよ、好きにならなかったんだ」

それは意外だ、と礼儀上いわざるをえないような気がした。

「悪趣味さ」と、ハーバートは笑いながらいった。「しかし、それが事実なんだ。じっさい、彼女はぼくをためしによんでみたんだ。で、もしぼくがそれに見事成功したとしたら、ぼくはお金をもらったことだろうと思う。たぶんぼくはエステラになんとかなったことだろう」

「なんとかってなんだい?」と、わたしはとつぜん真剣になってたずねた。

彼は話しながら果物を皿《さら》にならべていた。そのため、彼の注意がそらされて、こんなにいいそこなったのである。「許婚《いいなずけ》さ」と、彼はなおもいそがしく果物をならべながらいった。「婚約。約束。なんとか、かんとか。なんでもいい。まあそういったことだ」

「どうしてその失望にたえることができたろう!」と、わたしはたずねた。

「ふん!」と、彼はいった。「ぼくは大して望んじゃいなかったんだ。なにしろ、あいつは韃靼人《だったんじん》だからな」

「ミス・ハヴィシャムがかい!」

「それも、そうじゃないとはいわんが、ぼくのいうのはエステラさ。あの娘《こ》は徹底的に頑固《がんこ》で、高慢ちきで、気まぐれなんだ。そして、ミス・ハヴィシャムによってあらゆる男性に復讐するように育てられたんだ」

「あのひととミス・ハヴィシャムとはどんな関係なんだい?」

「なんでもないんだ」と、彼はいった。「ただ養女にしてるだけのことだ」

「なぜあのひとはあらゆる男性に復讐するのかね？　いったいなんの復讐なんだい？」

「驚いたな、ピップ君！」と、彼はいった。「きみは知らないのか？」

「うん、知らないんだ」と、わたしはいった。

「へえ！　まるで小説だよ、きみ。だから夕食のときまでとっとくことにしよう。それはそうと、失敬だが、ひとつ質問させてくれたまえ。きみはいったいどうしてあの日あそこへやってきたんだ？」

わたしはすっかり話してやった。彼は、わたしの話が終わるまで、熱心にきいていたが、話がおわると、また、わっは、は、は、と笑いだして、あとで痛かったろう、ときいた。わたしは彼に、きみは痛かったかい、とはきかなかった。その点、わたしの信念は確固たるものであったからである。

「ジャガーズさんがきみの後見人だってね？」と、彼は言葉をつづけた。

「そうなんだ」

「きみも知ってるだろうが、あのひとはミス・ハヴィシャムの代理人で、顧問弁護士なんだよ。そして、あのひとだけが彼女に信用されてるんだ」

話が危険な領域へ近づきつつあるような気がした。わたしは気兼ねをかくそうともせずに、格闘のあったあの日、ミス・ハヴィシャムの屋敷でジャガーズさんにあったこと、しかし、氏はわたしをあそこで見たなんて記憶しちゃいないだろうと思う、ということを話した。

「あのひとはたいへん親切に、ぼくの父をきみの先生に推薦して、その相談に父を訪ねてくれたんだ。もちろんあのひとは、ミス・ハヴィシャムとの関係からぼくの父のことを知ったんだね。

ぼくの父はミス・ハヴィシャムのいとこなんだ。といっても、ふたりのあいだが親密だというわけじゃない。なにしろ、ぼくの父ときたら、ひとのごきげんとりが下手《へた》くそだから、彼女のきげんをとろうとはどうしてもしないんだ」

　ハーバート・ポケットは非常に率直で、気やすくて、魅力があった。およそ内証ごととか卑劣なまねなんか、生まれつきできない性分だということが、そのあらゆる眼つきや語調にこれ以上強く現われている人間を、それまでいちども見たことはなかったし、その後だっていちどもない。彼の様子には、なにかしらすばらしく希望にみちあふれたところがあったが、それと同時に、彼はけっして非常な成功をしたり、金持になったりはしないだろうとわたしにささやくものがあった。どうしてそんな気がしたのか、それはわからない。まだいっしょに食卓につきもしないこの最初の機会に、こういう考えがわたしの頭にしみこんだが、いったいなんでそうなったのか、いまだにわからないのである。

　彼はいぜんとして顔の青白い年若い紳士で、その元気なきびきびした態度のうちにも、どこかしらむりにおさえた倦怠《けんたい》といったものがあって、けっして生まれながらの力を語っているようには思えなかった。彼の顔はきれいではなかった。しかし、非常に愛嬌《あいきょう》があって、快活で、きれいというよりもずっと立派だった。彼の姿は、わたしの拳骨があんなに無遠慮にふるまったころとおなじように、ちょっと不格好だったが、しかし、いつでも軽快で、若々しいだろうと思った。トラップさんの田舎仕事が、わたしよりも彼のほうにいっそう優雅に似合うかどうかは、疑問だろう。しかし、彼は、わたしが自分の新調の服を着こなすよりも、いささか古いその服をはるかによく着こなしていたことをおぼえている。

彼があんまり明けっ放しになんでも話したので、わたしのほうで控え目にしたらそれこそ失礼になるし、第一わたしたちの年ごろにはふさわしくないことだと思った。そこで、わたしは自分の短い来歴を話し、わたしの恩恵者がだれかということをたずねることは禁じられているということを、とくに力をいれて話した。わたしはさらにすすんで、自分は田舎の鍛冶屋として育てられたので、礼儀作法はまるで知らないから、自分がまごついたり、間違ったりしているのを見たら、そうと教えてもらいたい、そうしたら非常にありがたいだろう、といった。

「いいとも」と、彼はいった。「といっても、教えてもらう必要なんかきみにはほとんどないと思うがね。ぼくたちはしょっちゅういっしょになると思うんだ。で、おたがいのあいだでは、いらん遠慮はなくしてしまいたい。そこで、さっそくぼくをこれからハーバートと呼んでくれないかね？」

わたしは彼に感謝して、そうしようといった。そして、自分の名まえはフィリップだといった。

「フィリップは好かんな」と、彼は笑いながらいった。「だって、そりゃまるであんまりなまけ者で池のなかへ落っこちたり、あんまり太っちょで自分の眼でものを見ることができなかったり、あんまり欲っぱりで自分の菓子をしまいこんでおいてねずみにくわれてしまったり、小鳥の巣ばかり狙《ねら》ってたため、すぐ近所に住んでた熊公《くまこう》たちに食われてしまったりした、読本のなかにでる修身のお話の少年みたいに聞こえるじゃないか。いいことがある。ぼくたちは非常な仲よしだし、きみは鍛冶屋だったんだから――きみ、かまわないね？」

「きみのいうことならなんでもかまわんが」と、わたしはこたえた。「しかし、きみはなんのこといってるのかさっぱりわからないな」

「親しい呼び名として、ヘンデルといってもかまわんかい？　ヘンデルのきれいな曲に、『調子のよい鍛冶屋』っていうのがあるんだ」

「うん、そりゃいい」

「じゃ、親愛なるヘンデル」と、彼はドアが開いたときふりむきながらいった、「さあ、食事がきた。食事はきみがだすんだから、ひとつきみに上座にすわってもらわなくちゃならん」

しかし、わたしはどうしてもそれを承知しなかったので、彼は上座にすわり、わたしは彼にむかいあってすわった。それは、ささやかながら立派な食事だった。——あのとき、わたしにはそれはまるでロンドン市長の饗宴のように思われた——しかも、年とったひとはひとりもいず、不羈《ふき》独立で、おまけにロンドンのまっただなかときているので、いっそうおいしく思われた。この趣は、饗宴をひき立てていたジプシー的性格によって、いちだんとたかめられた。というのは、料理は——全部コーヒー店からとどけられたもので——パンブルチュックさんならさしずめ贅沢《ぜいたく》三昧《ざんまい》というにちがいない品であったが、一方居間のなかの様子とくると、これはまたいささか牧草《まきぐさ》もない、漂泊不定の様相をおびていたからである。そのため、給仕には放浪癖がついていて、ふたは床の上におきっぱなし（彼はそれにつまずいてひっころがった）、溶けたバタは肘掛椅子に、パンは本棚に、チーズは炭入れのなかに、鶏肉《とり》はとなりのわたしの寝室におきっぱなしだった——夜になってそこへ寝にいくと、おらんだぜりやバタがたくさん固まっていた。だが、そのためかえって饗宴は楽しいものとなった。ことに給仕がでていって、わたしを見ているものがないときなぞ、わたしはむしょうにうれしかった。

食事がよほどすすんだとき、わたしはハーバートに、ミス・ハヴィシャムの話をしてくれる約束だったがといった。

「そうそう」と、彼はこたえた、「すぐ約束を果たそう。話をはじめるまえにちょっといっとくがね、ヘンデル。ロンドンじゃナイフを口のなかへつっこまない習慣なんだ――怪我でもすると大へんだからな――それから、そのためにゃフォークをつかうんだが、それも必要以上に口の奥へいれないんだ。別にどうってこともないが、まあほかの人間がやるようにやってるほうが無難だろう。それと、スプーンだが、これはいっぱんには上からもたないで、下からもつんだ。そうすると、いいことが二つある。第一口にとどきやすいし（けっきょくそれが目的なんだからね）、それから右の肘で牡蠣《かき》をあけるような格好をしなくてもすむというもんだ」

彼はこうした友情的な注意を非常に快活にいってくれたので、わたしたちはいっしょになって笑い、おかげでわたしは顔をあからめなくてすんだ。

「さて」と、彼はつづけていった。「ミス・ハヴィシャムだが。きみも知ってるだろうが、ミス・ハヴィシャムは甘やかされただだっ子だったんだね。あのひとのお母さんは、あのひとがまだ赤んぼのときに亡くなったんだ。お父さんは、あのひとのいうことならなんでもきいた。お父さんというのは、きみの地方の素封《そほうか》家で、酒造家だったんだ。いったい酒造家だということがなぜすばらしいことなのか、ぼくにはさっぱりわからない。だが、とにかくきみは菓子をつくりながら紳士であるわけにはいかんが、酒をつくっていても堂々たる紳士であることはできるんだ。こりゃ、いつだってそうなんだ」

「でも、紳士が居酒屋をやるわけにはいかんだろう？」と、わたしはいった。

「むろん、いかない」と、ハーバートはこたえた。「だが、居酒屋は紳士を養うことができるよ。ところで、と！　ハヴィシャム氏は非常な金満家で、また非常に誇りの強いひとだったんだ。娘も同様さ」

「ミス・ハヴィシャムは、ひとり娘だったのかね？」わたしは思いきってたずねた。

「ちょっとまちたまえ。いまそのことをいおうとしていたところだよ。いや、ひとり娘じゃない。あのひとには腹ちがいの弟があったんだ。彼女のお父さんは、ひそかに再婚したんだね――あのひとのコックらしいんだ」

「でも、ひどく誇りの強いひとだっていったじゃないか？」わたしはいった。

「そりゃ、ヘンデル、そのとおりなんだよ。誇りが強かったからこそ、ひそかに結婚したんだ。やがて、その婦人も亡くなった。ぼくの知ってるところによると、その婦人が亡くなったとき、あのひとははじめて娘にむかって、自分のやってたことを話したんだね。そして、それからその息子は、家族の一員として、きみの知ってるあの屋敷にすむことになったんだ。息子は成人して若者になると、放埒《ほうらつ》で、放蕩《ほうとう》で、恩知らずで、――まったく手もつけられない悪党になってしまった。そこで父親は、とうとう彼を廃嫡《はいちゃく》してしまったんだが、臨終の床で、気がくじけて、ミス・ハヴィシャムほどではないが、とにかく裕福な身代にしてやった。――さあ、ブドー酒をもう一ぱい。ついでにいっとくが、社交界は全体としてだね、コップを空《あ》けるとき、底を上にして、コップの縁を鼻にくっつけるほど、厳密に良心的にしなくてもいいことにしてるんだよ」

わたしは、彼の話に熱中するあまり、そんなふうにやっていたのである。さっそく、ありがとうといってわびた。彼は、「いやかまわんさ」といって、また話をつづけた。

「いまや、ミス・ハヴィシャムは世嗣《よつぎ》となった。彼女がすばらしい結婚相手として求められたことは、想像にかたくないだろう。彼女の腹ちがいの弟は、ふたたび十分な財産を手にいれたが、借財やら新しい気ちがい沙汰やらで、またぞろものすごいぐあいに浪費してしまった。このふたりは彼と彼の父親との違いよりも、もっとひどく違っていた。そして、その弟は彼女が父親をたきつけて怒らせたんだといって、彼女を深刻に、それこそ恐ろしいほどうらんでいたらしいんだ。ところで、いよいよ残酷な話にかかるんだが――ちょっと端折《はしょ》っていっておくがね、ヘンデル君。ナプキンは、コップのなかにはいりっこないよ」

いったいなぜわたしは自分のナプキンをコップのなかへつっこもうとしていたのか、さっぱりわからない。ただわかっていることは、気がついてみると、自分はそれよりももっと立派なことにでもつかったらと思われるほどの執拗さでもって、一生けんめいにナプキンをその小さいもののなかへおしこもうとしていたのであった。わたしはもういちど彼に感謝してわびをいった。すると彼は、またこの上もなく快活に、「いや、ちっともかまわないよ！」といって、話をつづけた。

「競馬場だか、公の舞踏会だか、どこだか知らんが、とにかくひとりの男性が舞台に現われてミス・ハヴィシャムに言い寄ったんだ。ぼくはその男を見たことはないが（なにしろこれはきみ、二十五年まえ、きみやぼくのまだ生まれないときに起こったことだからね）、そいつはそういうことにかけちゃ打ってつけの、いかにも派手《はで》好きな男だったと、ぼくの父がいっているのを聞いたことがある。だが、無知か偏見でなかったら、紳士とまちがえられるようなやつではけっしてなかった、と、ぼくの父は非常な確信をもって断言している。およそ心底の立派な紳士でない男が、態度の立派な真の紳士になったためしは、開闢《かいびゃく》以来いまだかつてないというのが、ぼくの父の持論なんだからね。どんなニスだって木の木理《もくめ》をかくすことはできん、ニスを塗れば塗るほど木理はいっそうはっきり現われる、と父はいうんだ。ところでだ！　この男がミス・ハヴィシャムのあとをつけまわして、あのひとを身も心も捧げて熱愛しているといったんだ。あのひとは、それまではあまり感受性をしめさなかったらしい。ところが、このときになって、あのひとのもついっさいの感受性が、俄然《がぜん》として現われて、彼を熱烈に愛したんだ。たしかにあのひとは、彼を完全に偶像化していたんだ。やつはきわめて組織的にあのひとの愛情につけこんで、巨額の金を彼女から引きだし、それからあのひとの夫となったら、酒造場を自分でもって経営しなくちゃならんからという口実で、あのひとを口説《くど》いて、酒造場にたいする弟の株を非常な高価で買いとらしたんだ（この酒造場は、やつの父親がやつに残したときには、とても貧弱なものだったんだ）。きみの後見人は、そのころはまだミス・ハヴィシャムの顧問弁護士になっていなかった。あのひとはまたあまりに誇りが高く、あまりに恋に夢中になっていたんで、ひとの忠告なんか、てんで耳にはいらなかったんだ。あのひとの親戚《しんせき》は、ぼくの父をのぞくと、どいつもこいつも貧乏人ぞろいで、策動ばかりしていた。ぼくの父は大いに貧乏ではあったが、しかしおべっかをつかったり、ひとをねたんだりしやしなかった。親戚中でたったひとり、独立独行のひととして、父はあのひとにむかって、あんまりそいつにつくしすぎる、その男のいいなりになりすぎる、といって警告してやったんだ。すると、あのひとはさっそく父にむかって、屋敷から出ていってもらいます、と命令したんだ。やつの面前でだよ。それからというもの、ぼくの父はあのひとといちども顔をあわしたことがない」

わたしは、「わたしが死んであのテーブルの上に横たえられたら、マシューもわたしを見にきてくれるでしょう」といった、彼女の言葉を思いだした。で、わたしは、きみのお父さんはあのひとを非常に根強くうらんでいるのかい？　ときいてみた。

「そういうわけじゃないがね」と、彼はいった。「しかし、あのひとは、あのひとの夫となるべき人間の面前で、ぼくの父を、自分が楽になるためわたしにへつらおうと思って、失望したんだといって、非難したんだよ。で、もし父がいまあのひとのところへいくとしたら、それは――父にとってすらだ――それからあのひとにとってさえも――事実だと思われるだろう。ところで、そいつの話にもどって、やつの話は終りとしよう。婚礼の日がとりきめられ、婚礼服はもとめられ、新婚旅行の計画は立てられ、結婚式の客は招かれた。その日がいよいよやってきたが、しかし、花聟《はなむこ》はやってきはしなかった。やつは手紙をよこしただけだった――」

「それをあのひとは」と、わたしは口をはさんだ、「婚礼服を着かけているとき、うけとったんだろう？　九時二十分まえに？」

「そのときに一分もちがわぬように」と、ハーバートはうなずきながらいった、「あのひとは、あとから時計を全部とめてしまったんだ。その手紙は、最も冷酷なやりかたで結婚を破棄したという以外に、なにが書いてあったかぼくは知らないから、きみにお話してあげるわけにはいかない。あのひとはひどい病気になって、それから回復したとき、あの屋敷全体をきみの見たとおり荒廃させてしまったんだ。あのひとはそれからというもの、いちども日の光を見たことがないんだ」

「それで話は全部なのかい？」わたしは考えてからいった。

「ぼくの知ってる全部だ。事実、ぼくは自分で継ぎはぎしてみて、それしか知ることができなかったんだ。なにしろぼくの父はいつもその話をさけていて、ぼくがあそこへいくようにミス・ハヴィシャムにまねかれたときでも、ぼくがどうしても知っておかねばならぬこと以外は、ひとつもぼくに話してくれなかったんだからね。だが、ぼくはひとつだけいい忘れたことがある。それは、こう想像されたということだ。つまり、あのひとが間違って信頼したその男は、あのひとの腹ちがいの弟と、終始一貫、手をくんで行動していたということ、それは彼らふたりのあいだの陰謀だったということ、そして、やつらはその利益をふたりで山分けした、ということだ」

「そいつがあのひとと結婚して、全財産を自分のものにしなかったのはふしぎだね」と、わたしはいった。

「やつはすでに結婚しておったかもしれないんだ。そして、あのひとの残酷な失望は、あのひとの腹ちがいの弟の陰謀の一部であったかもしれんのだ」と、ハーバートはいった。「だが、いいかい！　ぼくははっきりは知らないんだよ」

「で、そのふたりの男はどうなったんだい？」わたしは、この問題をまた考えてみたあとで、たずねた。

「やつらは、汚辱と堕落の深みにいっそう深くはまりこみ——もしそれ以上深くはまりこめたとしたらだが——そして、破滅したのだ」

「やつらはいまでも生きてるのかい？」

「さあ、そいつは知らんな」

「きみはたったいま、エステラはミス・ハヴィシャムの親戚じゃなくて、養女になってるだけだといったね。いつ養女になったんだい？」

ハーバートは肩をすぼめた。「ぼくがミス・ハヴィシャムというひとの話をきいてから、いつもエステラという名まえがでていたんだ。それ以上のことは知らない。そこで、ヘンデル」と、彼は話をすっかり打ち切りにするようにいった。「ぼくたちはおたがい完全に理解しあったわけだ。ぼくがミス・ハヴィシャムについて知ってることは、のこらずきみも知ってるわけだよ」

「それから、ぼくの知ってることは」と、わたしはこたえた。「きみものこらず知ってるわけだ」

「ぼくはそれをすっかり信ずるよ。だから、きみとぼくとのあいだには、競《せ》りあいだとかきまりの悪い思いだとかは、いっさいありえないわけだ。それから、きみが栄達をするための条件——つまりきみの恩恵者についてせんさくしたり、論議してはならんということについてだが——ぼくでも、ないしはぼくにぞくする何人《なんぴと》でも、それを侵したり、それどころか、それに近づいたりもけっしてしないだろうということを、きみは安んじて信じていい」

じっさい、彼は非常にこまかく気をつかってそういってくれたので、今後わたしが何年彼の父の家にいようとも、この問題はこれでいっさい片づき、二どとこれにふれることはないだろうと思った。でも、彼はまた非常に意味深げにそういったので、ぼくと同様彼もまた、ミス・ハヴィシャムがわたしの恩恵者だということを完全に理解しているのだと思った。

わたしはそれまでは、彼がこの問題をわたしたちのあいだから一掃《いっそう》する目的で、話をここへもっていったんだということに気づかなかった。しかし、この問題が持ちだされたため、わたしたちは、いっそう気楽になり、心易くなったので、やっとわたしはそうだったんだなとわかった。わたしたちは非常に陽気になって、すっかり打ち解けた。わたしは話のとちゅうで、きみはなにをしてるのか？　とたずねてみた。彼は、「資本家だ――海上保険業者だ」とこたえた。彼はきっとわたしが船舶や資本のなにか印がないかと部屋中をちらっと見まわしたのを見てとったらしく、「シティでだ」といいそえた。

わたしは、「シティ」の海上保険業者の富と貫祿は、広大なものだと考えていたので、若い保険業者をあお向けにひっくりかえし、彼の冒険心に燃える眼のひとつを黒痣《あざ》にし、その責任ある頭に切り傷をつけたことを思いだして、冷《ひや》っとしてしまった。だが、ハーバート・ポケットは、非常に成功したり、非常な金持になることはけっしてないだろうという、あの妙な印象がまたぞろよみがえってきて、わたしをほっとさせた。

「ぼくはぼくの資本を、船舶の保険につかうことだけで満足しはしないだろう、ぼくはどこかいい生命保険の株を買いとって、その指導部に割りこんでいくだろう。また鉱山業にもすこし手をだそう。だがそれは、ぼくがぼく自身のために何千トンかの傭船を動かすことをさまたげはしないだろう。ぼくは東インドと」と、彼は椅子によりかかりながらいった、「絹や、ショールや、胡椒や、染料や、薬品、それから貴重木材の貿易をやるだろう。こいつは、おもしろい貿易だよ」

「そして、利益は大したものだろうね？」と、わたしはいった。

「莫大《ばくだい》なもんだ！」と、彼はいった。

わたしはまた動揺した。これは、わたしの遺産相続の期待よりもさらに大きな期待だな、と考えはじめた。

「ぼくはまた」と、彼は親指をチョッキのポケットにつっこみながら、いった、「西インドと、砂糖やたばこやラム酒の貿易をやるだろう。それからまた、セイロンと、とくに象牙の取引きをやるだろう」

「船がたくさんいるだろうね」と、わたしはいった。

「まずざっと一艦隊いるね」と、彼はいった。

これらの貿易の膨大さにすっかり圧倒されて、わたしは彼が保険をかけている船は現在主としてどこと取引きしているのかと、たずねた。

「まだ保険ははじめてないんだ」と、彼はこたえた。「周囲を観望しつつあるところだ」

どういうわけか、この仕事はバーナーズ・インの旅籠屋《はたごや》と、しっくりあっているように思われた。わたしは（確信のある調子で）、「ほほう！」といった。

「そうなんだ。ぼくはいま会計課にいて、天下の形勢を観望しているんだ」

「会計課って、有利なのかい？」

「と、いうと、そこで働いてる青年にとってというのかい？」と、彼はききかえした。

「そうだ。つまり、きみにとってさ！」

「い――いいや、ぼくにとっちゃ有利じゃない」彼は慎重に計算して、差引き勘定しているような態度でこういった。「直接儲《もう》けがあるわけじゃない。つまり、ぼくの利益にはなんにもならないんだ。それにぼくは――自分を養わなくちゃならんからね」

これじゃちっとも有利なように思われなかった。で、わたしはそういう収入から莫大な資本を蓄積することは困難だろうというふうに、首をふった。

「だが、問題は」と、ハーバート・ポケットはいった、「周囲を観望するということだよ。それがすばらしいことなんだ。きみは会計課にあって、きみの周囲を観望するんだ」

わたしには、これこそ彼が会計課から抜けだして、彼の周囲を観望することのできないことをなによりもよく物語るもののように思われた。だが、わたしは彼の経験に敬意を表して、黙って聞いていた。

「すると、やがて時節到来して」と、ハーバートはいった。「きみの絶好のチャンスの門戸が開かれるのだ。そこで、きみはその門戸をはいり、一挙に好機をつかんで資本をつくり、大をなすのだ！いったん資本をつくったら、きみはそれを活用しさえすればいいのだ」

これは、あの庭園における格闘の場合の彼の振舞にとてもよく似ていた。じつにあの振舞にそっくりだった。貧困にたえている彼の態度もまた、敗北にたえた彼の態度そのままだった。彼は、わたしの打撃と打擲《ちょうちゃく》をうけたとちょうどおなじ態度をもって、いまもあらゆる打撃と打擲をうけているように思われた。彼が身のまわりに、ほんの絶対必要なものしかもっていないことは、明瞭《めいりょう》であった。なぜなら、わたしがこれはと気づいたものはひとつのこらず、コーヒー店か、またはどこか他のところから、わたしのためにとどけられたものだったからである。

しかも、心中すでに財産をつくりあげていた彼は、それをちっとも気取らなかったので、わたしは彼のその慢心しない態度をほんとにありがたく思った。それは、生まれつき愉快な彼の態度を、いっそう愉快なものにした。そして、わたしたちはとてもうまく調子があった。晩方、わたしたちは町へ散歩にでかけ、半額で芝居を見にいった。翌日は、ウェストミンスター・アベイへ礼拝にいき、午後はハイドパークを散歩した。そして、だれがあそこにいる全部の馬の蹄鉄《ていてつ》を打つのだろうかと怪しみ、ジョーがするんだといいんだがな、と思った。

この日曜日は、ひかえ目に計算してみても、ジョーやビディとわかれてから、もう数カ月たっているように思えた。わたしと彼らをへだてている空間が、これほどのひろがりを生む原因のひとつとなっていたのである。わたしたちの沼地のごときは、どんなに遠くへだたっているのかわからないくらいだった。ほんのこのまえの日曜日に、わたしたちの古い教会へ、わたしの古い晴れ着をきていったなどということは、地理的にも、社会的にも、太陽暦でも、太陰暦でも、およそ不可能事の集積のように思えた。しかも、ひとびとがざっとうし、たそがれどきを燦然《さんぜん》と光り輝いているロンドンの町には、わたしが家《うち》のあの貧しい古い台所をこんなにも遠くはなれてきたことをとがめて、気を滅入らせるものがあった。深夜、見張りしてるんだという口実のもとに、バーナーズ・インのまわりをうろついている無能な山師の門番の足音は、わたしの胸にうつろな響きをつたえた。

月曜日の朝九時十五分まえに、ハーバートは会計課へ報告に——そしてまた、おそらくは周囲を観望するために——でかけたので、わたしもいっしょにいった。彼は、一、二時間したら出てきて、わたしをハマスミスへつれていってくれるはずだったので、わたしはそこらで彼をまっていることになっていた。月曜日の朝、巨人の卵たちがおもむく場所から判断すると、少壮保険業者が孵化《ふか》する卵は、駝鳥《だちょう》の卵とおなじように、埃りと熱のなかで孵化《ふか》するらしく、わたしには思えた。ハーバートが手伝っている会計課もまた、うす汚ない中庭の奥の三階の裏手にあって、外に向かうというよりか、むしろよその三階の裏手をのぞいているといったほうがいいくらいだったので、わたしの眼には、ちっともいい観測所のようには見えなかった。

わたしは昼ごろまで待っていた。そのあいだに、取引所へいって、煤《すす》っぽけたひとたちが船舶表の下に腰かけているのを見た。彼らはきっと大貿易商だろうと思った。もっとも、どうしてみんな意気消沈しているのかわからなかったが。ハーバートが出てくると、わたしたちはとある立派な料理店へいって昼食をとった。そのときわたしはその店にすっかり畏敬《いけい》の念をいだいたのだったが、いまになって考えると、それこそヨーロッパ中で最もみじめな迷信だったと思う。そのときでさえ、肉汁がビフテキよりも、テーブル掛けやナイフや給仕の服に、はるかに多くかかっていることに気づかないわけにはいかなかった。この軽い食事を割り安（無料《ただ》のグリースのことを思うと）にすまして、わたしたちはわたしの小さな旅行カバンをとりにいったんバーナーズ・インへもどり、それからハマスミス行きの乗合馬車に乗った。ハマスミスへ着いたのは、午後の二時か三時ごろだった。そこからポケットさんの家まではすぐだった。わたしたちは、門のかけがねをはずして、川を見おろされる小さな庭園へまっすぐにはいっていった。庭園にはポケットさんの子供たちが遊んでいた。もしわたしが、自分の興味や先入観とはなんの関係もない点で思いちがいをするのでなかったら、ポケットさん夫妻の子供たちは、しだいに大きくなるのでも、育てあげるのでもなく、ころげまわりながら大きくなっているのだなと思われた。

　ミセス・ポケットは、木陰の庭椅子に腰をかけ、もうひとつの庭椅子に両足をのせて、本をよんでいた。ミセス・ポケットのふたりの保母が、子供たちを遊ばせながら、あたりを見まわしていた。「お母さん」と、ハーバートはいった。「こちらがピップ君です」すると、ミセス・ポケットは、愛想よい、威厳ある様子でわたしをむかえた。

「アリックとジェーン」と、ひとりの保母が子供たちのふたりにむかって叫んだ。「あんたがた、あの茂みにころがっていくと川のなかへおっこちて死んでしまいますよ。そしたら、パパさんなんとおっしゃるかしら?」

それといっしょにこの保母は、ミセス・ポケットのハンケチをひろいあげていった。「奥さま、まあこれで六ぺんもおとされますよ!」

すると、ミセス・ポケットは笑って、「ありがとうよ、フロプスン」といって、たったひとつの椅子にすわりなおして、また本をよみはじめた。彼女の顔つきは、まるでもう一週間もよみつづけていたように、たちまち眉をよせ、一心不乱の表情になった。が、ものの五、六行とすすまないうちに、彼女はわたしをじっと見て、「お母さま、お元気ですか?」といった。この思いがけない質問に、わたしはすっかり面くらってしまって、もし自分にそんなひとがあるとしたら、彼女は非常に元気で、非常にありがたく思うでしょう、そして、かならずやよろしくとことづてしたことでしょうと、世にもばかげたあいさつをしかけた。すると、例の保母が助け船にでてくれた。

「まあまあ!」と、彼女はハンケチをひろいあげながら叫んだ。「もうこれで七へんめですよ!　奥さまったら、いったいきょうはなにしていらっしゃるんです!」

ミセス・ポケットは自分の持物を、まるでいままでいちども見たことがなかったように、非常におどろいた顔つきをしてうけとったが、やがてそれとわかったように、笑いながらいった。「ありがとうよ、フロプスン」そして、わたしのことは打ち忘れて、本をよみつづけた。

数えるひまがあったので、ころがりまわるいろんな段階の小ポケットが、みなで六人もいることがわかった。わたしがやっと全部数えてしまったと思うと、七人目の悲しそうな泣き声が、まるで空中でしているようにきこえてきた。

「あら、赤ちゃんだわ！」と、フロプスンは、まあ、おどろいたといわんばかりの口調でいった。「ミラーズ、いそいでいってちょうだい！」

もうひとりの保母のミラーズは、家のなかへはいっていった。やがて子供の泣き声はしだいにしずまり、まるでなにか口へいれている幼い腹話術者のように、ぴったりやんだ。この間も、ミセス・ポケットはよみつづけていた。で、わたしは、いったいなんの本か知りたくなった。

わたしたちは、ポケットさんが迎えにでてこられるのを待っているらしかった。とにかく、そこで待っていた。で、わたしは、その機会に、つぎのようなおどろくべき現象を見た。子供たちのだれかが、遊びの最中にミセス・ポケットの近くへ迷ってくると、きっと足をからませ、彼女につまずいてひっころぶのである――そして、彼女はその瞬間だけ非常にびっくりし、彼らはもっと長いこと泣くのだった。わたしはこのおどろくべき事実をどう説明してよいかわからず、それについていろいろ臆測せずにはいられなかった。ついに、ミラーズが赤んぼをつれてでてきて、その赤んぼをフロプスンにわたした。フロプスンはそれをミセス・ポケットに手わたししようとしたが、彼女もまた赤んぼもろとも、ミセス・ポケットにつまずいて、見事にひっころびそうになり、ハーバートとわたしにつかまえられた。

「まあ、おどろいた、フロプスン！」ミセス・ポケットはちょっと本から眼をそらして、いった。「だれもかれも、みんなころぶんだもの！」

「まあ、奥さまったら！　おどろいたなんて！」フロプスンは顔をまっ赤にしてこたえた。「あなた、そこになにをおいていらっしゃるんです？」

「わたしがここになにかおいてるって、フロプスン！」ミセス・ポケットは聞きかえした。

「そうですとも、あなたの足台じゃありませんか！」と、フロプスンは叫んだ。「あなたは足台をそんなふうにスカートの下にいれておきなさるんですもの、だれだってころびますわ！　さあ、さあ！　奥さま、赤ちゃんをおうけとりなさい。そして、あなたのご本をこちらにおよこしなさい！」

ミセス・ポケットは忠告どおりにして、膝の上で赤んぼを無器用にちょっとおどらした。ほかの子供たちは赤んぼのまわりで遊んだ。これもほんのすこしのあいだつづいただけで、ミセス・ポケットは子供たちを家のなかへつれていって、昼寝をさせるようにと、かんたんな命令をくだした。こうして、わたしは、この最初の機会に、小ポケットたちの養育は、ひっころんでは寝、ひっころんでは寝、することだという、第二の発見をしたのである。

こういう状態だったので、フロプスンとミラーズが子供たちを、まるで小さな羊の群れのようにして家のなかへつれこみ、ポケットさんが家のなかからでてきてわたしをむかえたとき、ポケットさんというのは、ものをまっすぐにする方法をまるで知らないみたいに、すっかり白くなった頭髪をもじゃもじゃさせ、ちょっと困惑したような顔つきをした紳士だとわかっても、大してびっくりはしなかった。

第二十三章

ポケットさんは、わたしとあえてうれしい、あなたも自分とあったことを残念に思わないといいが、といった。「というのは、じっさいわたしは」と、彼は息子そっくりの微笑をうかべながら、つけくわえた、「おどろくべき大人物なんかじゃないんですからね」彼は、困惑したような顔つきや、すっかり白くなった髪こそしていたが、若々しく見え、挙措《きょそ》動作もきわめて自然であった。わたしの自然というのは、気取らないという意味である。彼の困惑したような様子には、なにかしらこっけいなところがあった。それはほとんどばからしいことを彼自身知っているからよいようなものの、そうでなかったら、まったくばかげきっていたろうと思う。彼はわたしとちょっと話してから、黒い立派な眉を心配そうにひそめながら、ミセス・ポケットにむかって、「べリンダ、おまえ、ピップ君にごあいさつしたろうね？」といった。すると、彼女は本から眼をあげて、「ええ」といった。それから、わたしに、放心したようににっこり微笑《ほほえ》みかけて、オレンジ花水の味はお好きですの？　とたずねた。この質問は、いままでの話にもその後の話にも、近くも遠くも、まるで関係がなかったので、わたしはそれを、彼女のこのまえのあいさつとおなじように、ただなんということなしに、目下のものにちょっと言葉をかけてやるために投げられたものだと思った。

わたしは、ほんの数時間のうちにつぎのようなことを発見した。で、そいつをいますぐここでお話しておこう。ミセス・ポケットは、ほんの偶然から勲爵士《ナイト》となった、物故した父親のひとり娘だった。この勲爵士《ナイト》は、だれかが——それは国王だったか、総理大臣だったか、大法官だったか、それともカンタベリー大僧正だったか、名まえはきいたかもしれないが、忘れてしまった——全然個人的な動機から頑固《がんこ》に反対しなかったら、彼の亡き父親は准男爵にされたのだと、ひとりで思いこんでいて、このほんの仮定的な事実を楯《たて》にとって、地上の貴族の端っこにくっついていた。彼は、ある建物の最初の礎石をすえるとき、子牛の皮でつくった上質の紙に堂々と書きつけためちゃくちゃな演説のなかで、ペンの切っ先をもって国語の文法をみんごと撃砕し、それからだれか皇族に鏝《こて》かしっくいを手渡したというので、勲爵士《ナイト》に叙せられたものらしい。それはとにかく、彼はミセス・ポケットがまだ揺籃《ゆりかご》のなかにいたときから、彼女を当然有爵者と婚姻すべきものとして、また平民的な家事の知識なんかに染まないように保護されねばならぬものとして、育てあげたのだった。

この聡明な父親は、この若い婦人にたいする監視と監督を、ものの見事に確立したのだった。そのため、彼女はすばらしいお飾り人形ではあるが、完全にたよりない、無用な人間として生《お》い立ったのである。このようにめでたくその性格ができあがった彼女は、花咲きにおいそめた妙齢の日、ポケットさんとめぐり会ったのである。ポケットさんもまたうら若い青年で、大法官の座にのぼったものか、それとも教会の大監督となったものか、まだすっかり決心がつかないときだった。しかし、そのいずれになるかは、ただ時の問題にすぎなかったので、氏とミセス・ポケットは、「時」の前髪をつかんで（それはずいぶん長くのびていて、はさみで刈る必要があったろうと思う）、かの聡明な父親にも知らせずに、結婚してしまった。祝福しかあたえるものも、さしひかえるものももたない、聡明な父親は、ちょっといざこざいったあとで、この祝福の持参金をたっぷりあたえて、ポケットさんに、きみの妻は「王子のための宝」であるといった。ポケットさんは、それ以来、この王子の宝に現世的な投資をしてみたが、不満足な利潤しか生まなかったらしい。それでもなおミセス・ポケットは、有爵者と結婚しなかったというので、いっぱんには尊敬といっしょにお気の毒にと同情されていた。一方、ポケットさんは、ついに爵位をえなかったというので、まあやむをえないが、困ったものと考えられていた。

ポケットさんはわたしを家のなかへ案内して、わたしの部屋《へや》を見せてくれた。それは気持ちのいい部屋で、わたしが自分の居間として気楽に使うことができるようにしつらえてあった。それから彼は、おなじようなほかの二つの部屋のドアをノックして、ドラムルとスタートップという名の部屋の主に紹介してくれた。ドラムルはがっしりしたつくりの、妙に年寄りくさい顔つきをした若者で、口笛をふいていた。スタートップは年も顔つきももっと若くて、読書をしており、まるで知識をつめこみすぎたため、破裂させる危険があるとでも思ってるみたいに、頭をかかえていた。

ポケットさんとミセス・ポケットは、ふたりとも、明らかにだれか他のものの手ににぎられているような様子だったので、いったいだれがじっさいにこの家を所有していて、彼らをここに住まわせているのだろうか、とあやしんだが、ついにこの眼に見えない権力は、召使たちだということがわかった。これは面倒をはぶくという点から見れば、たぶん穏当な行きかただったろう。が、非常に金がかかるように思われた。というのは、召使たちは、立派な食物をたべ、おいしい飲物をのみ、階下にいつもたくさんの友だちを集めることは、自分たち自身にたいする当然の義務だと思っていたからである。彼らは、ポケットさんやミセス・ポケットに非常に気前よく料理をだしていたが、しかし、この家中で下宿するのにいちばんいい場所は、台所らしかった――もっとも、下宿人はつねに自己防衛をゆるされるものと考えてである。というのは、わたしがここへきてまだ一週間とたたぬうちに、家族のうちだれも直接知っていない近所の一夫人が、ミラーズが赤んぼをひっぱたいているのを見たといって、手紙をくれたからである。ポケット夫人は、これを見て非常に悲しんだ。彼女は、手紙をうけとると、わっと泣きだして、近所のひとたちが他人のことにおせっかいせずにいられないなんて、途方もないことだ、といった。

わたしは、ポケットさんがハローとケンブリッジで教育をうけたということ、そこで優秀な成績をしめしたということ、だが、彼がまだ非常に若くて幸福にもポケット夫人と結婚してから、前途の望みをうしなって、受験準備のための家庭教師の職についたということなどを——主としてハーバートから、だんだん聞きこんだ。多くの頭の鈍い道楽息子の詰めこみ勉強を指導したのち——これらの道楽息子の父親が有力な人物である場合には、いつも彼の力となって昇進させてやろうとしていたが、いったん道楽息子たちの詰め込み勉強がすんでしまうと、そんなことはさらりと打ち忘れてしまったことは、注目すべきことである——彼はこのつまらん仕事にうんざりして、ロンドンへ出てきた。ここで高遠な希望がだんだん破れさったのち、彼はいままで勉学の機会がなかったか、あってもそれを怠っていた、二、三人の人間の「勉強相手」となったり、他のいろんな人間を特殊な仕事のために磨きなおしてやったり、その学識を利用して、文献の編纂《へんさん》や修正の仕事をしたりして、それからはいる収入と、ごくわずかな私の財産とで、いま見る家をもまだもちこたえていたのである。

ポケット氏夫妻には、お追従屋の隣人があった。寡婦《かふ》で、おそろしく同情深い性質だったので、だれのいうことにも調子をあわせ、だれをでも祝福し、その場その場におうじて、だれかれの差別なしに、微笑や涙をふりまいた。この婦人の名はミセス・コイラーといって、わたしはここに引きうつった当日、この夫人を食事に案内する光栄をえた。彼女は階段をおりながら、ポケットさんが勉強相手の紳士たちを家におかなければならないということは、ミセス・ポケットにとっては痛手《いたで》であるということを、わたしに話してくれた。といっても、あなたはちがいますよ、もしみんなあなたのようなかただったら、全然別なんですがね、と、彼女は愛と信頼の言葉を氾濫《はんらん》させながらいった(これは、わたしが彼女を知ってから、まだものの五分とたたないときにである)。

「でも、ミセス・ポケットは」と、ミセス・コイラーはいった。「お若いときに失望なさったんですもの(といっても、それはポケットさんの罪だというわけではありませんけど)、ぜいたくなことをなさったり、上品になさったりすることがとても必要なんですよ――」

「そうです、奥さま」わたしは彼女をさえぎって、いった。彼女がいまにも泣きだすかと思ったからである。

「それに、あのかたは気質がとても貴族的でいらっしゃるのよ――」

「そうです。奥さま」わたしはまえとおなじような目的でいった。

「――ですもの、ポケットさんの時間と注意が奥さまからそらされることは、ほんとにつらいことですわ」ミセス・コイラーはいった。

もしも肉屋の時間と注意がミセス・ポケットからそらされるとしたら、いっそうつらいことだろうと、わたしは考えないわけにはいかなかった。しかし、わたしはなにもいわなかった。また、じっさい、お客にたいする作法にびくびく気をつかうことでいっぱいだった。

わたしが自分のナイフやフォークやコップや、その他わが身の破滅のもとになるいろんな道具に注意を集中しながら、ミセス・ポケットとドラムルとの間に交わされた会話をとおして、ベントリー・ドラムルは、事実准男爵の三番目の世嗣《よつぎ》だということがわかった。それから、ミセス・ポケットが庭園で読んでいた本は、ありとあらゆる称号に関するもので、ミセス・ポケットはかりに彼女の祖父の名がその本のなかにはいるとしたら、いつはいったか、その正確な日付けまで知っているらしかった。ドラムルはあまり口をきかなかったが、そのすくない口数のうちでも（彼は仏頂面《ぶっちょうづら》のむっつり屋らしかった）選ばれた人間のひとりのような口をきき、ミセス・ポケットを女性とし、姉としてみとめていた。

この話には、このふたりとお追従屋の隣人ミセス・コイラーのほかは、だれひとり興味を見せなかったし、ハーバートにはとても苦痛らしかった。話はいつまでもつづきそうだったが、ちょうどそのとき、給仕がひとりはいってきて、家事上の悩みをうったえた。コックが牛肉をおき忘れたというのである。このときはじめてわたしは、ポケットさんが途方もなく奇妙な仕草をやって気持ちを晴らすのを見て、口もきけないほどおどろいた。その仕草をほかのものはだれもなんとも思ってなかったし、わたしもまたじきになれっこになってしまった。彼は肉切りナイフとフォークを下におき――ちょうどそのとき肉を切っていたので――両手をもじゃもじゃの髪のなかにつっこみ、髪で自分の体を持ちあげようという、途方もない努力をしているように見えた。そうしてから（自分の体はちょっとも持ちあげずに）、彼は静かにやりかけの仕事をつづけた。

そこで、ミセス・コイラーは話題をかえて、わたしにお世辞《せじ》をいいはじめた。ちょっとはうれしく思ったが、しかし、それがあんまり露骨だったので、そのうれしさもすぐどこかへふっとんでしまった。彼女はわたしがのこしてきた友だちや土地に非常な興味をよせるようなふりをしながら、わたしにくねくねと体をすりよせてきた。それがまるで蛇《へび》のようないなで、舌も蛇の舌のようだった。彼女はときおりスタートップ（彼は彼女にほとんど口もきかなかった）やドラムル（いっそう口かずがすくなかった）にとびかかったが、そんなとき、彼らはテーブルの向こう側にいて、なんて幸せだろうかと、うらやましかった。

食事がすむと、子供たちが引きあわされた。すると、ミセス・コイラーは彼らの眼や鼻や足をほめちぎった――それは、子供たちをよろこばせる賢いやりかただった。小さな女の子が四人と小さな男の子が二人、それからそのどちらかである赤んぼと、まだどちらともつかぬ赤んぼのつぎの子だった。彼らはフロプスンとミラーズにつれられてきた。まるでこの二人の下士官がいままでどこかで子供の徴募をやっていて、これらの子供たちをかき集めてきたようだった。一方、ミセス・ポケットは、(幼い貴族となるはずだった)彼らを、まるでまえにはよろこんで点検したように思うが、いまはどうしてよいかさっぱりわからないといった顔つきをして、ながめていた。

「さあ！　フォークをこちらへおよこしなさい。そして、赤んぼをおうけとりなさい」と、フロプスンはいった。「そんなふうにおうけとりになっちゃだめです。赤んぼの頭をテーブルの下につっこんでしまいますよ」

こういわれて、ミセス・ポケットは赤んぼを反対にうけとったので、赤んぼの頭はテーブルにぶっつかった。それは、ものすごく震動したので、みんなにわかったほどだった。

「あら、まあ！　わたしにおよこしなさい」と、フロプスンはいった。「それから、ミス・ジェーン、こっちへきて赤んぼにダンスして見せなさい、さあ！」

女の子たちのひとりで、まだ年はもいかぬのに他のものの世話を引きうけているらしい、ほんの小っちゃな子供が、わたしのわきの席からでていって、赤んぼに近づいたり遠ざかったりしながら、おどって見せた。ついに、赤んぼは泣きやんで、笑った。すると、子供たちもみんな笑い、ポケットさん(彼はそのあいだに、二ど髪をつかんで、自分の体を釣りあげようとした)も笑い、わたしたちもみんな笑って、よろこんだ。

フロプスンは赤んぼをまるでオランダ人形のように腰のところで二つに折り曲げて、安全にミセス・ポケットの膝にうつし、くるみ割りを玩具にあたえた。それといっしょに、この道具の把手《とって》は赤んぼの眼にはよくないでしょうから、お気をつけなさい、と忠告し、ミス・ジェーンもそれに気をつけるんですよ、と厳《きび》しくいいつけた。それからふたりの保母たちは部屋からでていって、食事の給仕をしていた、明らかに賭博台でボタンを半分なくしてしまった放蕩者の給仕と、階段のところで盛んに小競合《こぜりあい》をやった。

ミセス・ポケットは砂糖とブドー酒にひたしたオレンジの切れをたべながら、ドラムルと二つの准男爵家について議論をはじめ、膝の上の赤んぼのことはすっかりうち忘れてしまった。赤んぼは、くるみ割りで見ていられないほど危ないことをいろいろやった。そのためわたしは、はらはらして、心配でたまらなかった。ついに幼いジェーンは、赤んぼの頭脳《あたま》が危険なのを見て、そっと自分の席をはなれて、いろんなふうに幼い手管《てくだ》を弄《ろう》して、その危険な武器をうまくだましとった。ちょうどそのときオレンジをたべおわったミセス・ポケットは、それが気にいらないで、ジェーンにいった。

「まあ、おいたさん、よくもそんなことを！　すぐいってすわってらっしゃい！」

「かあちゃま」と、小さな女の子は舌もつれの言葉でいった、「赤ちゃんおめめつっつきそうだったのよ」

「そんなこと、よくいえますね！」と、ミセス・ポケットはやりかえした。「すぐいってあんたの席にすわりなさい！」

ミセス・ポケットの威厳はじつに相手を慴伏《しょうふく》させずにはおかない態《てい》のものだったので、わたしはまるで、自分がなにか悪いことをして彼女を怒らしたみたいに、非常にきまりの悪い思いをした。

「ベリンダ」ポケットさんはテーブルの反対の端から抗議した。「おまえ、なぜそんなにわけがわからないんだい？　ジェーンは赤んぼを助けるために干渉しただけなんだよ」

「わたしはだれにも干渉することをゆるしません」ミセス・ポケットはいった。「マシュー、あんたがわたしに干渉させて、わたしを侮辱させるなんて、ほんとにおどろいたわ！」

「おお、神さま！」ポケットさんは味気ない絶望を爆発させて叫んだ。「赤んぼがくるみ割りで墓場にやられようとしても、だれひとりそれを助けてやるわけにはいかんのか？」

「わたしはジェーンに干渉させはしません」ミセス・ポケットは、あの無邪気な小さい罪人を厳然と一睨《げい》しながらいった。「わたしはこれでもわたしの気の毒な祖父の地位をちゃんと知っていると思います。ジェーンが――よくもまあ！」

ポケットさんは、また両手を髪のなかにつっこんだ。そして、こんどはほんとに自分の席から体を何インチか持ち上げた。「天もご照覧あれ！」彼は四行四元にむかって力なく叫んだ。「気の毒な祖父《じい》さんの地位のために、赤んぼはくるみ割りで殺されなくちゃならんのだ！」それから、彼は持ちあげた体をどっかりおとして、黙りこんだ。

こんなことがおこなわれているあいだ、わたしたちはみんなきまりの悪い思いをしながら、テーブル掛けを見ていた。ついで、話がとぎれた。その間、正直な遠慮を知らぬ赤んぼは、小さなジェーンにむかって、しきりにおどったり、歓声をあげたりした。ジェーンは家族中で（召使たちのことは別として）、赤んぼがはっきり知っているたったひとりのもののように思われた。

「ドラムルさん」と、ミセス・ポケットはいった。「呼び鈴を鳴らして、フロプスンをよんでくださいません？　ジェーン、子供のくせにいうことをきかないおまえは、もういって寝なさい。さあ、可愛い赤ちゃん、かあちゃまといきましょうね！」

赤んぼは、名誉の権化のように全力をふりしぼって抗議した。そして、ミセス・ポケットの腕から反対がわへ体を二つに曲げこみ、柔らかい顔のかわりに、編んだ靴《くつ》とえくぼのあるくるぶしを見せ、猛烈に反抗しながらつれていかれた。だが、赤んぼはけっきょく目的をたっしたのだった。というのは、数分とたたぬうちに、小さいジェーンに守りされているのが、窓から見えたからである。

他の五人の子供たちは、食卓にとりのこされた。フロプスンはなにか自分の用事があったし、子供のことは他のひとの仕事ではなかったからである。そのためわたしは、子供たちとポケットさんとのあいだの関係を知ることができた。それは、つぎのような例でわかったのだ。いつもの困惑した顔をいっそう困惑させ、髪をもみくちゃにしたポケットさんは、彼らがどうしてこの家にとまるようになったか、なぜ自然は彼らをだれか他のもののところへ割りあてなかったか、どうしても合点がいかないように、子供たちを見ていた。それから、よそよそしい、まるで伝道師のような調子で、彼らに質問をした——ジョーちゃんはなぜ襞飾《ひだかざり》に穴ができてるんです？（お父ちゃま、フロプスンがひまなときなおしてくれるんです）——ファニーちゃんはどうして瘭疽《ひょうそ》になったの？（お父ちゃま、ミラーズが忘れなかったら、琶布《はっぷ》をはってくれるんです）すると、彼は父親らしいやさしい気持ちになって、めいめいに一シリングずつあたえて、あっちへいって遊びなさい、といった。それから、彼らが立ちさると、もういちど髪をつかんで、体をつりあげようと、猛烈にもがきながら、この絶望的な話題を打ち切った。

夕方、川でボートをこいだ。ドラムルもスタートップも、めいめいボートをもっていたので、わたしも自分のをつくって、ふたりを負かしてやろうと決心した。わたしは、田舎《いなか》の少年が巧みにやる運動ならたいてい上手にやれたが、テームズ川でやるための——ほかの川なら別だが——上品な型はできないことを知っていたので、さっそく懸賞艀舟《はしけ》の優勝者の個人指導をうけることにきめた。彼は、わたしたちの川へおりる段々のところに客をまっていた。わたしは、新しい友だちに彼を紹介してもらった。この実地の権威者は、わたしが鍛冶屋のような腕をしているといって、わたしをすっかり狼狽《ろうばい》させた。このお世辞《せじ》のため、もうすこしで弟子を失うところだったということをもし知ることができたら、彼はこんなお世辞をつかったかどうか怪しいものである。

夜になって家にかえると、夕食がでた。もしかなり不愉快な家事上の出来事がなかったら、わたしたちはみんな愉快だったろうと思う？　ポケットさんは、非常な上きげんだった。するとそのとき、下女がはいってきて、「すみませんが、ご主人さま、ちょっとお話したいことがございます」といった。

「おまえのご主人にお話するんですって？」と、またぞろ威厳をつつかれたミセス・ポケットはいった。「どうしてそんなことが考えられるの？　いってフロプスンに話しなさい。それとも、わたしにおっしゃい——いつかほかのときにです」

「失礼でございますが、奥さま」と、下女はこたえた、「わたし、いますぐ、それもご主人さまにお話し申しあげたいのでございます」

　そこで、ポケットさんは部屋から出ていったので、わたしたちは彼がもどってくるまで、なんとか愉快にしていた。

「ベリンダ、とんでもないことじゃないか！」と、ポケットさんは悲痛と絶望の顔つきをしながらもどってきて、いった。「コックのやつ、正体もなく酔っぱらって、台所の床に寝ころがっている。棚には、新しいバターを大きな包みにして、グリースみたいに安く売りとばすばかりにしてある！」

　ミセス・ポケットは、たちまち非常に愛想のいい感動をあらわしていった、「あの憎らしいソフィアの仕業《しわざ》でしょう？」

「なにをいってるんです、ベリンダ？」ポケットさんはききかえした。

「ソフィアがあなたに告げ口したんです」と、ミセス・ポケットがいった。「あの娘《こ》がたったいまこの部屋へはいってきて、あなたにお話したいっていったのを、わたしはこの眼で見、この耳で聞かなかったでしょうか？」

「だって、あれはわしを下へつれていって」と、ポケットさんはいった。「あの女と、それから包みも見せたじゃないか？」

「それで、マシュー、あなたはあの娘《こ》が人に水をさすのを弁護するんですの？」と、ミセス・ポケットはいった。

　ポケットさんはみじめなうめき声をあげた。

「祖父《おじい》さまの孫であるこのわたしは、この家ではなんでもないんですの？」と、ミセス・ポケットはいった。「それに、あのコックはいつもとても上品な婦人です。この家へ勤めを捜しにきたときも、わたしが公爵夫人に生まれついてるように思えるって、それはそれは自然なふうにいったんです」

ポケットさんが立っていたそばに、ソファがあった。かれは古代ローマの瀕死《ひんし》の剣闘士のように、その上にどっかり腰をおろした。そして、その姿勢のまま、うつろな声でいった、「お休み、ピップ君」そこで、わたしは彼をのこして寝にいくのがいちばん上策だと考えた。

第二十四章

二、三日して、自分の部屋にも落着きができ、ロンドンへもなんべんか往復して、ほしいものはみんな商人に注文してしまってから、ポケットさんとわたしは長いこといっしょに話をした。彼はわたしのこれからの生涯をわたしよりかよく知っていた。というのは、わたしは彼がどんな職業にもつくのではないことや、たいていの裕福な若者たちに、「負《ひ》けをとりさえしなければ」それでわたしの教育は十分であるというようなことを、ジャガーズさんから聞いているといったからである。わたしは、その反対のことはなにも知らなかったので、もちろんそれに同意した。

彼はわたしに、ロンドンの二、三の学校へかよって、わたしに欠けているほんの初歩の学問を勉強するがいい、そして、勉強を説明したり、指導したりする役目は彼にまかせておくがいい、といってくれた。賢明な指導さえうけたら、なにも失望することはないだろうし、じき彼以外の助けはいらなくなるだろう、といった。彼はこうしたことや、そのほかこれに似たようなことをいろいろ話したが、その話し振りによって、見事にわたしの信用をつかんだ。ついでにここでいってしまったほうがいいと思うが、彼はわたしとの契約を熱心に、かつ立派に履行《りこう》したので、わたしも彼との契約を熱心に、かつ立派に果たしたのだった。もしも彼が師として冷淡な態度をしめしたとしたら、わたしはきっと生徒としておなじようなあいさつをかえしたことだろう。だが、彼はわたしにそうした口実をなにひとつあたえず、わたしたちはたがいに公明正大であった。彼の指導の態度には、こっけいなところはみじんも見えなかったし、およそ真摯《しんし》で、正直で、善良でないことはなにひとつないように思われた。

　こういったことがとりきめられ、実行にうつされて、やがてわたしが勉強に本腰をいれるようになったとき、つぎのような考えが頭にうかんだ。つまり、もしバーナーズ・インに寝室をひとつもっていたら、生活に変化があって愉快だろうし、一方、わたしの行儀作法は、ハーバートと交わることによって、悪くなりっこはないであろうということである。ポケットさんはこの計画に反対はしなかったが、それを進めるまえに、まずわたしの後見人に話してみなくてはならないといった。彼のそういう心づかいは、この計画がハーバートの出費を多少とも節約させることになるだろうという遠慮から生まれたような気がしたので、わたしはリトル・ブリテンに出かけて、ジャガーズさんに自分の希望を話した。

「もしぼくのために借りてくだすった家具を、それからちょっとしたものを、一つ二つ買うことができましたら、ぼくあそこですっかり落ち着くことができると思うんですが」と、わたしはいった。

「大いにやれ！」と、ジャガーズさんはちょっと笑っていった。「きみはなかなかやるだろうとわしはいっといたよ。そこで、と！　いくらいるのか？」

わたしは、いくらいるものか、さっぱり見当がつきません、といった。

「さあ!」と、ジャガーズさんはいいかえした、「いくらだ?　五十ポンドか?」

「まさか、そんなにたくさんじゃありません」

「じゃ、五ポンドか?」とジャガーズさんはいった。

これはまたひどい減りかただったので、わたしはまごつきながらいった。「それよりかたくさんです」

「それよりかたくさん、かね?」と、ジャガーズさんは両手をポケットにつっこみ、首を一方にかしげ、眼をわたしの後ろの壁にむけ、わたしの返事を待ちかまえながらいった。「どれだけたくさんなんだ?」

「どれだけかって、とてもはっきりはいえません」わたしはためらいながらいった。

「さあ!」と、ジャガーズさんはいった、「ひとつきめよう。五ポンドの二倍ではどうかな?三倍ではどうかな?　四倍ではどうかな?」

それだけあれば十分だろうと思います、とわたしはいった。

「五ポンドの四倍あれば十分だというのかね?」と、ジャガーズさんは眉《まゆ》をひそめながらいった。「ところで、五ポンドの四倍だと、いくらになるんだ?」

「いくらになるかっておっしゃるんですか?」

「そうだ!」と、ジャガーズさんはいった。「いくらだ?」

「お勘定なさったら二十ポンドになると思いますよ」と、わたしは笑いながらいった。

「わしが勘定したらいくらになるか、そんなことはどっちだっていい」ジャガーズさんはわかりきっていながらわざと反駁《はんばく》するように、頭を振りおこして、いった。「わしはきみが計算していくらになるか知りたいのだ」

「もちろん、二十ポンドです」

「ウェミック！」ジャガーズさんは彼の事務室のドアをあけながらいった、「ピップ君に請求書を書いてもらって、二十ポンドはらいなさい」

　この非常にはっきりした事務的なやりかたは、わたしに非常に強い印象をあたえた。それは、けっして愉快な印象ではなかった。ジャガーズさんは、ちっとも笑うことがなかった。しかし、きゅうきゅう鳴る、大きなぴかぴかの靴をはいていた。この靴をはいてじっと身じろぎもせず、大きな頭をかしげ、眉をひそめて相手の返事を待ちながら、彼はときおりこの靴をきゅう、と鳴らした。まるで、その靴が、冷やかに、うさん臭そうに笑っているみたいだった。ちょうど彼はどこかへ出かけるところだったし、ウェミックはきびきびして話好きだったので、わたしはウェミックにむかって、ジャガーズさんの態度をどう考えていいかわからない、といった。

「あのひとにそういってやんなさい。そうすりゃ、あのひとはお世辞《せじ》でもいわれてると思いますよ」と、ウェミックはこたえた。「あのひとは、あんたにわかってもらおうなんて、思ってないんです。いや！」わたしがびっくりしたような顔つきをしたので、こういった。「個人的じゃないんです。職業的なんです。職業的だけなんですよ」

　ウェミックは、自分の机でかたいビスケットをぼりぼり嚙みながら、昼食をしていた。彼はそのかたいビスケットの切れを、まるで郵便箱にでもほうりこむように、郵便箱の差入れ口みたいな口のなかへときどきなげこんでいた。

「あのひとはいつでも人罠《ひとわな》を仕掛けておいて、そいつを見張ってるんじゃないかという気がしますよ。ふいに——がちゃん、とくる——もうだめです！」と、ウェミックはいった。

人罠は人生の快事のひとつではない、とはいわずに、ジャガーズさんはきっと巧者なもんでしょうな、といった。

「腹の底が深くて食えないといったら」と、ウェミックはいった、「まるでオーストラリアくらいです」そして、膨大な数字をあらわすつもりで、オーストラリアは地球の真反対の側にあるんだということをしめすように、ペンの先で事務所の床をさした。「もしももっと深いものがあるとしたら」と、ウェミックはペンを紙のところへもっていきながら、つけくわえた、「あのひとこそ、まさにそれですよ」

そこで、わたしが、あのひとはなかなか盛んらしいですね、というと、ウェミックは、「すばらしいもんです！」といった。それから、書記はたくさんいるんですか、とたずねると、こうこたえた。

「わたしたちは、書記はあまりおきません。なにしろ、ジャガーズさんはひとりなのに、世間の人間とくると、直接あのひとでなくちゃ承知しませんからね。わたしたちゃ、四人しかいませんな。みんなにお会いになりますかね？　あんたはわたしたちの仲間ですからね」

わたしは、この申し出をうけいれた。ウェミックさんがビスケットを全部郵便箱にほうりこんでしまい、金庫（彼はその鍵《かぎ》をどこか背中の下のほうにしまっていて、まるで鉄の辮髪《べんぱつ》みたいに、上着の襟《えり》からとりだした）のなかの銭箱から、わたしに金を支払ってから、わたしたちは二階へあがっていった。家のなかは暗くて、みすぼらしかった。ジャガーズさんの部屋に痕《あと》をのこしたあぶらじみた人間の肩は、長年のあいだ足をひきずりながら階段を上りおりしていたらしく思われた。二階の表のほうに、居酒屋の亭主とねずみ捕り屋のあいの子みたいな書記——青膨《あおぶく》れの大男——が、三、四人のみすぼらしい風態《ふうてい》の男を熱心に相手にしていた。ジャガーズさんの金庫に金をみつぐものはだれでもそうだったが、それらの連中も彼から無遠慮に扱われていた。

「中央刑事裁判所のために証拠かためをやってるんですよ」ウェミックさんは部屋から出ながらいった。その向こうの部屋には髪をだらりとたらした、小さなだらしないテリア犬そっくりの書記（きっとちんころの時代にはさみをいれるのを忘れたんだろう）が、眼をしょぼしょぼさせたひとりの男を、おなじ調子で相手にしていた。この男は、製錬工でしてね、いつでも鍋《なべ》を沸騰させていて、かまどの火をたやしたことがありません、なんでも好きなものを鎔《と》かしてくれますよ、とウェミックさんはいった——彼は、まるで自分を自分の技術の試験台にしてるみたいに、猛烈に汗をかいていた。裏手の部屋には、まるで蠟《ろう》を引いたような古い黒地の服を着、顔面の神経痛を汚れたふらんねるでしばっている、怒《かが》り肩の男が、いまふたりの紳士が書きつけた覚え書をジャガーズさん自身の用に供するため、屈みこんで清書していた。

これで、事務所は全部見てしまったわけだ。階下《した》へおりると、ウェミックさんはわたしを後見人の部屋へつれていった。「ここはもうごらんになりましたね」

「あのう」と、横眼を引きつらしている、例の二つの醜悪な鋳型の首がまた眼にうつったので、わたしはいった。「あれはだれの顔なんですか？」

「これですか？」ウェミックさんは椅子の上にのぼって、それを取りおろそうとして、恐ろしい首からほこりを吹きとばしながらいった。「このふたりは、有名な人物ですよ。わたしたちの有名な依頼人でしてね。おかげでわたしたちは、非常な信用を博しましたよ。こいつは（この悪党め、眉毛にこんな汚《し》みなんかつけてやがる。きさま夜中におりてきて、インキ壺《つぼ》んなかをのぞきこみやがったな！）自分の主人を殺したんですよ。でも、証拠があがらなかったところをみると、なかなかうまく計画したもんです？」

ウェミックがその畜生の眉に唾《つば》を吐きかけて、袖で拭いたとき、わたしは尻《しり》ごみしながらたずねた。「そいつに似てるんですか？」

「あいつに似てるかですって？　生写しですよ。型は、やつがおろされると、すぐにニューゲートでとったんですからね。きさまは、このわしをとくべつ好いてたっけな、古狸《ふるだぬき》め！」と、ウェミックはいった。それから骨壺のおいてある墓に婦人としだれ柳を現わしたブローチにさわりながら、この感慨深げな呼びかけの言葉を説明して、こういった。「わたしのためにとくに、これをつくってくれたんですよ！」

「その婦人はだれかとくべつのひとだったんですか？」と、わたしはいった。

「まさか」と、ウェミックはこたえた、「ほんのやつのおどけですよ。（きさま、おどけることが好きだったろうが？）いいえ、その事件にゃ、婦人なんかひとりも関係してません。そういやひとりだけは別ですが――それも、こんなほっそりした貴婦人みたいなひとじゃありませんでした。その女がこの骨壺を見るなんて、ありっこなかったでしょうよ――もっとも、酒でもはいってたら別ですがね」こうして注意がブローチにむけられたウェミックは、鋳型の首を下において、ハンケチでブローチを拭いた。

「あのほかのやつもおなじ最期をとげたんですか？」と、わたしはたずねた。「おなじような顔つきをしていますが」

「おっしゃるとおりです」と、ウェミックはいった。「本物そっくりの顔つきですよ。まるで一方の鼻の穴を、馬のたてがみにつけた小さな釣針でひっかけられたみたいです。ええ、おんなじような最期をとげましたよ。こっちは、まったく当然の最期です。やつめ、遺言状を偽造したんでしてね。この道楽者め、たとえ想像上の遺言状作成者たちを眠りこませなかったとしてもですよ。だが、おまえは紳士風をきかしておったなあ」（ウェミックさんはまた感慨をもらしはじめた）「おまえはギリシャ語が書けるなんていってたっけな。いよう、ほら吹き君！　なんていう大嘘つきだ！　おまえのような嘘つきゃ、見たことがないぞ！」ウェミックさんは、いまは亡き友を棚の上にもどそうとして、いちばん大きな形見の指輪に手をふれていった。「死刑にされるほんの前の日に、こいつをわたしのために買ってこさしたんです」

　彼がもうひとつの塑型を棚に上げて、椅子からおりようとしたとき、わたしは彼のもっている宝石はすべてこういうところから手にはいったものじゃないだろうかという気がした。彼はちっともきまりわるそうな様子を見せずにこの話をしたので、わたしは、彼がわたしのまえに立って手の埃りをはらっていたとき、思いきって無遠慮にたずねてみた。

「ええ、そうなんですよ」彼はこたえた。「こりゃ、みんなそういうような贈物です。ひとつはじまると、つぎつぎとつづくんでしてね。そういったわけのもんです。わたしは、いつでもうけとってます。猟奇品《りょうきひん》ですな。そして、財産ですよ。値打は大してないか知れませんが、とにかく財産で、それに動産ときているんです。輝かしい前途をもっていらっしゃるあなたには、なんでもないでしょうが、わたしの導きの星は、つまりこういうんですよ。動産をつかめ、ってね」

わたしがその光明に賛辞を呈すると、彼は親しげに話をつづけた。

「もしあなたがお暇で、ほかに時間のつぶしようがないとき、ウォルワスのわたしの宅へいらっしてくだすったら、泊まっていただくことができるんですがね。そしたら、ほんとに光栄なんですが。ごらんにいれるものといっちゃありませんが、わたしのもってる二つ三つの珍品をごらんになったらおもしろいかもしれません。それから、わたしは庭やあずまやにちょっと興味をもっているんです」

わたしは、よろこんでお訪《たず》ねしましょう、といった。

「ありがとう」と、彼はいった。「じゃ、あなたのご都合のいいときにきていただくことにしましょう。もうジャガーズさんといっしょにお食事なさいましたか？」

「いいえ、まだです」

「そうですか」と、ウェミックはいった。「あのひとはブドー酒を飲ましてくれますよ。いいブドー酒です。わたしはポンスをさしあげましょう。悪い品じゃありません。ところで、いいことをいってあげますがね、ジャガーズさんとこへ食事にいらっしたら、ひとつあのひとの家政婦をごらんなさい」

「なにか非常にかわったものでも見られるんですか？」

「そうですね」と、ウェミックはいった。「飼い馴らされた野獣がごらんになれましょう。あんまり変わっちゃいないっておっしゃるかもしれませんが、それは、もとの野獣の野性ぶりと、飼い馴らされた程度によりけりです。そいつをごらんになったからといって、ジャガーズさんの値打をさげることはありませんよ。ひとつ眼をとめていらっしゃい」

わたしは、彼の話で興味と好奇心を大いに掻きたてられて、ぜひそうしましょうといった。わたしが立ちさろうとすると、彼は、五分ばかりさいて、ジャガーズさんの「仕事っぷり」なるものを見物したくはありませんか、とたずねた。

いろんな理由から、それにまたジャガーズさんの仕事っぷりなるものをまだいちども拝見したことがなかったので、ひとつ見てみたいものだ、とこたえた。わたしたちは、シティの人ごみのなかへわけいって、人でぎっしりつまっている刑事裁判所へはいった。ブローチに奇妙な趣味をもっていた故人の血縁者（殺人的意味において）がひとり被告席に立って、心地わるそうになにか噛んでいた。一方、わたしの後見人はひとりの女を尋問かまたは反対尋問していた――そのどっちなのか、わたしにはわからなかった――そして、彼女をも、判事席をも、すべてのものをちぢみあがらせているところだった。彼が断じて承服しないことをだれかひと言でもいうと、彼はすぐさまそれを「記録しておく」ようにと要求した。もしもだれかが容認しようとしないと、彼は、「どうしてもいわしてやるぞ！」といい、もしだれかが容認すると、「そらどうだ！」といった。彼が指をちょっとでも噛むと、裁判官たちはふるえあがった。窃盗や窃盗逮捕者は、ふるえあがりながらも、有頂天になって彼の言葉にすがりつき、彼の眉の毛一本でも自分のほうにむけられると、しりごみした。

いったい彼はどちら側に立っているのか、わたしにはわからなかった。彼は法廷全体を、挽臼《ひきうす》にいれて挽《ひ》いてるみたいに思われたからである。ただ、爪先立ちでそっとぬけだしながら、わたしは彼が判事の側に立っているのではないということだけ知ることができた。なぜなら、彼は、イギリスの法と正義の代表としてのこの日の裁判長の行動を糾弾《きゅうだん》して、裁判長をつとめていた老紳士の足を、テーブルの下でがたがたけいれんさせていたからである。

第二十五章

本を取りあげるときでさえ、その著者のために傷つけられたことでもあるように、仏頂面《ぶっちょうづら》をして取りあげるほど、むっつりしているベントリー・ドラムルは、知合いになるときも、やっぱりむっつりしていた。体つきも、動作も、理解力も、すべて鈍重で——のろくさい顔つきと、彼自身部屋のなかをだらりだらり動きまわるように、彼の口のなかをだらりだらり動いてるような、大きな、不格好な舌をした彼は、怠惰で、高慢で、けちんぼうで、打ち解けなくって、猜疑心《さいぎしん》が強かった。彼は、サマセット州の素封家の生まれだった。家のひとたちは、こういう性質の組み合わさった彼をそだてあげたあげくのはて、成年にはたっしたものの、鈍物だということを知った。こうして、ベントリー・ドラムルは、ポケット氏のところへやってきたのだった。そのとき、彼はこの紳士よりも首一つ分だけ上にでていたが、しかし、たいていの紳士よりか脳みそが半ダース分ほど足りなかった。

スタートップは、気のよわい母親にあまやかされて、当然学校へあがっていなくちゃならないときになっても、家においておかれたのだった。しかし、母親を猛烈に愛し、この上もなく崇拝していた。女のようにやさしい顔立をしていて、——「母親を見なくったってわかるが」と、ハーバートはわたしにいった——「まるで、母親そっくり」だった。だから、わたしがドラムルよりか彼のほうをずっと好きだったのは、きわめて自然なことである。それからまた、わたしたちがボートをこぐようになった最初のころの夕方でさえ、彼とわたしはたがいにボートの舳《へ》先《さき》をそろえ、舟べりごしに語らいながら、こいで帰るのに、ドラムルひとりは、水の上に張り出している土手の下や藺《い》のあいだをぬけて、わたしたちの船跡を追ってきたのも、ちっともふしぎではなかった。潮がボートをぐんぐんはやくすすめるようなときでさえ、彼はいつもまるでなにかいやらしい水陸両生動物みたいに、のろりのろりこぎつけるのだった。彼のことを思うと、いつでもわたしは、自分たちのボートが川の中流で、夕陽の残光や月の影を水にくだいているとき、暗がりやよどみのなかからわたしたちを追ってきた彼のことが思いだされるのである。

ハーバートはわたしの非常に親しい仲間であり、友人であった。わたしは自分のボートをふたりの共有物とした。そのため彼は、ハマスミスへしょっちゅうやってきた。また、わたしも彼の部屋を半分所有していたので、よくロンドンへ出かけるようになった。夜中でも、わたしたちはロンドンとハマスミスのあいだをいつもてくって歩いた。いまでもわたしは、あの道路にたいして愛着をもっている(もっとも、いまではもうあのころみたいな楽しい道路ではなくなってしまったが)。それは、まだ世の試練をうけぬ、感受性ゆたかな青春と希望の時代に形づくられた愛着である。

ポケットさん一家といっしょになってから、一、二カ月すると、キャミラさん夫妻がひょっこりやってきた。キャミラはポケットさんの妹だった。あのときミス・ハヴィシャムの屋敷で見たジョージアナもやってきた。彼女は従姉妹《いとこ》だった――そして消化不良にかかっている独身の婦人で、自分の頑固さを宗教とよび、かんしゃくを愛情だといっていた。このひとたちは、貪欲《どんよく》と失望の憎悪をもってわたしをきらっていた。もちろん彼らは、まさに日の出の勢いにあるわたしにこの上もなく卑屈な態度でこびへつらった。ポケットさんにたいしては、自分の利益のことはなにひとつごぞんじない、大きな赤んぼとして、まえにも聞かされたことのある満足そうな寛容をしめしていた。ミセス・ポケットをけいべつしていた。しかし、彼らはこの気の毒な夫人が、人生にひどく失望したということは認めてやった。なぜなら、その失望は彼ら自身にもかすかな光を反映させたからである。

わたしはこういうような環境におちついて、自分を教育したのである。わたしは間もなくぜいたくな習慣がつき、金づかいが荒くなりだして、いく月もたたないうちに、途方もない額をつかってしまった。しかし、良いにつけ悪いにつけ、書物だけは手ばなさなかった。といっても、自分の弱点を知るだけの分別はもっていたというだけで、これにはなんの美点もなかったのである。ポケットさんとハーバートとのおかげで、わたしはどんどん進歩した。いつもふたりのうちのどちらかがそばについていて、なんでも手ほどきしてくれ、わたしの道からあらゆる障害を取りのぞいてくれたのだから、もし急速の進境をしめさなかったとしたら、それこそドラムルにもおとらぬ大馬鹿者だったわけである。

ウェミックさんにはもう何週間もあっていなかった。で、彼に手紙を書いて、いついつの晩お宅を訪問したいといってやった。彼は、非常にうれしい、晩の六時に事務所でお待ちしています、という返事をよこした。事務所へいくと、彼がいて、時計が鳴ると同時に、金庫の鍵を背中にいれた。

「ウォルワスまで歩いていかれるお気持ちはございますまいね？」と彼はいった。

「あなたさえよろしかったら」

「けっこうですとも」と、わたしはいった。「あなたさえよろしかったら」

「わたしゃ大賛成ですよ」と、ウェミックはこたえた。「なにしろ、わたしは、一日中机の下に足をつっこんでいたもんで、すこしのばしたいんです。夕飯になにがでるか、お話してあげましょう、ピップさん。まず、シチューにしたビフテキと——これは家でつくったもんですよ——冷たい焼鳥です。焼鳥のほうはコックの店から取りよせたもんです。きっとやわらかですよ。なにしろ、その店の主人というのが先日わたしたちの事件の陪審員でして、わたしたちゃやっこさんに手ごころをくわえておきましたからね。鶏《とり》を買ったとき、そのことを思いださせて、『良いところをえらぶんだよ、おまえさん。もしわたしたちがもう一、二日おまえさんを陪審席においてやろうと思ったら、そうすることだってできたんだからな』って、こういってやりましたよ。すると、やっこさん、『ひとつこの店のとくべつ上等というところを贈物にさしていただきましょう』と、いいましたよ。わたしゃ、むろんそうさしてやりました。なにしろ、そいつは財産で、しかも動産ですからね。年寄りの親がいても、かまいますまいね?」

わたしはまた、彼がまだ鶏肉のことを話しているのだろうと思っていると、こうつけくわえた。「家に年寄りがひとりおりますのでね」そこで、わたしは儀礼的なあいさつをした。

「すると、まだジャガーズさんとはお食事をなさらないんですね?」彼は歩きながら、話をつづけた。

「まだなんです」

「あなたがわたしの家へいらっしゃるときいて、あのひとはきょう午後そういいましたよ。明日きっとおよばれになりましょう。あのかたはあなたのお仲間もおよびするでしょう。三人でしたね」

わたしはドラムルを親しい仲間のひとりに数えてはいなかったが、「そうです」とこたえた。「あのかたは、同類全部をおよびしますよ」こいつは、どうにもお世辞とは思えなかった。「あのかたは何を出されるか知りませんが、何を出すにしても、きっと良い物を出しますよ。いろんなものが出るものと思っちゃいけません。だが、すばらしく良いものがいただけますよ。あのかたの家には、もうひとつ妙なことがあります」ウェミックはまえの家政婦のことにつけたしているみたいに、ちょっと話をきってからまたつづけた。「あのひとは、夜ドアでも窓でもけっして閉じさせないんです」

「盗人にあったことはないんですか？」

「それですよ！」と、ウェミックはこたえた。「あのひとはね、『わしのものを盗む人間があったら、ひとつお目にかかりたいもんだ』といい、またそう公然と揚言してるんです。わたしはあのひとが表の事務室で、本物の強盗にむかって、『きさま、わしがどこに住んでるか知ってるだろう。閂《かんぬき》なんかひとつだってかけてやしないんだぜ。なぜわしのとこで一仕事やらんのだ？　どうだ、わしじゃおまえの気が動かんのかな？』っていってるのを、もう百ぺんも聞きましたよ。やつらのうち、好きからにしろ、金のためにしろ、やってみようなんていう度胸のあるやつは、ひとりだってありゃしません」

「みんなはそんなにあのひとをこわがってるんですか？」と、わたしはいった。

「こわがってるかですって？」と、ウェミックはいった。「そりゃこわがってますとも。それにしてもですよ。あのひとはやつらを小ばかにするときでも、じつに狡《ずる》いんですよ。なにしろ銀製のものなんかひとつもないんですからね。スプーンはどれもこれも、みんなブリタニア・メタル（錫、銅、アンチモニーの合金）ときているんです」

「じゃ、やつらにはあまり得にならんというわけですね」と、わたしはいった。「たとえやつらが――」

「ええ――ところがあのひとのほうじゃうんと得をするんですよ」と、ウェミックはわたしをさえぎって、いった。「やつらはそのことをちゃんと知ってるんです。あのひとは、やつらの生命、それも何十人もの生命をとってしまいますよ、とれるものは残らずとってしまいましょう。あのひとがいったんとろうと腹をきめたが最後、とれないものはまずありませんからね」

わたしが自分の後見人の偉大さについて考えこんでいると、ウェミックはいった。

「鍍金《めっき》の器《うつわ》のないことが、あの人の人間の自然の深みというもんです。川には川の自然の深みがある。あのひとにはあのひとの自然の深みがあるんです。あのひとの時計の鎖をごらんなさい。あれは、まさしく本物ですよ」

「すばらしく大きなものですね？」と、わたしはいった。

「大きいですって？」と、ウェミックはくりかえした。「そのとおりですよ。あのひとの時計は、金の時打ち時計で、百ポンドの値打のある物です。ピップさん、この市《まち》には、あの時計のことをくわしく知りぬいてる泥棒が七百人からおりますよ。やつらは、男だろうが、女だろうが、子供だろうが、あの鎖のいちばん小さな輪だって、一目でそれと見分けてしまいますよ。そして、うっかりだまされてそれを手に握らされてもですね。まるでそれがまっ赤に焼けてでもいるみたいに、みんなあわてて放りだしてしまいますよ」

はじめのうちはこんな話をし、のちにはもっと一般的な話をしながら、時のたつのも道のことも忘れているうちに、彼はもうウォルワスですよ、といった。

それは、どす黒い小道や溝《みぞ》や小さな庭園のかたまりみたいで、いささか退屈な隠遁所《いんとんじょ》といった様子をしていた。ウェミックの家は、小さな庭園の真中にある、小さな木造家で、屋根はまるで大砲をすえつけた砲台のような格好に切りぬいて、塗ってあった。

「わたしが自分でやったんです」と、ウェミックはいった。「きれいに見えましょう?」

わたしは、うんとほめてやった。それは、いままで見たこともないほど小さな家で、とても奇妙なゴシック風の窓(その大部分はにせの窓だった)と、やっと通りぬけられる小さいゴシック風の戸口がついていた。

「あれは、本物の旗竿《はたざお》ですよ」と、ウェミックはいった。「日曜日には、本物の旗をかかげるんです。それから、これをごらんなさい。わたしはこの橋をわたると、揚げてしまうんですよ——そうら——そして交通遮断《しゃだん》をするんです」

橋というのは、一枚の厚板で、幅四フィート、深さ二フィートくらいの溝にわたしてあった。しかし、彼がそれを揚げてしっかり止めるときの得意満々たる様子といったら、よそ目にもじつに愉快だった。彼は、ただ機械的にでなく、いかにもおもしろそうに、にこにこ笑いながら橋を揚げた。

「毎晩グリニッジ時間で九時に」と、ウェミックはいった、「大砲が鳴ります。そら、あそこに見えましょう! あいつが鳴るのをお聞きになったら、きっとこいつはまさに重砲だとおっしゃいますよ」

いまいった大砲は、格子造りの別の保塁の上にすえられていた。そして洋傘《こうもり》がわりの巧妙な小さい防水布の仕掛けによって、雨にあたらないようになっていた。

「それから、家の後ろの人目につかんところに」と、ウェミックはいった、「ここが要塞《ようさい》だっていう考えを台無しにしてしまうといけませんからね——というのは、なんでも考えがあったら、どしどし実行して、へこたれるな、というのがわたしの主義なんですよ——あなたはどうお考えになるか知りませんが——」

わたしは、それにはっきり同意を表明した。

「——家の後ろに、豚が一匹と、鶏とうさぎがおるんです。それから、わたしは小さな急ごしらえの温床で、きゅうりをつくってます。わたしにどんなサラダがつくれるか、ひとつ夕飯のとき見てください。そういうわけで」と、ウェミックはまたにこにこしながらも、真剣な顔つきで、頭をふっていった。「たとえこの小さな屋敷が包囲されても、食糧の点では、相当長期間もちこたえることができますよ」

それから、彼はわたしをあずまやへつれていった。それは、十ヤードぐらいしかはなれていなかったが、そこへいく小道がとても巧みに曲りくねっていたので、長いことかかった。この隠れ家には、わたしたちのコップがすでにならべてあった。わたしたちの飲むポンス酒は、庭の湖水に冷してあった。あずまやは、この湖水の縁にたっていた。湖水は（その真中には島があったが、それは夕飯のサラダだったかもしれない）円い形をしていた。そのなかには、噴水がこしらえてあって、水車をまわしてパイプのコルクをとると、猛烈な勢いで噴出し、手のうらをすっかりぬらした。

「わたしは自分で技師もやれば、大工もやるし、鉛管敷きでも、庭造りでも、なんでもかんでもやるんですよ」と、ウェミックはわたしがほめると、それにこたえていった。「これはなかなか良いことです。なにしろニューゲートのくもの巣をはらってくれるし、それに年寄りがよろこびますからね。すぐ年寄りにお引合せしてもかまいませんか？　ご迷惑にゃなりますまいか？」

　わたしは、よろこんでお会いしたいといって、いっしょに城郭のなかへはいっていった。すると、フランネルの上着を着た、非常に年のよった老人が、炉のそばにすわっていた。小ぎれいで、元気で、気安くて、世話がゆきとどいていたが、しかしまったくの金聾《かなつんぼ》だった。

「やあ、おじいさん、元気ですかね？」と、ウェミックは心をこめて、おどけた調子で彼と握手しながらいった。

「よしよし、ジョン、よしよし！」と、老人はこたえた。

「こちらは、ピップさんです、おじいさん」と、ウェミックはいった。「このかたの名まえがわかるといいんですがね。じいさんにうなずいて見せてやってください、ピップさん。じいさんは、そうされるのが好きなんです。ウィンクするみたいに、ひとつうなずいて見せてやってください」

　わたしができるだけ強くうなずいて見せると、「ここは、わたしの悴《せがれ》の立派な家でしてね」と、老人は叫んだ。「きれいな遊園地ですよ。この屋敷や、屋敷にある美しい細工は、悴が亡くなったあとでも、みんなが楽しめるように、国で維持しておくといいんですよ」

「おじいさん、あんたはポンス酒とおんなじように、屋敷がご自慢ですね？」と、ウェミックはそのきびしい顔をすっかりやわらげて、老人を見つめながらいった。「そらうなずいてやりますよ」といって、彼にものすごく大きくうなずいてみせた。「そら、もうひとつうなずいてやりますよ」と、なおいっそう大きくうなずいた。「こうしてもらうとうれしいでしょう？　ピップさん、もしお疲れでなかったら――もっとも知らぬかたはさぞつかれることでしょうがね――もういちどちょっとうなずいて見せてやってください？　年寄りがどんなによろこぶかわかりませんよ」

わたしは、さらになんどもうなずいて見せた。彼は非常な上きげんだった。彼が鶏に餌をやろうとして立ち上がったので、わたしたちは彼をあとにして、あずまやに腰をおろし、ポンスを飲んだ。そこで、ウェミックはたばこをふかしながら、屋敷をこれまでに完成するには何年もかかりましたよ、と話した。

「ご自分のものなんですか、ウェミックさん？」

「ええ、そうですとも」と、ウェミックはいった。「すこしずつ手にいれたんです。自由保有不動産ですよ！」

「そうですか？　ジャガーズさんはきっと感心なさってるでしょう？」

「まだ見たことがないんです」と、ウェミックはいった。「聞いたこともありません。年寄りも見たことがありません。わたしは、事務所へ出かけるときには、城のことは忘れていきます。城へ帰るときは、事務所のことは忘れて帰ります。たとえそれがすこしでもあんたのお気に召さんとしても、またわたしにおんなじように考えさせてくだされればいいんです。自分の家を職業的に話されるのはまっ平です」

もちろんわたしは、彼の要求をまもるには、自分が誠実でなければならないと思った。ポンスはすこぶる上等だったので、わたしたちは九時ごろまでそこにすわって、飲んだり、話したりしていた。「号砲の時間が近づきましたな」と、ウェミックはパイプを下におきながらいった。「年寄りのもてなしですよ」

城のなかへもどっていくと、年寄りはこの夜ごとの大切な儀式を行なう準備として、むずむずして眼をかがやかしながら、火搔棒を焼いていた。ウェミックは時計を片手に、まっ赤に焼けた火搔棒を年寄りからうけとって、砲台へおもむく時間がいよいよくるまで、立っていた。彼はそれをうけとると、出ていった。すると、まもなく「重砲」がどかんと鳴って、小さな箱みたいな家を粉みじんになるかと思うほど、そして家のなかのコップやコーヒー茶碗が響きを発するほど、震動させた。すると、年寄りは――もし肘掛椅子《いす》の肘につかまっていなかったら、きっと椅子から吹きとばされたことだろう――大よろこびで叫んだ。「撃ったぞ！　聞こえたぞ！」わたしは、ただ言葉の彩《あや》でなく、ほんとに彼がすっかり見えなくなるほど老人にうなずいて見せた。

それから夕食までのあいだ、ウェミックはわたしに猟奇品のコレクションを見せてくれた。たいてい重罪犯に関するもので、有名な偽造文書を書いたペン、有名な剃刀《かみそり》一、二、頭髪のふさ、死刑の宣告のもとで書かれた告白原稿――こいつ「一言一句、みんな赤嘘」だから、とくに値打があるんですよ、とウェミックさんはいった――これらの品は、ちょっとした陶磁器やガラス器の標本、この博物館の館主がつくったいかにも巧妙ないろんな品、年寄りが彫刻したいくつかのたばこ詰め器、などのあいだに、ぐあいよくまじっていた。それらはみんな、わたしが最初に案内された城郭のなかの部屋に陳列されていた。この部屋は、居間となっていたばかりでなく、炉辺の棚のソース鍋や、焼串転回器をつるすための炉の上の真鍮《しんちゆう》製の玉から判断すると、台所にもなっているらしい。

小ざっぱりした小さな娘がいて、世話をしてくれた。彼女は、昼の間年寄りの世話をするのである。娘が夕食の支度をすると、退出できるように橋がおろされて、彼女は帰っていった。夕食はすばらしかった。城郭はやや腐朽していて、いたんだくるみみたいな感じがし、豚ももうすこし遠くへはなれていたらと思われないこともなかったが、しかしわたしはこうしたいろんな饗応にすっかり満足した。砲塔内のわたしの小さな寝室のベッドにあおむけに寝たとき、わたしと旗竿とのあいだの天井があんまり薄いので、まる一晩中、旗竿を倒れぬようにうまく額の上に立てていなければならぬような気がしたが、それだって、なんとも思わなかった。

ウェミックは朝早く起きて、どうもわたしの靴を磨《みが》いているらしかった。それから、彼は庭いじりをはじめた。わたしの部屋のゴシック式の窓からのぞくと、彼が年寄りに手伝ってもらっているようなふりをして、彼に真心こめてうなずいて見せているのが見えた。朝食は夕食におとらずすばらしいものだった。そして、八時半かっきりに、わたしたちはリトル・ブリテンにむかって出発した。歩いていくにつれて、ウェミックはだんだん無愛想になり、きびしくなり、彼の口はまた郵便箱のようにかたくむすばれた。ついに彼の事務所について、彼が上着の襟《えり》から鍵《かぎ》を引きだしたとき、彼はまるで城郭も、釣橋も、あずまやも、湖水も、噴水も、年寄りも、最後の「重砲」の発砲とともに、ことごとく空中に飛散してしまったかのように、ウォルワスの財産のことはまったく忘れさったという顔つきになった。

第二十六章

ウェミックがいったように、間もなくわたしは、わたしの後見人の家を彼の現金出納掛り兼書記の家と比較する機会をあたえられることになった。わたしがウォルワスから事務所にはいっていくと、後見人は自分の部屋《へや》で香料入りの石鹸《せっけん》で手を洗っていた。彼はわたしを呼んで、ウェミックが予告しておいてくれたように、わたしとわたしの友人を招待した。「儀式ばったことはぬきだ」と、彼は条件をつけた。「それから、礼服もやめにして、明日としよう」どこで会ったらいいかとたずねると（彼がどこに住んでいるのか、わたしはちっとも知らなかったから）、彼は、なんでも容認するようなことは一般に反対だと見えて、「ここへきたまえ、いっしょに家へつれていってやる」とこたえた。この機会にいっておくが、彼はまるで外科医か歯医者のように、彼の依頼人たちを洗いおとすのだった。彼の部屋には、その目的のためにわざわざつくった小室があって、それは香水店のように香料入りの石鹸のにおいがしていた。そのドアの内側の巻軸には、ものすごく大きな長タオルがあって、刑事裁判所から帰ってきたり、部屋から依頼人をおくりだしたりするごとに、彼はかならず手を洗い、タオルで拭いてすっかりかわかした。わたしとわたしの友人たちが、翌日六時に彼のところへゆくと、彼はいつもよりもいっそう凶悪な事件にかかっていたらしかった。なぜなら、彼はこの小室のなかへ頭をつっこんで、手を洗うばかりか、顔も洗い、うがいまでしていたからである。そして、それがすっかりすんで、長タオルをぐるぐる一回転さしてしまってからも、彼はナイフをとりだして、爪から事件をけずりおとして、やっと上着を着たからである。

わたしたちが町へでると、例によってたしかに彼と話をしたいと熱望しているらしい人間が何人かうろついていた。だが、彼をとりまいている香料入りの石鹸の後光には、なにかしらとりつく島のないところがあったので、彼らはきょうはだめだとあきらめてしまった。わたしたちが西のほうへ歩いていくと、町の人ごみのなかからたびたびだれかの顔が彼を見とめた。そのたびごとに、彼はわたしにいっそう大きな声で話をした。が、それ以外には、ひとを見とめたような素振りもせず、まただれかが彼を見とめたことに気づいた様子も見せなかった。

彼は、わたしたちをソホのジェラード街の南側にあるとある家へつれていった。それは、そのあたりの家としては堂々としていたが、情けないほど塗りがはげ、窓はうす汚なくよごれていた。彼は、鍵《かぎ》を出してドアをあけた。わたしたちは、みんないっしょにがらんとした、陰気な、あまり使ったことのない、石造りの玄関の広間にはいっていった。それから、暗い褐色《かっしょく》の階段を上って、二階にある三つつづきの暗い、褐色の部屋へはいった。壁の鏡板には、花綵《はなづな》が彫刻してあった。彼がその間に立ってわたしたちに歓迎のあいさつをのべていたとき、それらの花綵がどんな輪に見えたか、わたしは知っている。

食事は、いちばん上等の部屋にならべられた。二ばん目の部屋は、彼の化粧室で、三ばん目は寝室だった。この家は全部彼のものだが、いま見た部屋の外は、ほとんど使用していない、と彼はいった。食卓は、気持ちよくならべられていた——むろん銀製の器《うつわ》は出なかった——彼の椅子《いす》のわきには、大きな回転式の食器架がおいてあって、それにはいろんなびんや、細首の瓶《かめ》や、デザート用の果物が四皿のっていた。わたしは彼が食事中なんでも全部自分の手もとにおいて、すべて自分でくばっているのに気づいた。

部屋には本棚があった。本の背から、それが証拠や刑法、犯罪者の伝記、裁判、議会の法案等等に関するものばかりだということがわかった。家具は、いずれも彼の時計の鎖のように頑丈で立派なものだった。しかし、公式的なにおいがあって、純装飾的なものといってはなにひとつ見あたらなかった。部屋のすみっこには、書類をのせたテーブルがあって、笠つきのランプがおいてあった。で、その点からみても、彼は、仕事を家へもって帰って、晩などそれを引きだしては仕事をするらしかった。

彼はそれまで三人のわたしの連れをほとんど見ていなかったので——彼とわたしは、いっしょにならんで歩いたから——呼び鈴をならしてから、炉前の敷物の上につったったまま、探るような眼つきで、彼らをじろじろながめた。おどろいたことに、彼はたちまちドラムルに——彼だけにではないとしても——主として興味をひかれたらしかった。

「ピップ」と、彼は大きな手をわたしの肩にのせて、わたしを窓のところへ押していきながらいった。「わしには、どれがだれだかさっぱりわからん。あの蜘蛛助《くもすけ》はだれだい?」

「蜘蛛助?」

「あの腫物《はれもの》だらけの、だらしない、むっつりしたやつだよ」

「あれは、ベントリー・ドラムルです」と、わたしはこたえた。「あの華奢《きゃしゃ》な顔つきをしてるのは、スタートップです」

「華奢な顔つきをしてる」のはてんで無視して、彼はいった。「ベントリー・ドラムルって名だね? あいつの面《つら》つきが気にいったよ」

彼はさっそくドラムルと話をはじめた。彼の鈍重な、無口な返事にもたじろがずに、かえってそれに誘われて、彼から話をねじりだすみたいだった。このふたりをわたしがながめていると、彼らとわたしとのあいだに、家政婦が最初の料理をもってわりこんできた。

彼女は、四十がらみの女のようにみえたが、じっさいよりも若く見すぎたかもしれない。背は高いほうで、しなやかではしこそうな体つきをしていて、顔色は非常に青白く、大きな艶《つや》のない眼と、ふさふさした髪をもっていた。唇はあえぐように開き、顔ははっとした、そわそわした、奇妙な表情をおびていたが、それはなにか心臓の疾患のためだったのかどうか、わからない。しかし、わたしは一、二日まえの晩、「マクベス」を見にいったが、まるで彼女の顔は、魔女たちの大釜のなかから立ち上がった、いろんな顔みたいに、火のような熱気にすっかりかき乱されているように思われたのは事実だ。

彼女は、料理をならべ、わたしの後見人の腕に指をふれて、食事の用意ができたことを知らせて、姿を消した。わたしたちは、円テーブルのまわりに席をしめた。わたしの後見人はドラムルを自分のわきに、スタートップをもう一方のわきにすわらせた。家政婦がテーブルにならべていった料理はすばらしい魚の料理だった。そのあとで、おなじように上等の羊肉《マトン》の切れと、それにおとらず上等の鳥肉が出た。ソース、ブドー酒、その他ほしいと思うものはすべて、それも最上等の品が、主人《ホスト》によって食品架からくばられた。彼はまたおなじようにして、一コースごとに新しい皿やナイフやフォークをくばり、まえのコースに使ったのは自分の椅子のわきの床においてある二つの籠へいれた。

家政婦のほかには、女中はだれも姿を見せなかった。彼女は、一皿、一皿、みんな自分でならべた。わたしには、いつも彼女の顔のなかに大釜のなかから立ちあらわれた顔が見えた。その後何年かして、わたしは、暗い部屋のなかで炎をあげて燃える火酒の杯の後ろをふと通りすぎたひとつの顔に、この女に恐ろしく似た顔を見たのだった。といっても、ふさふさとたれた髪のほかには、生まれつき似ているところはすこしもなかったのだが。

彼女自身の目立った様子やら、ウェミックの注意やらで、家政婦にとくに気をとめるようになったわたしは、彼女が部屋にいるときは、いつでもわたしの後見人から眼をはなさないでいること、それから彼のまえに料理をおくときには、いつもまるで彼に呼びもどされはしないかと、はらはらしているみたいに、そしてなにかいうことがあるなら、自分がそばにいるあいだにいってもらいたいと思っているみたいに、ためらいながら手をひっこめるということに気づいた。彼の態度のうちには、それを意識しているような様子、そしてわざと彼女をいつも不安な気持ちにさせておいているような様子が見えるような気がした。

食事は愉快におわった。わたしの後見人は、話題を自分からもちだすというよりか、話題に調子をあわせているような様子をしながら、そのじつ、わたしたちの気持ちのいちばんの弱点をねじりだしていることがわかった。わたしはどうかというと、まだ自分が口を開いたことにろくに気もつかぬうちに、早くも自分が金を使いまくっていることや、ハーバートを援助していることをさかんに話したて、大遺産相続の見込みを吹きまくっていた。わたしたちは、みんなそんな調子だったが、しかしドラムルみたいにそうなったものはなかった。まだ魚が片づけられないうちに、しぶしぶと、うさん臭そうにほかのものをあざける癖が、まるでねじでねじりだされるように、かれから引きだされた。

会話がみんなのボートの手柄話にうつったのは、そのときではなくて、チーズをたべるときになってからだった。ドラムルは、水陸両生動物みたいに、のろのろとひとのあとからやってくるじゃないか、といって皮肉られた。すると、ドラムルは、主人《ホスト》にむかって、こんな連中と同座するのはまったく迷惑千万だとか、ボートの腕前なら、こんな連中の先生以上だとか、力ならこいつらを籾《もみ》がらみたいに吹きとばしてみせることができるとかいった。わたしの後見人は、なにか眼に見えない力で、こんなたわいもないことについて彼を煽りたてて、ほとんど凶暴なまでにした。彼は腕をまくって、たくましい筋力を見せつけるように、指ではかって見せた。こっけいなことに、わたしたちもみんな腕まくりをして、指ではかって見せた。

ちょうどそのとき、家政婦はテーブルを片づけていた。わたしの後見人は、彼女には気もとめず、そっちに横顔をむけたまま、人差し指を嚙み、なぜかわからぬ興味をドラムルにしめしながら、椅子によりかかっていた。家政婦がテーブルごしに手をのばしたとたんに、まるで罠《わな》のように彼は大きな手で彼女の手をぱっとおさえた。それがあんまりだしぬけで、電光石火のはやさだったので、わたしたちは、ばかげた競争をやめたほどだった。

「あんたがたが腕ぢからのことをいうんなら」と、ジャガーズさんはいった、「ひとつわしが手首を見せて進ぜよう。モリ、おまえの手首をみんなに見せておあげ」

彼女のつかまえられた手はテーブルの上にあったが、しかし彼女はもう一方の手を素早く後ろにかくしていた。「ご主人さま」と、彼女はじっと哀願するように彼を見つめながら、低い声でいった。「いけませんわ」

「ひとつわしが手首を見せて進ぜよう」と、ジャガーズさんは、どうしても見せねばきかぬといったう不動の決意をしめしながら、くりかえしていった。「モリ、おまえの手首をみんなに見せておあげ」

「ご主人さま」と、彼女はまたささやいた。「おねがいです！」

「モリ」と、ジャガーズさんは彼女は見ないで、依怙地《いこじ》に部屋の反対側を見ながらいった。「おまえの両方の手首を見せておあげ、手首を出しなさい。さあ！」

彼は彼女の手をはなして、その手首をテーブルの上にあお向けにさせた。彼女はもう一方の手を後ろから出して、両方をならべておいた。後から出したほうの手首は、縦横《たてよこ》十文字に深い傷痕がついていて、ひどく醜くなっていた。彼女は両手を差しだすと、眼をジャガーズさんからはずして、わたしたちをひとりひとり、じゅんじゅんに、じっと見た。

「こりゃすごい力をもってるんですよ」と、ジャガーズさんは冷やかに人差し指で腱《けん》をさすりながらいった。「この女のような手首の力をもった男は、まずない。この手がもってる握力といったら、おどろくべきもんだ。わしは、いろんな手を見ているが。しかし、握る力では、男の手であろうと女の手であろうと、この手より強い手を見たことはない」

彼がゆっくりと難癖でもつけるような口ぶりでこういってるあいだ、彼女はすわっているわたしたちをひとりひとりつぎつぎに見た。彼が話を止めた瞬間、また彼を見た。「もうよし」と、ジャガーズさんはかるく彼女にうなずいて見せながらいった。「おまえに感心してやったんだよ、もういっていい」彼女は手をひっこめて、部屋から出ていった。ジャガーズさんは、食品架から細首のびんをとって、自分のコップについでみんなにまわした。

「諸君、九時半になったら」と、彼はいった、「わたしたちはおしまいにしなくちゃならん。それまで、大いにやってくれたまえ。諸君にお会いできて愉快ですよ。ドラムル君、きみのために乾杯しよう」

もしドラムルをひとりだけえらびだした目的が、彼をもっとひっぱり出すためだったら、それは完全な成功だった。むっつりと勝ち誇ったドラムルは、いよいよ癪《しゃく》にさわるように、われわれ全部に不きげんなけいべつをしめしたので、ついにはどうにもがまんできなくなった。ジャガーズさんは、だんだんそうなってゆく彼を、おなじ不可解な興味をもって追っていた。ドラムルは、じっさいジャガーズさんのブドー酒の味付けとなってるみたいに思えた。

わたしたちは、いかにも青年らしい軽率さで、ついブドー酒をのみすぎ、しゃべりすぎてしまった。きみたちは金使いが荒すぎるぞ、といったドラムルのやぼ臭い冷笑に、わたしたちはことに激昂した。無分別以上にかっとなったわたしは、ほんの一週間ぐらいまえ、ぼくの面前でスタートップから金を貸してもらったくせして、そんなことというのはいささか失敬じゃないか、といってやった。

「いいじゃないか」と、ドラムルはやりかえした。「あいつにゃ返してやるよ」

「ぼくはなにも彼が返してもらえんだろうなんていってやしない」と、わたしはいった。「借りたことを覚えていたら、きみはぼくたちやぼくたちの金についていらん口をたたかんようになるだろう、とぼくは思うんだ」

「きみは思うんだって！」と、ドラムルはこたえた。「おお、主よ！　だ」

「おそらくきみは」と、わたしはうんとしんらつにやっつけるつもりで、いった。「ぼくたちが金をほしがっていても、貸してくれたりなんかしやすまい」

「そのとおりだ」と、ドラムルはいった。「ぼくはきみたちに六ペンスだって貸しゃしない。だれにだって、六ペンスの金も貸すもんか」

「そんなふうして人から金を借りるなんて、下劣だとぼくは思うな」

「ふん、ぼくは思う、か」と、ドラムルはこたえた。「おお、主よ！　だ」

これにはまったく癪にさわった――ことにわたしは彼のしんねりむっつりした鈍感にたいしてはどうにも歯がたたなかったので、なおさら腹がたった――わたしは、ハーバートがわたしをしまいにおさえようとするのもかまわずいった。

「おい、ドラムル君、ことのついでに、きみがあの金をかりたとき、このハーバートとぼくがなんといったか、ひとつ聞かしてやろう」

「ところが、このぼくはね、そこにござるハーバートときみがいったことなんか、知りたかあないんだよ」と、ドラムルはうなるようにいった。そして、もっと低いうなり声で、きさまたちゃふたりとも地獄へ落ちてふるえあがるがいい、といいそえたように思った。

「しかし、ぼくは」と、わたしはいった、「きみが聞きたかろうが聞きたくなかろうが、そんなこたあかまわん、いってやるよ。ぼくたちはね、きみがあの金を大よろこびでポケットにねじこんだとき、金を貸したスタートップの気弱さを、きみはすっかりおもしろがってるような顔つきをしてるじゃないかっていったんだよ」

ドラムルはいきなり、わっは、は、は、と吹きだした。そして、そのとおりだ、ぼくはきみたち全部を愚物としてけいべつしてるんだぞ、といわんばかりに、両手をポケットにつっこみ、円い肩をそびやかせながら、傍若無人にげらげら笑いつづけた。

するとと、スタートップはわたしよりはずっと愛想よく彼を抑えて、もすこしきげんよくしろよ、としきりに口説《くど》いた。スタートップは快活で怜悧《れいり》な若者なのに、ドラムルはその正反対だったので、スタートップこそ自分を直接侮辱するものだとして、彼にたいして忿懣《ふんまん》を感じていた。で、彼は気のきかない、粗暴な口調でやりかえした。スタートップは、議論をそらそうとして、なにかちょっと愉快なことをいってわたしたちみんなを笑わせた。このちょっとした成功をなによりも憤慨したドラムルは、威嚇《いかく》や警告の言葉も発せずに、両手をポケットからだして、両肩をおとし、畜生！　といいながら、大コップをつかんで、いきなり相手の頭に投げつけようとした。が、コップがふりあげられた刹那《せつな》、わたしたちの主人《ホスト》は、さっと巧みにそれをおさえた。

「諸君」ジャガーズさんはゆっくりとコップを下におき、金時計を大きな鎖ごとほうりだしながらいった、「まことに残念千万だが、もう九時半になったよ」

そういわれて、わたしたちはみんな帰るために立ち上がった。まだ表の入口までいかないうちに、スタートップはまるで何事もなかったみたいに、ドラムルを愉快な調子で「おい、きみ」とよんでいた。ところが、ドラムルは、頑《がん》としてこれに応じないばかりか、道路のおなじ側をハマスミスへ歩いていこうとすらしなかった。で、ハーバートとわたしは（わたしは市《まち》に泊まることにしたから）、彼らがたがいに街路の反対側を歩いていくのを見た。スタートップが先に立ち、ドラムルはボートであとをつけるときのように、家々の陰を彼のあとからついていった。

ドアがまだ締まっていなかったので、わたしはハーバートをちょっとそこへ待たしておいて、階上へかけあがって、後見人にひと言いおうと思った。彼は、すでにたくさんの深靴がぐるっとおいてある化粧室で、両手からわたしたちを一生けんめい洗いおとしている最中だった。

わたしは不愉快なことになって、なんとも申しわけない、どうかわたしをあまり責めないようにしていただきたいと思ってもどってきました、と彼にいった。

「ばかな！」と、彼は顔に水をぴしゃぴしゃかけ、滴《しずく》をぼとぼとおとしながらいった。「なんでもないよ、ピップ。だが、わしはあの蜘蛛助《くもすけ》が気にいったよ」

彼はわたしのほうにふり向いて、頭をふり、はあはあいいながら、タオルで拭いていた。

「あなたがあいつをお好きなことはけっこうですが」と、わたしはいった――「しかし、ぼくはあいつを好きません」

「そうだろう、そうだろう」と、わたしの後見人は同意した。「あいつとは、あんまりかかわりあわんがいい。できるだけはなれていなさい。だがな、ピップ、わしはあいつが好きだよ。あいつは本物だ。もしわしが占者《うらない》だったら――」

彼はタオルのなかからのぞいて、わたしと眼を見あわせた。

「だが、わしは占者じゃない」と、彼は花綵のようなタオルのなかに首をうずめ、両方の耳までタオルで拭きながらいった。「おまえ、わしがなんだか知ってるだろう？　お休み、ピップ」

「お休みなさい」

それから一月くらいして、蜘蛛助がポケットさんのもとにいる期間は終りとなり、家庭の古巣へもどっていったので、ミセス・ポケットをのぞく家中のものは、ほっと安堵《あんど》した。

第二十七章

「親愛なるピップさま。

わたしは、ガージャリさんのおもとめによって、あのかたがウォプスルさんとごいっしょにロンドンにいかれること、そしてもしあなたにお会いすることをゆるされたらうれしいということをお知らせするため、この手紙をお書きいたします。ガージャリさんは、火曜日の午前九時にバーナーズ・ホテルにまいります。もしご都合がお悪かったら、言伝をしておいてくださいませ。あなたのお気の毒なお姉さまは、あなたがお立ちになったときとほとんどお変りありません。わたしたちは、毎晩台所であなたのお噂をし、あなたがどんなことをおっしゃったり、なすったりしておられることだろうかと話しあっております。

失礼にあたりましたら、哀れな昔を愛する心にめんじて、どうぞおゆるしくださいませ。では、親愛なるピップさま、さようなら。

あなたのつねに感謝にみちた、愛情深き召使。

ビディより」

二伸。ガージャリさんは、わたしに『大いに愉快かい?』ととくに書いてほしいとのことです。あなたにはおわかりになるはずだといってらっしゃいます。たとえ紳士のかたでも、あのかたをごらんになることは愉快なことだろうと思い、そのことをうたがいません。あなたは、いつもやさしい心の持主でいらっしゃいましたし、あのかたはりっぱな、りっぱなおかたなのですから。わたしは、最後の短い言葉をのぞいて、あのかたにすっかりよんであげました。あのかたは、もういちど『大いに愉快かい?』と書いてほしいと、とくにのぞんでおられます。

わたしはこの手紙を、日曜日の朝の便でうけとった。だから、約束の日は明日である。わたしは、ジョーの訪問を自分がどんな気持ちで待ったかを、つつまず告白しよう。

それは、自分はいろんな絆《きずな》で彼にむすばれておりながら、およそうれしい気持ちではなく、非常な狼狽と慚愧《ざんき》の念と、釣合わないといった痛切な感じとをもってだった。もし金で彼を遠ざけておくことができたとしたら、わたしはきっと金をだしたことだろう。わたしがいちばん安心したことは、彼がハマスミスへいかないで、バーナーズ・インへくることになっており、したがってベントリー・ドラムルに出あうきづかいはないということだった。彼がハーバートや彼の父親に見られることは、なんとも思わなかった。なぜなら、わたしはこのふたりを尊敬していたからである。だが、彼がわたしのけいべつしているドラムルに見られることには、極度に神経過敏にならざるをえなかった。こういうふうに、生涯をつうじ、わたしたちは概してわたしたちの最もけいべつする人間のために、最大の弱点をさらけだしたり、この上もなく卑劣なまねをついやってしまうのである。

わたしは、自分の部屋をなんとかかんとかして、いつもまるでむだな、適切でないやりかたで飾っておいた。こうした飾りつけのことで、バーナードとやる取っ組みあいは、非常に高価なものについた。もうそのころは、部屋の様子は、わたしがはじめて見たときとは、すっかり見ちがえるようになっていた。わたしの名は、光栄千万にも、近所の家具商の帳面の目立つところを数ぺージにわたってうずめていた。最近わたしは非常な発展ぶりをしめして、少年をひとり召使にやといいれ、これに長靴《ながぐつ》──それも乗馬靴──をはかしてつかっていた。ところが、こいつのために、わたしは毎日々々をすごしているようなものになってしまった。というのは、この化物を（出入りの洗濯女の家族の滓《かす》のなかから）仕立てあげ、青い色の上着、卵黄色のチョッキ、白の襟飾《えりかざり》、クリーム色のズボン、それからいまいった長靴をもって装わしたはいいが、さてこいつにやらせる仕事といっては大してないのに、食べるほうはさかんに食べる、この恐るべき二つの仕事に、わたしの全生活はたえまなくつきまとわれ、打ち悩まされたからである。

この復讐《ふくしゅう》の亡霊には、火曜日の朝八時に、入口のホール（床の敷物代の請求書《つけ》を見てもわかるように、二フィート四方あった）に詰めているように命じた。ハーバートは、ジョーの好きそうなものを朝食に用意しておいたがいいよといった。わたしは、彼がこんなに興味をもち、心づかいをしてくれるのを心からありがたく思いながらも、もしジョーが彼に会いにくるのだったら、彼はこんなにきびきびしはしないんじゃないだろうかという、奇妙な、むっとするほどの猜疑心《さいぎしん》を感じた。

だが、わたしはジョーをむかえるように、月曜日の晩市《まち》にいき、翌朝早く起きて、居間や朝食の食卓をうんとすばらしく見えるように飾りたてた。あいにくこの朝は、霧雨《きりさめ》がしとしと降っていて、バーナーズ旅館は、まるで気の弱い大男の煙突掃除夫《そうじふ》みたいに、窓の外側に煤《すす》の涙を流していた。たとえ天使だって、この事実をかくすことはできなかったろう。

時刻が近づくにしたがって、わたしは逃げだしたいくらいになった。しかし、入口のホールには、復讐鬼が命令どおりひかえている。間もなく、ジョーの足音が階段に聞こえてきた。階段をのぼってくる彼のぶきような歩きぶりと――彼の訪問用の靴はいつも大きすぎた――上ってくる途中の各階の表札をよむのにかかる時間とで、ジョーだということがわかった。ついにわたしたちの入口の外側で立ちどまって、わたしの表札の文字を指でたどる音がし、ついで鍵穴から彼の呼吸がはっきりと聞こえてきた。ついに彼はかすかにひとつ、とんとノックした。そして、ペパー（胡椒）――これはあの復讐少年の、そういえばなるほどそんな小僧だろうと思わせる名まえだった――が、「ガージャリさんです！」といった。彼はいつまでたっても靴を拭きやめないかもしれない、ひとつ出ていって靴拭いの上に屈《かが》みこんでいる彼をおこしてやらなくちゃならんかな、と思ったほどだったが、やっとはいってきた。

「ジョー、元気かい、ジョー？」

「ピップ、元気かね？」

ジョーは、善良な正直な顔を燃えるように輝かし、帽子をふたりのあいだの床の上において、わたしの両手をつかまえ、それを、まるで最新特許のポンプかなんぞのように上げたり下げたりした。

「あんたにあえてうれしいよ、ジョー。帽子をよこしなさいよ」

ところが、ジョーはそれを卵のはいっている小鳥の巣かなんぞのように、両手で注意ぶかくとりあげ、どうしてもその持ち物を手ばなそうとせず、つったったまま、それを真中において、非常に固苦しく話した。

「とても大きくなんなすったなあ」と、ジョーはいった。「それから、ふとって、紳士らしくなったなあ」ジョーはちょっと考えてから、言葉を見つけていった。「これならほんとに、国王さまやお国にとっても名誉というものだよ」

「そして、ジョー、あんたもすばらしく元気らしいね」

「ありがたいことに」と、ジョーはいった、「わしはいつでもとても元気だ。それから、おまえの姉さん――あれもまえより悪くはならないよ。そして、ビディはいつも元気で、まめまめしくやっている。ほかの友だちもみんな、良くならないまでも悪くはなってないよ。もっとも、ウォプスルさんだけは別だがね。あのひとは落っこっちゃってね」

こういっている間も（なおも両手で鳥の巣を大事そうにもちながら）、ジョーは眼で部屋中をぎょろぎょろぎょろぎょろ見まわしたり、わたしの化粧着の花模様をぎょろぎょろながめたりしていた。

「落っこっちゃったって？」

「そうなんだ」と、ジョーは声をおとしていった。「あのひとは教会をやめて、芝居のほうへはいったんだよ。そして、その芝居のため、わしといっしょにロンドンへやってきたんだ。それから、あのひとは」と、ジョーはいって、ちょっと例の鳥の巣を左わきにかかえ、右手でなかの卵をさぐりながら、「もし失礼にならなかったら、これをおまえにわたしてほしいといったよ」

ジョーがくれるのをうけとって見ると、それは首都のある小劇場のもみくちゃになった広告ビラで、「わが国民詩人最高の悲劇の独特なる演技によって、最近地方演劇界に異常なセンセイションをまきおこしたる、古代ローマの名優ロシアスにも比すべき、高名ならびなき地方素人俳優」が、今週はじめて出場することを予告するものであった。

「あんた、あのひとの芝居にいったのかい？」と、わたしはたずねた。

「うん、いった」と、ジョーは力をこめて、真剣になっていった。

「で、非常なセンセイションだったのかい？」

「そうさな」と、ジョーはいった。「みかんの皮はたしかに投げたよ。あのひとが幽霊を見たときにゃ、ことにひどかった。もっとも、『アーメン』、『アーメン』とどなって、あのひとと幽霊の話をさえぎったのは、いったい元気いっぱい芝居をつづけさせるためだったのかどうか、わしにゃわからんがね。ひとが運悪く教会につとめておったことがあったからって」と、ジョーは声をひそめ、理屈っぽい、感情のこもった調子でいった、「なにもあんなときに困らせていいっていう理由にゃならんよ。つまりだね、ひとのじつの父親の幽霊が、息子の注意をひくことができんとしたら、あんた、いったいなんにできるというのでしょうかね？　それればかりじゃない。運の悪いことに、あのひとの喪服の帽子があんまり小さくできてて、どんなに頭にのせていようとしても、黒い羽根の重みで落ちてばかりいるんだよ」

　こんどはジョーの顔つきに、幽霊を見たような様子がありあり現われたのを見て、ハーバートが部屋へはいってきたことがわかった。そこで、わたしはジョーをハーバートに紹介した。ハーバートは手をさしだしたが、ジョーはその手から尻《しり》ごみして、鳥の巣をもったままだった。

「こんにちは」と、ジョーはいった。「あなたとピップが」——ここで彼の眼は、ちょうど食卓にトーストをならべていた復讐少年にとまった。そして、その若い紳士をも家族の一員にくわえようという意図をはっきりと見せたので、わたしは眉《まゆ》をしかめてそれをやめさせ、いよいよ彼を狼狽させた——「つまり、あなたがたおふたり——おふたりはこんな閉じこめたところでも、お丈夫でしょうな？　ロンドンの考えからいえば、ここはまあさしあたり大へんけっこうな宿屋でございましょう」と、ジョーは内証話のような口調でいった。「そして、評判も立派なものでござんしょう。でも、わたしなら、こんなかじゃ豚一匹飼う気はしませんよ——もしわたしがそいつを立派にふとらせて、おいしく食べられるようにしようと思いましたらね」

　このように、わたしたちの住居の長所美点をほめたて、ときどきわたしを「あんた」とよんだりしながら、ジョーは食卓につくようにいわれると、自分の帽子をおく適当な場所はないかと、部屋中ぐるぐる見まわし——まるでそれは、なにか非常に素敵なものの上でなければのっけることができないように——けっきょく炉棚のうんと端っこのほうにおいた。あとで、帽子は、そこからたびたび落っこちた。

「ガージャリさん、お茶になさいますか、それともコーヒーになさいますか？」と、朝いつも主《ホ》人《スト》役をつとめることになっているハーバートがいった。

「ありがとうございます」と、ジョーは頭のてっぺんから足の爪先まで固苦しくなっていった。

「わたしはどちらでも、あなたのお好きなほうをいただきます」

「コーヒーになさいますかね？」

「ありがとうございます」と、ジョーはこういわれて眼に見えるほど悄然としながらこたえた。

「あなたがせっかくご親切にコーヒーをおえらびくださったので、あなたのご意見に反対はいたしませんが、それだとすこしあったまりすぎはしませんでしょうか？」

「じゃ、お茶にしましょう」ハーバートは茶を注《つ》ぎながら、いった。

　このとき、ジョーの帽子が炉棚からころげ落ちた。彼は椅子からとび上がってそれをひろいあげ、またちょうどもとのところにおいた。まるですぐまたころげ落ちることが、帽子のできが上等だという絶対確実な証拠でもあるかのように。

「ガージャリさんはいつロンドンへこられましたか?」ジョーはロンドンへついてから、百日咳をひく暇でもあったように、手の甲で口をかくして、咳ばらいをしてから、いった。「いや、そうじゃない。いや、まってくださいよ、そう、そう、そうでした。そうですよ。きのうの午後でしたよ」(聡明さと安堵と、絶対的な公明正大とをこねまぜたような様子をしながら)

「もうロンドンをごらんなさいましたか?」

「ええ、あなた」と、ジョーはいった、「わたしとウォプスルさんは、まっすぐに靴墨《くつずみ》問屋を見にまいりましたよ。ところが、そいつは、店の入口にでている赤いビラんなかの絵とは、ちっとも似てませんでしたね。つまり」と、ジョーは説明するようにつけくわえた、「絵にかいたところがあんまり建築学術風的」

ジョーはこの言葉をどこまでも引き伸ばして(それでわたしは、自分の知っているある建築物をまざまざと思いおこした)、すっかりコーラスにしてしまっただろうと思う。ところが、運よく彼は、ぐらぐらしている帽子に気をとられた。じっさい、この帽子には、クリケットの三柱門を守備するのに必要なほどの、間断ない注意と機敏な眼、敏捷《びんしょう》な手の動きが必要だった。彼は、帽子が落ちかかるところをさっととびついて巧みにつかまえたり、途中でとめたり、部屋のあっちこっちでふい打ちをくわせたり、なだめすかしてみたり、壁紙の花模様にさんざんにぶつけまわしたりして、帽子相手に大騒ぎを演じ、すばらしい手練の早業《はやわざ》を見せたあげく、やっともうこれで金輪際大丈夫、帽子に肉薄することができるというところで、けっきょく水こぼしのなかへふっとばしたので、失礼とは思ったが、わたしが両手でおさえた。

彼のシャツのえりと上着のえりは、思い出しても、合点がいかない――両方ともに、不可解千万な謎というよりほかはない。いったい人間は、これで盛装なれりと考えられるまでに、わが身をなぜこんなにまで引っ掻かなくてはならないだろうか？　なぜ人間は、晴れ着のために苦しい思いをして身をきよめることが必要だと考えなければならんだろうか？　それから彼は、フォークを皿から口へもっていきかかったまま、奇怪な冥想の発作《ほっさ》にとらわれ、眼はあらぬ方向にひかれ、ひどく咳いり、またテーブルからあんまりはなれてすわっているため、食べるよりか落とすほうが多く、それでいてちっとも落としたりなんかしないようなふりをしていた。それゆえ、ハーバートがぼくたちをおいてシティにでかけたとき、わたしは心からうれしく思った。

これはみんな自分のせいであって、もし自分がジョーに気楽にたいしたら、ジョーは自分にたいしてもっと気楽になれたろうと悟ることができるほど、わたしは分別もなければ、良い感情ももっていなかった。わたしは彼にたいしていらいらし、不きげんだった。こんな気分でいるところへ、彼はわたしの頭上に燃えさかる炭をつみあげたのだった。

「わたしたちはたったふたりきりですのでね、あんた！」と、ジョーがいいはじめた。

「ジョー」と、わたしは怒りっぽく口をはさんだ。「あんた、どうしてぼくをあんたただなんていうんだい？」

ジョーはほんの一瞬間、かすかにとがめるような眼つきでわたしを見た。彼のえり飾りやえりがまったく途方もないものだったにもかかわらず、わたしはその眼つきに一種の威厳を感じた。

「わたしたちはたったふたりきりだし」と、ジョーは言葉をついだ、「わたしはあと何分もおじゃましている考えもなし、またそうすることもできませんので、ここで最後に——いやはじめて——どうしてこんなにお訪ねするようになったか、おつたえしましょう。なぜって」と、ジョーは例のわかりやすく説明するような口調でいった。「もしわたしのたったひとつの願いがあんたのために役立つことができるようにというのでなかったら、わたしは紳士がたといっしょにそのお住居で食事をいただくなんてことはけっしてしなかったでしょう」

わたしは、あの眼つきをまた見るのがとてもいやだったので、こんな調子にたいしても、ちっとも抗議しなかった。

「ところで、あんた」と、ジョーは言葉をつづけた、「こういうわけですよ。このあいだの晩ね、ピップ、わしは船員亭にいったんだよ」彼は愛情にかえるときにはいつもわたしを「ピップ」とよび、礼儀に逆もどりするときには、いつも「あんた」とよんだ。「すると、パンブルチュックさんが馬車にのってやってこられてね。それはあの」と、ジョーは新しい話の枝道にまぎれこみながらいった、「まるで自分が小さいおまえのつれで、おまえから遊び仲間と思われたかのように、町中ふれまわっては、ときどきわしを恐ろしくいやな気持ちにさせたあのひとだよ」

「ばかな。ぼくの小さいときの遊び仲間はあんただよ、ジョー」

「たしかにそうだと思っていたよ、ピップ」と、ジョーは頭をかすかに後ろにふっていった。「もっとも、いまとなっちゃ、なんでもありませんが。ところで、ピップ、やることがなんでも恐ろしく乱暴なこの男が、船員亭にいるわしのところへやってきて（たばこと一パイントのビールは、働く者にどんなに元気をつけてくれるだろう、そして、けっして興奮させすぎもしないでね）、『ジョセフ、ミス・ハヴィシャムがおまえにおあいしたがってるぞ』といったんです」

「ミス・ハヴィシャムだって、ジョー?」

「『あのかたはおまえにあいたがっているぞ』と、こうパンブルチュックはいったんだ」ジョーはすわったまま、ぎょろっと眼を天井にむけた。

「それで、ジョー?　さきをいってくれ」

「あくる日、わたしは」と、ジョーはわたしを、まるではるか遠方にいるように見ながらいった。「体をきよめて、ミス・Aにおあいしにいったんです」

「ミス・Aだって、ジョー?　ミス・ハヴィシャムのことかい?」

「つまりミス・A」と、ジョーはまるで遺言状でも作成しているみたいに、法律的な、形式ばった態度でいった。「いいかえれば、ミス・ハヴィシャムのことです。そのときのあのかたのお話はこうでした。『ガージャリさん。あんたはピップさんと手紙のやりとりをしておりましょう?』あんたから手紙をもらっておったので、わたしは『そうです』とこたえることができました。（わたしはあんたの姉さんと結婚したときには、『そういたします』といったんだが、ピップ、おまえのお友だちに返事したときにゃ、『そうです』とこたえたんだよ）『じゃ、あのひとにエステラがかえってきて、あいたがっておるとつたえてください』と、あのひとはいったんだよ」

わたしはジョーを見たとき、顔がかっと燃えあがるのを感じた。顔が燃えあがった遠い原因のひとつは、もしわたしがジョーの用件を知っていたら、もっと愛想よくしてやったろうということを意識したためであったろうと思う。

「ビディは」と、ジョーは言葉をつづけた。「わたしが家にもどって、あんたに言伝《ことづて》を書いてほしいとたのむと、ちょっとためらってこういうんです。『あのかたは口づてにいってもらうほうがうれしいでしょう。ちょうどいまはお休みでもあるしするから、あなたもあのかたにおあいしたいんでしょう、いらっしゃいよ！』ってね。さあ、あんた、これですみました」と、ジョーは椅子から立ちあがりながらいった。「ピップ、わしはおまえがいつも丈夫で、出世して、ますます立派なものになるようにねがっているよ」

「だって、ジョー、あんたまだいきやしないだろう？」

「いや、もうおいとまする」と、ジョーはいった。

「でも、夕飯にはもどってきてくれるだろう？」

「いや、こないよ」と、ジョーはいった。

わたしたちの眼があった。そして、彼がわたしに手をあたえたとき、彼の男らしい胸からいっさいの「あんた」は溶けさってしまった。

「なあ、ピップ、世のなかというものは、いろんなものが結びついてできてるといっていいと思うよ。鍛冶屋《かじや》になるものもあれば、銀細工師になるものもあるし、金細工師になるものもある。また銅細工師になるものもあるだろう。こういうふうに、みんなのあいだに分業が生まれなくちゃならんし、また生まれたようにうけとらなくちゃならん。きょう、なにか落度があったとしたら、そりゃわしの落度だ。おまえとわしは、ロンドンでいっしょになるべきもんじゃないんだ。ロンドンばかりじゃない。うちうちで、よくわかりあって、友だち同士理解できるところのほかは、どこだっていけないんだ。わしはなにもいばってるわけじゃない。ただ正しくなりたいと思ってるだけだ。そして、わしはこんな服を着て二どとおまえにお目にかかりはしないだろう。わしが、こんな服を着るのはまちがっている。わしが鍛冶場からはなれたり、台所からはなれたり、いや、沼地からはなれるのは、まちがっている。もしわしが仕事着を着て、鉄槌《つち》を、いやパイプでもいい、手にもっていたら、おまえはわしにこの半分も落度を見つけはしないだろう。それから、かりにおまえがわしにあいたいと思ったとして、もしおまえがやってきて鍛冶場の窓からのぞきこんで、鍛冶屋のジョーが焦げあとだらけの前掛けをつけて、昔ながらの鉄床にむかって、昔ながらの仕事をやってるところを見たとしたら、この半分もわしに落度を見つけはしないだろう。わしは恐ろしく頭がにぶい。が、とうとうなにかしら正しいことをこれからたたきだしたことと思う。じゃ、さようなら、ピップ、さようなら！」

彼のうちには単純な威厳がひそんでいると思ったのは、間違いではなかった。彼の服の格好のごときは、天国において彼の威厳をじゃますることができないと同様に、彼がこういったとき、彼の威厳をさまたげることはみじんもできなかった。彼はわたしの額にそっとさわって、出ていった。わたしは、われにかえるといっしょに、あわてて彼のあとからとび出していって、近所の町をさがしまわったが、しかし彼の姿はもう見えなかった。

第二十八章

その翌日、故郷の町にむかわねばならぬということは明らかであった。それから、最初にわきあがった悔恨の情のうちで、自分はジョーの家に泊まらなくてはならないということも、おなじようにはっきりしていた。だが、明日《あす》の乗合馬車のボックス席を予約し、ポケットさんの家へいってきたときには、この最後の点についての確信がなくなり、青豚亭に泊まる理由や口実をつくりはじめた。自分はジョーに迷惑をかけるだろう。自分がいくことは、予期されてはないのだ。自分のベッドは用意されてないだろう。ミス・ハヴィシャムの屋敷へあんまり遠くなる。あのかたはきちょうめんだから、気にいらないかもしれん、などと。世界中のいっさいの欺瞞家も、自己欺瞞家にくらべたら、もののかずではない。わたしは、こんな口実で自分をあざむいたのである。じっさい妙なことだ。もしわたしがだれか他人の偽造した半クラウン銀貨を知らずにうけとったというなら、むりもないことである。だが、自分でつくった贋金《にせがね》を、それと知っていて、本物の金だと思うなんて！　親切な他人なら、わたしの紙幣を安全のためにきちんとたたんでおこうといいながら、札をひき抜いて殻だけわたしによこすかもしれない。だが、彼の手品も、わたし自身の殻をたたんで、それを紙幣でござるといって自分に保証する、わたしの手練にくらべたら、なんであろうか！

青豚亭にいかねばならぬと決定してから、さて復讐少年をつれていったものかどうかと、わたしはさんざんまよった。あの金のかかる傭兵に、青豚亭の馬繋場の拱門《こうもん》のところで、その長靴を公然見せびらかすことは、考えて見ても心をそそられた。彼をあの仕立屋の店にひょっこりつれていって、トラップの失敬千万な小僧の頭を仰天させることを想像すると、ほとんど厳粛な気持ちがした。一方また、トラップの小僧は、彼にうまく取りいって仲良しになり、いろんなことを話すかもしれない。あるいはまた、あんな向こう見ずな、無鉄砲な人間になるやつなんだから、大通りで彼をやじるかもしれない。彼のことは、わたしの恩人の婦人の耳にだってはいるだろうし、彼女はそれをよく思わないかもしれない。そういうわけで、けっきょく、復讐少年はおいていくことにした。

わたしは午後の馬車にした。もう冬になっていたので、目的地へは、暗くなってから二、三時間してでなくてはつかないだろう。クロッス・キイズをたったのは午後の二時だった。わたしは復讐少年に付き添われて(?)、そこへ十五分の余裕をとってついた。――そうしなくてもすむ場合には、けっしてわたしに付き添いなんかしない人間に、こんな言葉をつかってもよければ。

当時は、乗合馬車で囚人を造船所へおくるのが習慣だった。客外取扱いとしての彼らのことは話にきいていたし、乗合馬車の屋根から足枷《あしかせ》をかまされた足をぶらぶらさせている彼らの姿を、街道に見かけたことも再三あったので、ハーバートが庭にいるわたしのところへやってきて、囚人がふたりいっしょにいくよといったときにも、別段おどろく理由はなかった。しかし、わたしには囚人という言葉をきくごとに、はっとせずにはおれない理由――いまはもう古い理由――がひとつあったのである。

「ヘンデル、きみかまわんだろう」と、ハーバートはいった。

「むろん、かまわんさ!」

「ぼくはまたきみがやつらを好かんような顔したと思ったんでね」

「ぼくはやつらを好きなようなふりなんかできんよ。きみだってとくべつ好きなわけじゃあるまい。だが、かまわんよ」

「そら!」と、ハーバートはいった。「酒場から出てきたよ。なんて卑しい、下劣なざましてるんだろう!」

彼らは監視人におごっていたものらしい。獄吏がひとりついていて、三人そろって手で口を拭きながら出てきた。ふたりの囚人はいっしょに手錠をはめられ、足には足枷《かせ》――わたしがよく知っているあの足枷である——をかけられていた。それから、これもおなじようにわたしのよく知っている服を着ていた。監視人は、ピストルを一対もち、こぶだらけの太い棍棒《こんぼう》を小脇《こわき》にかかえていた。しかし、囚人たちとはよくわかりあっていて、彼らのわきに立ちながら、まるで囚人たちは非公式に開いているおもしろい見世物の展覧会で、自分はその会長ででもあるような様子をして、馬車に馬をつけるのを見ていた。ひとりはもうひとりより背が高く、がっしりしていて、囚人の世界でも自由な世界でもおなじ不思議千万な世の習わしにしたがって、もちろん小さいほうの服をわりあてられていた。彼の腕や手は、まるでそんな格好をした巨大な針差しみたいで、彼の風態は彼を全然別人にしてしまっていた。だが、わたしは彼の半ば閉じられた目を一目で見わけることができた。ある土曜日の晩、陽気な船員亭の長椅子の上に見た男、目に見えぬ銃でわたしを撃ち倒した男が立っていたのである。

　彼がまだわたしに——生まれていちどもわたしを見たことがなかったように——ちっとも気づいていないことは、よういにわかった。彼はわたしのほうを見、わたしの時計の鎖に目をとめたが、それからなんのこともなしに唾《つば》を吐き、ほかの囚人に何事かいった。彼らは笑って、ふたりをつないでいる手錠をがちゃがちゃいわせながら、ぐるっとふりむいてなにかほかのものを見た。まるで表のドアみたいに背中に大きくかいた番号、ちょうど下等な動物のように粗野で、うす汚ない、みっともない外見《そとみ》、申しわけ的にハンケチをまいている足枷のかかった足、そこにいあわせたものが、彼らに近づかないようにしながらじろじろ見ている様子、そのため彼らは（ハーバートがいったように）、この上もなく不愉快千万な、卑しい見物となっていた。

　だが、悪いことはこれだけではすまなかった。馬車の後ろは全部ロンドンから引越す家族のものに占領されてしまって、そのためふたりの囚人は、御者のすぐ後ろにあたる前方の席しか腰かけるところがないことになった。すると、その席の四番目にすわった怒りっぽい紳士は、猛烈にかんしゃくをおこして、こんな悪党どもといっしょくたにすることはまさに契約の違反であって、これこそ有毒であり、有害であり、汚辱であり、恥ずべきことであり、ふらち千万なことであり、その他云々《うんぬん》であるといった。このときには、馬車の用意はすっかりでき、御者はいらいらしていた。わたしたちはみんな乗りこもうとしていたし、囚人たちも監視人といっしょにやってきていた——囚人のいるところにはいつもつきまとう、あのパン罨法《あんぽう》、粗羅紗《らしゃ》、古綱をほぐした糸、それから炉石《ろうせき》などの奇妙な臭気をともないながら。

「そんなに悪くとらないでくださいよ」と、監視人はかんかんに怒《おこ》っている紳士にむかっていった。「わたしがあなたのつぎにすわりましょう。そうして、こいつらを列の外側にすわらせましょう。こいつらは、あなたのおじゃまはけっしてしませんよ。やつらはいるのかいないのかわからんくらいにしますよ」

「それから、わっしをとがめないでくださいよ」と、わたしが気づいた例の囚人がうなるようにいった。「わっしゃなにも、いきたかあないんだ。わっしゃよろこんであとにのこりまさあ。わっしだけのことなら、どなたでもよろこんでわっしのかわりになってもらいますよ」

「おいらのかわりでもいいや」と、もうひとりの囚人がどら声でいった。「おいらの勝手になるんなら、おいらあなにもおまえさんたちに迷惑なんかかけやしない」それから、彼らは声をあわせて笑って、栗《くり》をわり、皮を吐きちらした——もしわたしが彼らの立場にあって、こんなに侮辱されたとしたら、わたしだってじっさいそうしたかったろうと思う。

ついに怒っている紳士はどうすることもできない、偶然の旅連れといっしょにいくか、でなかったらあとにのこるよりしかたがない、ということになった。そこで、彼はなおもぶつついいながら、自分の席にはいった。監視人は彼のつぎの席につき、囚人たちはできるだけ上手にとび上がった。まえに見たことのある例の囚人は、わたしの髪に息をふきかけるようにして、わたしの後ろにすわった。

「さようなら、ヘンデル!」馬車が動きだしたとき、ハーバートがこう叫んだ。彼がわたしのためにピップ以外の名を見つけてくれたのは、なんてありがたいことだろうと、わたしは思った。

わたしがあの囚人の息を後頭部ばかりか、背筋全体にどんなに鋭く感じたかは、とうてい言葉にはあらわすことはできない。まるで鋭くしみわたる酸性のものを骨髄にあてられたような感じで、歯が浮き立つ思いがした。彼は、ほかのものよりももっと多く呼吸をし、その呼吸をまたいっそうやかましくしているように思われた。わたしは、身をちぢめるようにして彼をさけようと努力するあまり、自分の肩が一方もちあがるのがわかった。

天気はみじめなくらいじめじめして、寒かった。ふたりの囚人は、寒さに呪いの言葉を吐いていた。そのため、わたしたちはまだいくらもいかないうちに、みんなぼんやりしてしまい、途中の旅籠屋《はたご》をあとにしたころには、しょっちゅううとうとし、身ぶるいし、黙りこんでいた。こいつの姿を見うしなわないうちに、こいつに二ポンド金をかえしたものかどうか、かえすとして、どうしたらいちばんぐあいよくかえすことができるか、など考えながら、わたしはとうとう眠ってしまった。まるで馬のあいだにとびこんで水でも浴びようとするように、前方にこくりこくりやりながら、はっとして眼をさまして、この問題をまたとりあげた。

しかし、わたしは思ったより長いあいだ、この問題を忘れていたものらしい。というのは、暗闇と馬車の燈《あか》りのちらちら明滅する光とほかげに、なにひとつ見わけることができなかったが、わたしたちに吹きつけてくる冷たいしめっぽい風に、沼地へきていることがわかったからである。暖かくするため、そしてわたしを風除けにするため、まえに屈みながら、囚人たちはまえよりいっそうわたしに身をくっつけていた。わたしが眼をさまして最初にきいた彼らの言葉は、「一ポンド札二枚」という、わたしが自分で考えていた言葉だった。

「やつ、どうしてそれを手にいれたんだろうな?」と、わたしがついぞ見かけたことのなかった囚人がいった。

「そんなこと、わかるものか?」と相手はこたえた。あいつあ、なんとかしてしまいこんでたんだよ。友だちにもらったかもしれん」

「いまそいつがあるといいんだがなあ!」と、相手の囚人は寒さを口汚なくののしりながらいった。

「一ポンド札二枚か、それとも友だちがか?」

「一ポンド札二枚さ。おらあ一ポンドなら、これまでの友だちなんか全部売りとばしてやらあ。一ポンドで売れりゃ、大儲《もう》かりだよ。それで? で、やつのいうには――?」

「で、やつのいうにはだな」と、わたしが見たことのある例の囚人はいった――「造船所の材木を積んである陰で、ほんの半分ぐらいで話も仕事もすんじまったことなんだが、『おめえは釈放されるんだ――』ほんとに、そうだったんだよ。『おめえ、わしに食物をくわせて、秘密をまもってくれたその小僧を見つけだして、この一ポンド札二枚をやってくれんか?』ってな。よしきた、やろう、と、わしはいって、そのとおりやったよ」

「ばかなやつだな、きさまは」と、相手はどなった。「おれならそいつを人間ひとりの食物と飲物につかったろう。そいつはきっとまだ乳くさい青二才だったんだな。で、そいつはおめえをちっとも知ってなかったっていうのかい」

「爪《つめ》のさきほどもよ。組もちがうし、船もちがってたんだ。やつはまた牢破りをしたってんで、裁判されて、終身懲役をくらったよ」

「で、おめえがこの土地で働いたなあ、そのときだけか?」

「うん、そのときだけだ」

「で、ここあどんなところなんだい?」

「ひどいところよ。泥だらけの土手に霧と沼と堡塁《ほうるい》、それから堡塁に沼と霧と泥だけの土手ばかりさ」

ふたりはこの土地を乱暴な言葉で罵倒《ばとう》した。そして、さんざん呪いの言葉を吐きちらしたあげく、はてはなんにもいうことがなくなった。

この対話をきいたあと、もしもあの男は自分に気づいていはしないんだという確信がなかったら、わたしは馬車からおりて、街道の寂しい暗闇のなかにひとりとりのこされたことだろう。じっさいわたしは、見ちがえるほど大きくなっていたばかりでなく、服装もすっかりちがえば、境遇もかわっていたので、思いがけないような助けがなかったら、彼がわたしに気づくなんてことはまず絶対にありえないことだった。とはいえ、わたしたちがおなじ馬車に乗りあわせたというこの偶然の符合から、わたしはいまにもまたなにかこうした符合がおこって、彼に聞こえるところでピップと呼びかけられたりはしないだろうかという恐怖でいっぱいになった。そういうわけで、わたしは町へはいるなり、すぐさまおりてしまって、彼の耳にはいらないようにしようと決心した。そして、ぐあいよくそうすることができた。わたしの小さな旅行カバンは足もとの荷物入れにはいっていた。で、それを取りだすには、蝶番《ちょうつがい》をはずしさえすればよかった。わたしはまっさきにそれを放りだしておいて、その後からとびおり、町の舗道の最初の石の上にある最初の街燈のところにひとりとりのこされた。囚人たちは馬車といっしょに先へいった。わたしには、彼らがどこで川へつれさられてしまうか、ちゃんとわかっていた。粘泥におおわれた段々のところで彼らをまっている、囚人の船頭ののったボートが眼に見えてきた——まるで犬にでも命令するような、「そら、こいだ!」という荒々しい声が、耳に聞こえてきた——そして、まっ暗な川面のかなたによこたわっている、邪悪なノアの箱船が、眼前にまざまざとうかんできた。

なにが恐ろしいのかときかれても、わたしにはこたえることができなかったろう。わたしの恐怖は、まったく漠とした、はっきりしないものだったからである。だが、わたしは、非常な恐怖におそわれていた。ホテルに近づいてゆくにつれて、自分だと見分けられて、つらい思いや不愉快な思いをするだろうというただの心配などは、はるかにとびこえた恐怖に戦慄するのをおぼえた。それはなにもはっきりした形をとりはしなかった、ただ、幼年時代の恐怖がほんのちょっとのあいだよみがえっただけだったことはたしかである。

青豚亭のコーヒー室はがらんとしていた。晩餐を注文して、食卓についたとき、はじめて給仕はわたしだとわかった。彼は忘れっぽさをわびたあとで、パンブルチュックさんのところへ下男を使いにやりましょうか、とたずねた。

「いいや、やらなくっていいです」と、わたしはいった。

給仕（わたしが弟子《でし》入りした日、商人たちの大苦情を二階へもちこんできたのはこの男だった）は、びっくりしたような様子をしたが、最初の機会をつかんで、汚れた土地の古新聞をわたしのほうへよこした。わたしはそれをとりあげて、つぎのような一文をよんだ。

「読者諸君は、この近在の年若き鍛冶工が、非常な幸運をつかんだ最近の夢物語に関連して（ついでながら、まだその令名を一般にみとめられないでいる本紙の詩人、わが町の人トウビイ君の魅力ある麗筆にとって、これはまたなんという好題目であろうか！）、この少年工の幼きころの恩人であり、連れであり、友人であったのは、穀物や種子商にいささか関係をもち、大通りから百マイル以内のところにきわめて便宜で手広い商舗をかまえている、非常に尊敬すべき人物であったということを知ることは、あながち興味なきことではないであろう。この人物をわが年若きテレマカスの師伝として記録することは、われわれの直接の気持ちにとって、いささか関係ないわけではないのである。なぜなら、わが町がわが年若きテレマカスの幸運の建設者を生んだということを知ることは、まことに欣快《きんかい》にたえないからである。わが町の賢人の思いに閉ざす額、ないしはわが町の麗人の輝く瞳《ひとみ》は、そはたれの幸運か？　とたずねられるであろうか？　クィンティン・マツァイス（一四六六年～一五三〇年。フランドルの画家。はじめ金工を学んだが、のち絵画に専心、アントワープの画家組合に入る。キリストの埋葬、両替屋夫妻、エラスムスの肖像等有名）こそは、アントワープの鍛冶工であった、とわれわれは信じている。ヴァープ・ザップ」

もしわたしたちが幸運にときめいていたころ、北極へいったとしても、わたしはそこで漂泊《さすら》えるエスキモー人か文明人か、とにかくだれかわたしに、パンブルチュックこそわたしの幼《いと》けなき日の恩人であり、わが幸運の建設者であったのだと教えてくれるものに出会ったことだろうという、ひろい経験にもとづいた信念を、わたしはいまでももっている。

第二十九章

わたしは、朝早く起きて外出した。ミス・ハヴィシャムの屋敷をたずねるにはまだ早すぎたので、ミス・ハヴィシャムがわたしのためにたてていてくれる計画の華麗な絵巻物を美しく空想しながら、彼女の側《かわ》の町はずれへぶらぶら歩いていった――それはジョーの側《かわ》ではなかった。彼のところへは、明日いけばいいけるんだ。

彼女はエステラを養女にしている。それから、わたしも養子にしたも同様である。彼女の意図として、わたしたちふたりをいっしょにむすびつけないはずはない。彼女は、あの荒寥とした屋敷を復活させ、暗い部屋に陽光をさしこませ、時計を動かし、冷たい暖炉に火をもえあがらせ、くもの巣をはらいのけ、毒虫を殺してしまう――つまり、昔物語のうら若き騎士のいっさいの輝かしい行為をなし、そして王女と結婚するという仕事を、わたしのためにとっておいてくれたのだ。わたしは、通りがかりに立ちどまって屋敷を見た。干からびた赤いレンガの壁や閉ざされた窓、まるでたくましい老人の腕みたいに、小枝と巻鬚《まきひげ》とで煙窓にさえからみついている丈夫な緑のつたは、わたしを主人公としたゆたかな魅力ある神秘を形づくっていた。もちろん、その中心となり、それに生命を吹きこむものは、エステラである。だが、彼女は非常に力強くわたしをとらえており、わたしの夢と希望は彼女の上にむけられ、わたしの少年の日の生活と性格にあたえた彼女の影響は非常に強力なものではあったが、この夢のような朝ですら、わたしは彼女が現にもっている性質以外のどんな性質をも彼女につけくわえはしなかった。これこそ、哀れた迷路にはいりこんだわたしのあとをあとづけるための手がかりとなるものであるから、このことをここでとくにいっておく。わたしの経験によると、恋人についての月並的な考えというものは、いつも真実であるとはかぎらない。わたしが男性の愛情をもってエステラを愛したのは、彼女に抗しがたいほど魅惑されたためである。これがほんとの真実である。悲しいかな、わたしは、自分が理性にそむき、将来の見込みにそむき、心の平和にそむき、希望にそむき、幸福にそむき、おこりうるいっさいの失望にもかかわらず、彼女を愛しているということを、いつも知っていたわけではなかったとはいえ、じつにしばしばそれに気づいていたのである。それに気づいていたからといって、彼女にたいするわたしの愛はけっしてかわりはしなかった。それは、ちょうど彼女を完全無欠な人間として、衷心から信じていたのとおなじように、わたしを抑制する力をすこしももちえなかったのである。

　わたしは、昔いったときとおなじ時刻に、門に着くように、歩いていった。ふるえそうな手つきで呼び鈴をならしてから、門に背をむけて、息をし、心臓の鼓動を多少とも落ち着かせようとつとめた。脇戸の開く音がきこえて、中庭をやってくる足音がした。でも、わたしは門がさびた蝶番《ちょうつがい》をきしませてさっと開かれても、きこえぬようなふりをしていた。

　ついに肩に手をふれられて、はっとしてふりむいた。ところが、わたしはそのとき、地味なねずみ色の服を着た男と顔をあわせて、いっそうびっくりした。それは、ミス・ハヴィシャムの門番になっていようなどとは、およそ思いもかけぬ男だった。

「オーリックじゃないか!」

「やあ、若旦那《だんな》、あんたも変ったが、変るのはあんたばかりじゃない。だが、まあおはいり、おはいり。門を開けっ放しにしとくこたあ、言いつけにそむくからね」

わたしはなかへはいった。すると、彼は門をさっと閉じ、錠をかけて、鍵をはずした。「そうでさあ!」と、彼は先に立って強情に屋敷のほうへ数歩歩いていってから、ふりむいていった。「わしゃここにきてますよ!」

「どうしてここへきたんだい?」

「わしゃ」と、彼はこたえた、「わしの足で歩いてきましたよ。箱を車にのっけていっしょにもってきましただ」

「じゃ、ずっとここにおるのかね?」

「おったからって、なにも害はしませんよ」

それには、あまり確信はもてなかった。わたしがこの返答を頭のなかでゆっくり考えているあいだに、彼は鈍重な瞳を舗道からわたしの足へ、足から腕、腕から顔へと、そろそろもち上げた。

「じゃ、鍛冶屋はやめたんだね?」と、わたしはいった。

「ここが鍛冶屋のように見えるかね?」と、オーリックは名誉毀損《きそん》だといわんばかりの様子をして、周囲をじろっと見まわしながらこたえた。「さあ、これが鍛冶屋のように見えるかね?」

わたしは彼に、ガージャリの鍛冶場をやめてどのくらいになるのか、とたずねた。

「ここじゃ、くる日もくる日も、みんなおんなじなんだから、勘定してみないことにゃそんなことあわかりゃしない」と、彼はこたえた。「だが、わしゃあんたがあそこを立ってから、しばらくしてここへきましたよ」

「そんなことならぼくだってわかっているよ、オーリック」

「ほほう！」と、彼は冷淡な調子でいった。「じゃ、おまえさんは学者なんだな」

　そのときにはもうわたしたちは入口にきていた。彼の部屋は脇戸《わきど》のすぐ内側にあって、中庭の見える窓がひとつついていた。いわば、パリで門番がふつういることになっている部屋を小さくしたようなものだった。壁には鍵がいくつかかかっていた。彼は、そこへもうひとつ門の鍵をかけた。補綴《つぎはぎ》だらけのもので覆うた彼のベッドは、すこしひっこんだ奥のほうにあった。部屋全体がだらしのない、せまっ苦しい、眠たそうな様子をしていて、まるで人間のやまね（ねずみとリスの中間の動物で冬眠する習性がある――訳者）のおりのようだった。そして、窓ぎわのすみっこのかげのところにぬーとつったっている、暗い鈍重な姿をしたオーリックは、こんな設備をしてもらったやまねのように思えた――じっさいまた、そうだったのである。

「こんな部屋はまえに見たことがなかったな」と、わたしはいった。「それに、ここにゃ門番もいなかった」

「そうだ」と、彼はいった。「この屋敷にゃなにひとつ要心になるものがないってことがはっきりわかるまじゃ、門番なんかいやあしなかった。ところが、懲役人や有象無象のわいわいどもが歩きまわってるんで、これじゃ危ないと考えるようになったんだ。そこで、わしが、この男ならどんなやつとでも張りあうことができるといって、推薦されたんで、わしあそれを引きうけたんだ。鞴《ふいご》をふいたり、鉄槌《つち》をふったりするよりか、よっぽど楽だ。――あいつにゃ弾がこめてあるんだ」

わたしの眼が炉棚の上にかけてある、台尻を真鍮《しんちゅう》で巻いた銃にとまったのを、彼の眼が追っていたのである。

「それじゃ」と、わたしはそれ以上話もしたくなかったので、いった。「ミス・ハヴィシャムのところへ上がっていこうか？」

「そんなこと、こちとらにわかってたまるもんか」と、彼は背伸びをし、それから体をふりながらいった。「わしのいいつけられてることたあ、ここで終わってるんだよ、若旦那《だんな》。わしがここにある鈴《ベル》をこの槌でたたくから、おめえさんはだれかにあうまでこの廊下《ろうか》をいきなさるがいい」

「ぼくのくることはわかってると思うが？」

「そんなことがこちとらにわかったら、二どがわり体を焼いてもらおう！」と、彼はいった。

そこで、わたしは最初のときどた靴で歩いた長い廊下をすすんでいき、オーリックは、鈴を鳴らした。廊下の端までいっても、鈴はまだ鳴っていた。わたしはそこで、サラ・ポケットにあった。彼女はわたしのために、いまは体まで青ざめ、黄色くなってしまったように見えた。

「あら！」と、彼女はいった。「あんた、ピップさんじゃないの？」

「さようです、ポケットさんもご家族のかたも、みなさんお丈夫でけっこうでございます」

「あのひとたち、すこしは賢くなって？」サラは頭を陰気くさくふって、いった。「体が丈夫なよりか、頭のほうが賢くなったほうがいいのに、ああ。マシュー・マシュー！　道はおわかりでしょう？」

だいたいは、というのは、わたしは暗闇の階段をなんども上っていったことがあったから。わたしは、いまは昔より軽い靴で上っていった。そして、昔のような手つきで、ミス・ハヴィシャムのドアをノックした。

「ピップのノックだ」と、彼女がすぐいうのが聞こえた。「おはいり、ピップ」

彼女は、昔の服を着、昔の化粧テーブルのわきの椅子に腰をかけ、両手を杖《つえ》の上に組み、その上に頤《あご》をのせて、暖炉の火に見いっていた。彼女のわきに腰をおろし、まだはいたことのない片方の白い靴をもって、首をかしげてそれを見ている、見たことのない端麗な貴婦人がいた。

「おはいり、ピップ」と、ミス・ハヴィシャムはふりむきもしなければ、見あげもせずに、小声でつづけていった。「おはいり、ピップ。お元気かね？　そこで、おまえはまるでわたしが女王さまかなんぞのように、わたしの手に接吻《せっぷん》するんですね？——で、どうなの？」

彼女は、眼だけ動かして、とつぜんわたしを見あげて、気味悪く、ふざけるようにいった。

「で、どうなの？」

「ミス・ハヴィシャム、ぼくは」と、ちょっとまごつきながらいった。「お目にかかりにこちらへうかがうように望んでいらっしゃるとききましたので、さっそくおうかがいいたしました」

「それで？」

わたしがついぞいちども見かけたことのない貴婦人が、眼をあげて、いたずららしくわたしを見た。するとその眼は、エステラの眼だった。しかし、彼女があまりにもかわり、あまりにも美しくなり、あまりにも女らしくなり、あらゆる点ですばらしく魅力をましていたので、自分のほうはちっとも変わっていないように思われた。彼女を見ながら、わたし自身がまた絶望的なまでに粗野な、下品な少年にすべりおちてしまったような気がした。おお、わたしを襲った、ふたりはかけはなれて不釣合だという感じ、それから彼女をとりまく近づきがたさ！

　彼女は、わたしに手をあたえた。わたしは、彼女にもういちどおあいできてうれしいということや、自分は長い長いあいだ、こういうことを待ちのぞんでいたということを、どもりながらいった。

「この娘はひどくかわったかね、ピップ？」と、ミス・ハヴィシャムは貪欲《どんよく》そうな眼つきをしながらいって、わたしにすわれという合図に、彼女たちのあいだにある椅子を杖でたたいた。

「ぼくがはいってきたときには、顔も姿もエステラのようには思えませんでした。ところが、いまはなにもかも奇妙にぴったりと昔の――」

「おや、どうしたの？　おまえ、まさか昔のエステラにぴったりだなんていうんじゃないでしょう？」と、ミス・ハヴィシャムはわたしをさえぎっていった。「あの娘《こ》は高慢で、失礼で、おまえは彼女《あれ》から逃げだしたいと思ったんですよ。おぼえていないのかね」

　わたしは、それは昔のことだったとか、あのときには、自分にはよくわからなかったのだとか、と、そんなことをどぎまぎしながらいった。エステラは落着きはらって微笑して、わたしのいうとおりで、自分（彼女のこと）はたしかに非常に不愉快な人間だった、といった。

「あの人は変わったかい？」と、ミス・ハヴィシャムは彼女にたずねた。

「大へんかわりましたわ」と、エステラはわたしを見ながらいった。

「それほど粗野で、下品でなくなったのかい？」と、ミス・ハヴィシャムはエステラの髪をもてあそびながらいった。

エステラは笑って手にもった靴を見、また笑ってわたしを見、それから靴を下においた。彼女は、やはりわたしを少年のようにあつかったが、しかしわたしをひきつけるようにした。

わたしたちは、夢のような部屋の、昔ながらのふしぎな力のなかにすわっていた。それは、わたしに非常な影響をあたえたものだった。わたしは、彼女がフランスからかえってきたばかりで、ロンドンへいこうとしているということを知った。彼女は、昔のように高慢で、気まぐれだったが、しかしそれらの性質を彼女の美貌《びぼう》の下にすっかり服従さしていたので、それを彼女の美しさから引きはなすことは不可能であり、不自然なことであった――とにかく、わたしにはそう思えた。じっさいまた、少年時代のわたしの心をかき乱した、金と高い身分にたいするああしたいっさいの浅ましい渇望――わたしにはじめて家のことやジョーのことを恥かしく思わせた、あの身のほどを知らぬ野望――から彼女の顔をもえる炉の火のうちに浮かばせたり、鉄床の上の灼熱した鉄からたたきだしたり、庭の暗闇からその顔を抜きとってきては、鍛冶場の木窓からのぞきこませて、ぱっと消えさせた、いっさいの幻影から、彼女の存在を引きはなしてしまうことは不可能であった。ひと言でいってしまえば、過去においても、また現在でも、わたしの生命の最も奥深い核心から、彼女を引きはなすことは、わたしにはとうていできなかったのである。

わたしはその日一日お屋敷におって、夜ホテルにもどり、明日はロンドンにかえることに話がきまった。しばらくのあいだ話をしてから、ミス・ハヴィシャムはわたしたちふたりを、あの荒れ果てた庭園で散歩するようにおくりだし、かえったら昔のように彼女を車にのせてすこしおして歩いておくれ、といった。

そこで、エステラとわたしは、門をとおって庭園へでた。かつてわたしは、この門からさまよい出て、青白い顔の小紳士、いまのハーバートとぶっつかったのだった。わたしは、魂もときめき、彼女の服の端すら崇敬しながら、彼女は落着きはらって、わたしの服の端などはつゆほども崇敬せずに。わたしたちが格闘の場に近づくと、彼女は立ちどまっていった。

「わたし、あの日かくれてあの喧嘩《けんか》を見てたんだけど、ほんとに妙な子供だったのね。でも、わたし、それを見て、とてもうれしかったのよ」

「あなたはぼくに非常なごほうびをくださいましたよ」

「そうだったかしら？」と、彼女はなんでもない、忘れっぽいような調子でいった。「わたし、あなたの喧嘩相手をとてもきらったことおぼえているわ。だって、わたしあのひとがここへつれてこられて、わたしにうるさくつきまとうことに腹をたてていたんですもの」

「彼とぼくは、いまでは大の友だちなんですよ」

「そう？　でも、あなたはあのひとのお父さまにお習いしているんじゃなくって？」

「そうです」

わたしは、いやいやながらそう認めた。それはいかにも子供臭く思えたし、それでなくてさえ、彼女はわたしをすっかり子供扱いにしていたからである。

「あなたはあなたの運命や将来の見込みがかわってから、お友だちをかえてしまったのね？」

「むろんです」と、わたしはいった。

「やむをえないわけね」と、彼女は尊大な調子でいいそえた。「まえにあなたにふさわしかった友だちも、いまのあなたにはすっかりふさわしくなくなったでしょうからね」

正直にいって、それまでにもジョーにあいにいこうという気持ちが多少でものこっていたかどうか――大いに怪しいものだ。だが、たとえのこっていたにしても、この一言で、それはすっかり吹っとんでしまった。

「あなたはあのころまだ、幸運が近づいていたことなんかちっとも知らなかったのね?」と、エステラは格闘のころをいってるように、かすかに手をふりながらいった。

「ちっとも知りませんでした」

わたしとならんで歩いている彼女の、完成した、優越的な態度と、彼女とならんで歩くわたしの少年臭い、従順な態度との対照を、わたしは痛切に感じた。もしもわたしが、この対照は、自分がこんなに彼女の配偶者として考えられ、彼女といっしょになるようにもくろまれているために、自分でそう感じているのだと考えなかったら、いっそう痛切にわたしの心をなやましたことだろう。

庭は雑草がすっかり生《お》い茂っていて、気楽に散歩するにはむかなかった。二、三べんぐるぐる歩いてから、わたしたちはまた酒造場の中庭へでた。わたしはかつてあの最初の日に、彼女が樽《たる》の上を歩いていた場所をくわしく話した。すると、彼女は冷やかな、無頓着《むとんちゃく》な眼つきでそちらを見ながら、「そうなの」といった。わたしは彼女に、彼女が家から出てきてわたしに食物と飲物をあたえたのはここですよ、と話した。すると、彼女は、「わたし、おぼえていないわ」と、いった。「あなたはぼくを泣かしたことをおぼえていないんですか?」といった。「いいえ」と、彼女はいって、首をふり、あたりを見まわした。彼女がちっともおぼえていないこと、つゆほども気にかけていないことを知って、わたしはまた心のなかで、泣いた――いままでにないほど激しく。

「あなたは」と、エステラははなやかな美しい婦人がするように、わたしにちょっとやさしくしていった、「わたしには心臓《ハート》がないってことを知っていらっしゃらなくちゃならないのよ――もしそのことが、わたしの記憶となにか関係があるんでしたらね」

わたしは、失礼だがそれは疑わざるをえないとか、わたしにはもっとよくわかっているとか、もしも、心臓《ハート》がなかったら、こんな美しさはありえないだろうからという意味の、わけのわからんことを口ごもりながらいった。

「それはね！　わたしだってつき刺されたり、撃たれたりする心臓《ハート》はたしかにもっててよ」と、エステラはいった。「そして、もちろん、それが鼓動しなくなったら、わたしは死んでしまうのよ。でも、わたしのいう意味はおわかりでしょう。わたしの心臓《ハート》にはやさしさというものがないの。――同情だとか――感傷だとか――ばかくさいわ」

彼女がじっと立ったまま、しげしげとわたしを見たとき、わたしの心に深くきざみこまれたのは、いったいなんだったろうか？　わたしがミス・ハヴィシャムのうちに見たなにかと、おなじものだったろうか？　いいや、ちがう。子供たちが大人のひとたちとしょっちゅういっしょにおり、彼らだけと暮したりしていると、子供たちは大人の眼つきやそぶりに似せるものであり、子供時代がすぎても、すっかりちがっている両者の顔に、ときどき非常に似た表情を生むものである。エステラの眼つきやそぶりにも、そんなふうに、ミス・ハヴィシャムに似たところがあった。それにしても、いまわたしが見た表情が、ミス・ハヴィシャムから生まれたものだとは、わたしにはどうしても思えなかった。わたしはもういちど見かえした。彼女はまだわたしを見ていたが、あの表情はもうなかった。

いったいなんだったろうか？

「わたし、まじめなのよ」と、エステラは額をしかめるというよりか（なぜなら、彼女の額はなめらかだったから）、顔を曇らせながら、いった。「もしわたしたちがこれからもっといっしょになるんでしたら、あなたはいますぐそれを信じなさったほうがいいのよ。いいえ、ちがうわ！」と、彼女はわたしが口をききかけるのを尊大な調子でおしとめながら、いった。「わたし、優しい気持ちなんかどこにもしまってないのよ。そんなもの、わたしいちどももったことないの」

やがてわたしたちは、もう長いこと見すてられたままの酒造場のなかへはいった。彼女は、あのおなじ最初の日に、彼女の出てゆく姿を見かけた高い階廊を指さして、あそこにおって、下でわたしがびっくりして立ちつくしているのを見たことをおぼえているといった。わたしの眼が彼女の白い手を追ったとき、それとはっきりつかむことのできない、あのおなじ漠とした暗示が、またわたしの胸をかすめた。思わずはっとした瞬間、ちょうど彼女の手がわたしの腕にさわった。すると、たちまちあの幻影がもういちどすっと通りすぎて、消えていった。

それはいったい、なんだったろう？

「まあ、どうしたの？」と、エステラがたずねた。「またびっくりしてるの？」

「あなたがたったいまおっしゃったことを、もしぼくが信ずるとしたら、びっくりしたでしょうよ」と、わたしはその話をそらそうと思って、こたえた。

「じゃ、信じなさらないのね？　まあ、いいわ。とにかく、いってあげたんだから。ミス・ハヴィシャムはもうじきあなたが昔の仕事をはじめるのをお待ちになってるでしょう。いまはもうそんなことは、いろんな昔のものといっしょに、やめちまったほうがいいとわたし思うんだけど。もういちどお庭をひと回りしてから、はいっていきましょうよ。いらっしゃい！　きょうはわたし、あなたにつらくあたって、涙なんか流させはしませんよ。あなた、わたしのお小姓になるの。そして、あなたの肩につかまらしてくださるのよ」

彼女の美しい服の裳裾《もすそ》は地面をひきずっていた。いま彼女は片手でそれをもち、もう一方の手を軽くわたしの肩におきながら、ならんで歩いた。わたしたちは、荒れ果てた庭園をさらに二、三回まわった。わたしには、この廃墟の園は、まさに満開の花盛りの園のように思われた。たとえ古壁の裂け目にはえた緑や黄色の雑草が、いままで咲いたこともないほど貴《とうと》い花であったとしても、わたしの記憶にこれ以上大切にしまいこまれはしなかったろう。

わたしたちふたりのあいだには、彼女とわたしを遠くひきはなす年齢の違いはちっともなかった。ふたりは、ほとんどおなじ年ごろだった。もっとも、わたしよりも彼女のほうが年上のように見えたことはむろんだが。しかし、彼女の美と態度から生まれる、近づきがたい様子が、愉悦《ゆえつ》のさなかにも、そしてわたしたちの恩人はわたしたちふたりをたがいのためにえらんだのだと、この上もなく強く確信しているいまですら、なおわたしを苦しめなやましした。おお、哀れむべき子よ！

ついにわたしたちは家のなかへもどっていった。そこでわたしは、わたしの後見人がミス・ハヴィシャムに用件があってロンドンからやってきて、食事にもどってくることになっているときいて、びっくりした。かびの生えたテーブルがならべられている部屋のシャンデリアの、古い、さむざむとした腕には、わたしたちがいない間に明りがともされて、ミス・ハヴィシャムは椅子に腰かけて、わたしをまっていた。

わたしたちが婚礼の饗宴の朽ち果てた残骸の周囲を、昔のようにゆっくりとまわりはじめたとき、それはちょうど過去の世界に椅子を押しもどしているようだった。だが、墓場の姿がぐったり椅子によりかかって、じっと彼女の上に瞳をすえているこの陰気な部屋のなかで、エステラはまえよりもいちだんと輝かしく、美しく見え、わたしはいっそう強く魅惑された。

時間は溶けさるようにすぎていって、早めの食事時は近づいた。エステラは、身ごしらえのため出ていった。わたしたちは、長テーブルの真中近くで立ちどまっていた。ミス・ハヴィシャムは、しなびた一方の腕を椅子から伸ばし、指を握りしめて、黄色くなったテーブル掛けの上においていた。エステラがドアから出ていきながら、肩ごしにふりかえったとき、ミス・ハヴィシャムはぞっとするほど貪欲そうに、激しくその手に接吻して、彼女に投げた。

——エステラがいってしまって、わたしたちふたりだけになると、彼女はわたしのほうをふりむいて、ささやき声でいった。

「あの娘《こ》は美しくて、上品で、大きくなっているかね？　おまえ、あの娘を愛しているかね？」

「あのひとを見るものは、だれだってそうせずにはおられません」

彼女はわたしの首に腕をまわし、椅子に腰かけていたので、わたしの頭をひきよせて彼女の頭に近づけた。「あの娘を愛しておやり、愛しておやり、愛しておやり！　あの娘はおまえにどんなふうにあたるね？」

わたしがこたえることもできないうちに（こんな困難な質問に、もしわたしがこたえることができるとして）、彼女はまたくりかえした。「あれを愛しておやり！　愛して、愛して、愛しぬいておやり！　もしあの娘がおまえに好意を見せるなら、あれを愛しておやり！　たとえおまえを傷つけても、愛しておやり！　たとえあれがおまえの心をずたずたに切り裂いても——おまえの心が年とともに強くなればなるほど、いよいよ深く切り裂かれるだろう――あれを愛して、愛して、愛しぬいておやり！」

　彼女がこういったときの、あの熱情的な真剣さを、わたしはまたと見たことがない。わたしの頭に巻いた、やせ細った腕の筋肉が、彼女をとらえた激情のためにふくらむのを、わたしは感じることができた。

「ピップ、わしのいうことをおきき！　わしはあの娘《こ》を、愛されるように養女にしたんだよ。わしはあの娘を、愛されるように育てあげ、教育したんだよ。あの娘が愛してもらえるように、わしはあの娘をいまのようにしたんだよ。あれを愛しておやり！」

　彼女は、なんどもなんどもこうくりかえしていった。彼女が本気でそういったことは、すこしも疑いない。だが、たとえこうなんどもくりかえされた言葉が愛でなく憎悪――絶望――復讐――恐るべき死――であったとしても、彼女の口から、これ以上呪いの響きを発することはできなかったろう。

「ほんとの愛とはどんなものか、おまえにいってあげよう」と、彼女はおなじ早口の熱情的なささやき声でいった。「それは、盲目的な献身です。疑うことを知らない自己卑下です。絶対的な従順です。信頼と信仰です。おまえ自身にそむき、全世界にそむいて、おまえの全心、全霊を、おまえを打つ者にゆだねてしまうことです――ちょうど、わたしがそうしたように！」

　彼女がここまでいって、それから激しく泣き叫んだとき、わたしは彼女の腰に手をまわして彼女をつかまえた。なぜなら、彼女は経帷子《きょうかたびら》の衣をつけて椅子から立ち上がり、いっそ体を壁にうちつけ、たおれて死んでしまいたいかのように、空間を打ったからである。

これは、すべて数秒のあいだに起こったことだった。彼女を椅子にすわらせたとき、わたしはよく知っているにおいに気づいてふりかえると、わたしの後見人が部屋のなかにはいっていた。

彼は、いつも（わたしはまだそのことをいわなかったと思うが）ゆたかな絹の恐ろしく大きなハンケチをもっていた。それは彼の仕事にとって、非常に大切な所持品だった。わたしは彼が、依頼人や証人のまえで、いまにも鼻をかもうとするみたいに、このハンケチを仰々しくおしひろげて見せ、それから、そんなことをするひまもなく、その依頼人や証人が彼に言質をあたえることをちゃんと知っているかのように、とつぜんやめて、彼らをどきっとさせるのを見たことがある。その結果、まるできまりきったことのように、言質はすぐとられるのだった。彼が部屋のなかにいるのを見たとき、彼はこの意味深長なハンケチを両手にもって、わたしたちをじっと見ていた。わたしと眼があうと、彼はちょっとその態度をとったまま、はっきりとこういった。「これは、これは！　めずらしい！」それから、すばらしく上手にハンケチを使った。

ミス・ハヴィシャムは、わたしと同時に彼を見て、（だれでもおなじように）彼を恐れた。彼女は、一生けんめい落ち着こうと努力しながら、いつもきちょうめんですねと、どもりどもりいった。

「いつもきちょうめんですよ」と、彼はいって、わたしたちに近づいた。「元気かい、ピップ？（ミス・ハヴィシャム、ひとつ押してあげましょうかね？　ひとまわりしましょうかね？）すると、こっちへやってきたんだな、ピップ？」

わたしは、自分がいつ着いたとか、ミス・ハヴィシャムがエステラにあいにくるように望まれたことなどを話した。すると彼は、「ああ！　大へん立派な若いご婦人だね！」とこたえた。それから、彼は例の大きな手で椅子にすわっているミス・ハヴィシャムを、まえのほうへおし、片手はズボンのポケットにつっこんだ。まるで、そのポケットに秘密がいっぱいかくされているみたいに。

「ところで、ピップ！　おまえ、いままでどのくらいエステラさんにあってるかね？」と、彼は立ちどまったときいった。

「どのくらいですって？」

「ああ！　なんどかってきいてるんだ？　一万べんかね」

「まさか！　そんなにたびたびじゃありません」

「二どかね？」

「ジャガーズ」と、ミス・ハヴィシャムが口をはさんだので、わたしはほっとした。「ピップにはかまわないで、いっしょに食事にいらっしゃい」

彼はそれにしたがった。わたしたちは、いっしょに暗い階段を手探りしながらおりた。裏手の舗装した中庭のむこうにある離れの部屋にいく途中、彼はわたしに、ミス・ハヴィシャムが食べたり飲んだりするところを見かけたことが、何回あるかと、たずねて、例によって、百回から一回までの幅で、選択の自由をゆるした。

わたしは考えてから、いった。「いちどもありません」

「これからだって、いちどもないだろうよ、ピップ」と、彼は眉をひそめて微笑しながらいった。「あのひとはいまのような生活をするようになってからというもの、食べたり飲んだりするところを、けっしてひとに見せないんだ。あのひとは、夜歩きまわっては、手にはいる食物をたべるんだ」

「あの」と、わたしはいった。「ぼくひとつおたずねしていいんですか？」

「よろしい」と、彼はいった。「わしは返事をおことわりするかもしれんが。いってみなさい」

「エステラの名字なんですが、ハヴィシャムなんですか、それとも――？」あとにいいそえることは、なにも知らなかった。

「それとも、なにかね？」と、彼はいった。

「ハヴィシャムなんですか？」

「ハヴィシャムだ」

こういったとき、わたしたちはもう食堂にきていた。そこには、彼女とサラ・ポケットがわたしたちをまっていた。ジャガーズさんが主人役をつとめ、エステラは彼のまえにすわり、わたしは、青ざめた黄色の友と向かいあってすわった。立派な食事で、女中が給仕をした。彼女をわたしは、いままで来たりいったりしたときいちども見たことがなかった。だが、その間、ずっとこのふしぎな邸内にいたものに相違なかった。食事のあとで、上等の古いブドー酒がわたしの後見人のまえにおかれて（彼は、ブドー酒にはたしかに玄人であったらしい）、ふたりの婦人はたちさった。

わたしはあの邸内におけるジャガーズさんの、頑とした無口ほどの無口を、彼の場合にすら、いままでいちども見たことがない。彼は、自分の手もとばかり見ていて、食事中ほとんどいちどもエステラの顔に眼をむけなかった。彼女が彼に話しかけると、彼はじっとそれをきいていて、やがて返事をした。だが、わたしの知ってるかぎり、いちども彼女を見はしなかった。一方、彼女は邪推でないまでも、興味と好奇心をもって、なんども彼を見た。だが、彼はそれに気づいているような様子をすこしも顔にあらわさなかった。食事中、彼はわたしとの会話で、わたしの遺産相続の見込みになんどとなく話をもっていっては、サラ・ポケットをいよいよ青ざめさせ、ますます黄色にさせて、何食わぬ顔をして、よろこんでいた。でも、それにもまた気づいているような様子はすこしも見せず、それればかりか、そうした話を無心なわたしに、むりやりさせたように見せかけさえした――いや、じっさいまたそうさせたのだった。どんなふうにしてそうさせたのか、わたしにはわからないが。

それから、彼とわたしだけになると、彼は情報をつかんだ結果、じっと静かにしているんだというような態度をして、すわっているので、わたしにはどうにもたえられなくなった。彼はほかになにも手にしていないときには、自分のブドー酒を反対尋問にかけた。彼はブドー酒を明りにすかして見、それを味わい、口にふくんであっちこっち動かし、ごっくりのみこみ、また杯をながめ、ブドー酒のにおいをかぎ、味わい、のみこみ、ふたたび杯にいっぱいみたして、反対尋問するので、ついにはわたしはすっかり臆病になってしまった。まるでブドー酒がなにかわたしにとって不利なことを彼に話しているということが、ちゃんとわかっているみたいに。わたしは、三どか四ど、話しかけようとかすかながら考えた。だが、彼はわたしがなにか彼にたずねようとしているのを見るたびに、杯を手にし、ブドー酒を口のなかであちこち動かしながら、まるでそんなことをしてもむだだからそのつもりでおれ、わしにはなにもこたえられないんだから、といわんばかりの顔をして、わたしを見た。

ミス・ポケットは、わたしの姿を見ると、気が狂うほどいらいらして、おそらくは帽子――それは、モスリンの不精雑巾《ぞうきん》に似た、ぞっとするほどいとわしい代物《しろもの》だった——を引き裂き、床に髪——それはたしかに彼女の頭に生えたものではなかった——をいっぱいまきちらすようなことになる危険があるということを意識していたように思われる。わたしたちがあとでミス・ハヴィシャムの部屋へ上がっていったとき、彼女は姿を見せなかった。で、わたしたちは四人でウィスト(四人でやるトランプ遊び——訳者)をやった。そうしている間に、ミス・ハヴィシャムは気まぐれに、化粧テーブルのいちばん美しい宝石をいくつか、エステラの髪や胸のあたりや腕につけた。燦然《さんぜん》と輝く光や色彩《いろどり》をよそおうた彼女の愛くるしさを眼のまえにしたとき、わたしの後見人でさえ、濃い眉毛の下から彼女を見、眉を心持ちもたげるのが見えた。

彼がわたしたちの切り札を引っくくってしまい、勝負の終りにつまらん札をもちだしては、わたしたちの王や女王の栄光を台無しにしてしまった、あの遣り口と徹底ぶりに類するものを、わたしは知らない。それからまた、彼がとっくの昔に解いてしまった、三つの、きわめて明々白々なつまらん謎かなんぞのように、わたしたちをながめているその様子を見て、感じたような気持ちを感じたことがない。だが、わたしを苦しめたのは、彼の冷たい様子と、エステラにたいするわたしの感情とのあいだの不調和だった。それは、彼女のことを彼に話すような気持ちにはとうていなりえないとか、彼が彼女にむかって長靴をきゅうきゅう鳴らすのを聞くにはたえないとか、彼が彼女を手から洗いおとすのを見るにたえないとかいうことが、自分にははっきりわかっているということではなくて、彼から一、二フィートとはなれぬところで、わたしが賛美の情をいだいているということであり、わたしが彼といっしょの場所にいて、こんな感情をいだいているということだった——それこそ、死ぬほどつらいことだった。

わたしたちは、九時までトランプをつづけた。それから、エステラがロンドンへくるときには、あらかじめそのことをわたしに知らせ、わたしは乗合馬車の発着所で彼女をむかえるということに手はずをきめた。そうして、わたしは彼女に別れのあいさつをのべ、彼女にふれ、そして彼女をあとにした。

わたしの後見人は、青豚亭のわたしの隣の部屋に寝た。夜おそくまで、「あの娘《こ》を愛しておやり、あの娘を愛しておやり、あの娘を愛しておやり！」というミス・ハヴィシャムの声が、わたしの耳に鳴り響いた。わたしはそれに調子をあわせて、自分の枕《まくら》にむかって、「ぼくは彼女を愛する、ぼくは彼女を愛する、ぼくは彼女を愛する！」と、何百ぺんもくりかえした。すると、彼女がかつては鍛冶屋の小僧だった自分のものとなるように運命づけられていることにたいする感謝の念が、とつぜん潮のようにわたしを襲った。それから、わたしは、もし彼女がこのような運命にたいして、まだけっして狂気のように感謝していないとしたら――わたしにはそんなに思われてならなかったが――いったいいつ彼女はわたしに興味をいだくようになるだろうか、と思った。わたしがいまは黙々として彼女のうちに眠っている心を目ざますのは、はたしていつの日だろうか？

ああ！　これこそ崇高で偉大な情熱なのだ、とわたしは思っていた。だが、彼女が彼をけいべつすることを知って、ジョーから遠ざかるようにしている自分の態度が、いやしい、卑劣なものだとは、すこしも思わなかったのである。ジョーがわたしの眼に涙を流さしてから、たった一日たっただけである。その涙は、すぐに乾《かわ》いてしまった。神よ、ゆるしたまえ！　そんなにも早く乾いてしまったのです。

ディケンズ
中野好夫訳
二都物語（上・下）
フランス革命下のパリとロンドン――燃え上がる革命の炎の中で、二つの都にくりひろげられる愛と死のドラマを活写した歴史ロマン。

ディケンズ
村岡花子訳
クリスマス・カロル
貧しいけれど心の暖かい人々、孤独で寂しい自分の未来……亡霊たちに見せられた光景が、ケチで冷酷なスクルージの心を変えさせた。

ディケンズ
中野好夫訳
デイヴィッド・コパフィールド（一～四）
逆境にあっても人間への信頼を失わず、作家として大成したデイヴィッドと彼をめぐる精彩にみちた人間群像！　英文豪の自伝的長編。

ウィーダ
村岡花子訳
フランダースの犬
ルーベンスに憧れるフランダースの貧しい少年ネロは、老犬パトラシエを友に一心に絵を描き続けた……。豊かな詩情をたたえた名作。

シェイクスピア
福田恆存訳
オセロー
イアーゴーの奸計によって、嫉妬のあまり妻を殺した武将オセローの残酷な宿命を、鋭い警句に富むせりふで描く四大悲劇中の傑作。

シェイクスピア
福田恆存訳
リア王
純真な末娘より、二人の姉娘の甘言を信じ、すべての権力と財産を引渡したリア王は、やがて裏切られ嵐の荒野へと放逐される……。

Title : GREAT EXPECTATIONS (vol. I)
Author : Charles Dickens

大《おお》いなる遺《い》産《さん》(上)

新潮文庫　テ-3-1

昭和二十六年十月三十日　発行
昭和四十一年七月二十五日　十六刷改版
平成 三 年十一月十五日　五十六刷

訳者　山《やま》西《にし》英《えい》一《いち》
発行者　佐藤亮一
発行所　株式会社 新潮社
郵便番号　一六二
東京都新宿区矢来町七一
電話　業務部(〇三)三二六六―五一一一
　　　編集部(〇三)三二六六―五四四〇
振替　東京四―八〇八番

価格はカバーに表示してあります。

乱丁・落丁本は、ご面倒ですが小社通信係宛ご送付ください。送料小社負担にてお取替えいたします。

印刷・東洋印刷株式会社　製本・有限会社加藤新栄社

ISBN4-10-203001-8 C0197